Pour ma Susie que j'aime
de Tout mon cœur ♡ Ton Amie
Bisous Jocelyne.
le 07 Novembre 2014

La Promesse de l'océan

Françoise Bourdin

La Promesse de l'océan

ÉDITIONS
FRANCE
LOISIRS

Vous pouvez consulter le site de l'auteur
à l'adresse suivante :
www.francoise-bourdin.com

Édition du Club France Loisirs,
avec l'autorisation des Éditions Belfond.

Éditions France Loisirs,
123, boulevard de Grenelle, Paris
www.franceloisirs.com

© Belfond, un département de Place des éditeurs, 2012

ISBN : 978-2-298-05996-0

Pour Nizou,
Avec ma profonde et sincère affection

1

Mahé serra la main du dentiste sans oser dire un mot, car elle ne sentait plus ni sa joue ni ses lèvres. Au moins était-elle débarrassée de la douleur lancinante qui l'avait tenue éveillée une partie de la nuit. Elle se dépêcha de regagner son vieux break, garé non loin du cabinet, et démarra sur les chapeaux de roue. À bord flottait un vague relent de poisson qui ne la dérangeait pas. Cette odeur avait toujours imprégné les véhicules de la famille, et la première fois qu'elle avait fait la grimace, enfant, ses parents s'étaient esclaffés en lui expliquant que la pêche les faisait tous vivre.

Elle quitta la place du Martray et ses maisons à pans de bois, sortit de Lamballe et prit la direction du Val-André. La saison de la pêche à la coquille Saint-Jacques, autorisée d'octobre à avril, allait commencer. Cette période correspondait au départ des derniers touristes, et la côte appartiendrait de nouveau aux Bretons. La veille, Mahé avait passé toute la journée avec les marins de sa petite flotte, établissant le programme des bateaux. Elle possédait ses brevets de patron et de capitaine de pêche, mais le plus souvent elle restait à terre pour s'occuper de la gestion de l'entreprise. La passation de pouvoirs entre elle et son père s'était déroulée sans heurt, elle avait été bien acceptée parce qu'elle avait fait ses preuves en mer des années durant, et aussi parce qu'elle était la fille d'Erwan Landrieux. Quand celui-ci avait été victime d'un accident vasculaire cérébral, les marins avaient trouvé tout à fait normal que Mahé prenne le relais. Aucune voix ne s'était élevée pour la traiter de *fille*, il existait davantage de solidarité que de machisme dans ce milieu. Néanmoins, elle n'était pas naïve, elle savait bien que ceux qu'elle employait n'avaient pas les moyens de s'offrir un bateau et qu'ils comptaient tous sur leur salaire à la fin du mois. Mahé possédait les navires, les entretenait, payait les assurances, s'occupait de toute la partie administrative et appliquait strictement les réglementations en vigueur. Une sécurité pour les marins pêcheurs qui naviguaient ainsi l'esprit libre et ne se souciaient que des poissons. Bien sûr, Erwan s'était taillé une solide réputation et sa fille en bénéficiait. Il avait su se diversifier au bon moment, ne se contentant pas des coquilliers pour la pêche côtière mais investissant dans deux hauturiers. Quand on ne pouvait plus pêcher la saint-jacques dans la baie, venait le temps des soles, turbots, bars, lottes ou rougets à aller chercher en haute mer.

Avant que son père soit diminué par son accident, Mahé avait fait des saisons entières sur les bateaux Landrieux. Elle savait réparer une drague ou un chalut, tenir la barre face au vent, estimer le poids des prises rien qu'à les voir se tortiller sur le pont. De cette période, elle avait gardé une allure un peu garçon manqué mais, maintenant qu'elle n'accompagnait plus les marins, elle essayait de soigner son image. Elle avait laissé pousser ses cheveux bruns, une frange et un carré dégradé la rendaient plus féminine. Sur ses jeans, dont elle ne pouvait toujours pas se passer, elle avait pris l'habitude de porter des chemisiers blancs et des vestes de coupe irréprochable. L'hiver, ses boots avaient désormais des talons, et un discret maquillage soulignait ses grands yeux bleu-vert, de la couleur exacte de la Manche par beau temps. Pourtant, si elle avait cessé de proférer des jurons et de boire ses bières à la bouteille, elle conservait un caractère têtu et soupe au lait.

Avant le village de Saint-Alban, elle tourna à droite vers Erquy. Elle était fière d'habiter ce port de débarquement pouvant négocier tous les ans plus de dix mille tonnes de poissons et coquillages à la criée. Ou, plus exactement, d'après leur nouveau nom, dans les halles à marée. Tout avait tellement changé depuis quelques années! Les quotas, les horaires, les groupements... Juste avant son accident, Erwan avait déjà du mal à s'y retrouver et il pestait sans cesse. Aujourd'hui, il ne comprenait plus rien, il laissait faire Mahé. Il s'était aigri parce qu'il parlait et marchait avec difficulté, à soixante-dix ans à peine il se sentait un homme fini. «Mets-moi dans une *maison*!» disait-il à sa fille sans en penser un mot. Une maison de quoi? De retraite?

11

De convalescence? Une maison pour vieillards séniles? Il ne l'était pas. En revanche, il devenait de plus en plus acariâtre et se montrait volontiers agressif. Mahé tenait bon, elle ne pouvait rien faire d'autre. Elle subissait la cohabitation en levant les yeux au ciel mais en gérant tout.

Évidemment, entre son père qui ronchonnait et l'entreprise de pêche à faire tourner, elle n'avait pas de vie privée. Ça l'arrangeait, elle s'était mal remise de la perte de son fiancé. Un drame auquel elle ne voulait plus penser mais qui revenait parfois hanter ses cauchemars.

Elle imaginait l'obscurité sur la mer déchaînée, le froid qui avait dû saisir Yvon quand il était tombé à l'eau, sa terreur, ses cris emportés par le vent. La panique des marins toujours à bord. Les bouées lancées en hâte, les projecteurs allumés. Qu'avait pu discerner Yvon dans ce chaos? Il avait dû lutter comme un fou, suffoquer sous l'assaut des vagues. Et puis la mort lente de la noyade, son corps s'enfonçant dans les profondeurs. Elle revoyait le retour du hauturier, son arrivée dans le port. Prévenue à l'aube par radio, elle avait attendu sur le quai en claquant des dents dans son ciré sans pouvoir cesser de pleurer. Il pleuvait, des bourrasques glaciales faisaient danser les bateaux au mouillage. Son père avait enfin accosté, lancé ses amarres. Le visage ravagé par la culpabilité et le chagrin, il avait levé les yeux vers Mahé. Derrière lui, ses deux matelots s'affairaient en silence, les épaules voûtées. Un responsable était venu de la capitainerie, suivi de deux gendarmes. Erwan avait raconté l'accident provoqué par son brutal coup de barre pour remonter une vague. Peut-être une manœuvre trop hâtive, et il n'avait pas eu le temps de prévenir. Comme la plupart des marins pêcheurs, Yvon ne s'attachait jamais, même par gros temps. En l'absence de corps, il avait été porté disparu. La mer s'était refermée sur lui, on ne l'avait jamais retrouvé. L'office religieux s'était déroulé sans cercueil, avec le bagad qui jouait à fendre l'âme devant la porte de l'église. Mahé avait cru mourir de désespoir. Jusqu'à ce que cette femme l'aborde, et détruise en quelques mots ses plus beaux souvenirs…

Elle freina sèchement devant la maison de grès rose. Adossée à la falaise, avec son toit d'ardoise pentu et ses lucarnes, la bâtisse étroite était typique de la côte. Pour Erwan, elle avait représenté le début de la réussite, lorsqu'il avait quitté sa cabane de pêcheur pour se l'offrir. Par la suite, il aurait pu changer de domicile encore une fois, mais il ne l'avait pas souhaité. Ici se trouvait la trace de sa femme et d'une époque heureuse qu'il voulait garder en mémoire. L'empreinte d'Annick perdurait dans les assiettes en faïence de Quimper où figuraient des légendes bretonnes, dans quelques livres rangés sur une étagère, dans une batterie de casseroles en cuivre pendues au mur de la cuisine et que Mahé n'astiquait jamais, ou encore dans un jeté de lit brodé à la main qui couvrait toujours le lit d'Erwan. Il s'accrochait à ces objets avec ferveur pour se la rappeler. Sans doute perdait-il un peu la tête, bien qu'il ne veuille pas l'admettre.

Négligeant l'entrée principale, Mahé gagna le côté de la maison qui s'ouvrait sur un petit jardin. Là était installé le bureau de l'entreprise, disposant d'un accès indépendant. Du temps d'Erwan, la pièce ressemblait à un vaste foutoir, et Mahé l'avait transformée sans état d'âme lorsqu'elle avait repris l'affaire en main. Car, au cours du long séjour de son père à l'hôpital, après son AVC, les médecins s'étaient montrés pessimistes. D'après eux, Erwan récupérait mal et conserverait des séquelles, son élocution et sa mobilité ne seraient plus jamais comme avant. Mahé n'avait pas hésité à prendre sa place, puisque la survie de leur affaire de pêche en dépendait. De retour chez lui, son père avait approuvé, et depuis il la laissait tranquille, ne mettant pas souvent les pieds dans son ancien bureau que, d'ailleurs, il ne reconnaissait plus.

Elle alla directement s'installer derrière la grande table de bois sombre et consulta d'abord le bulletin météo par radio. Sa dent ne la faisait plus souffrir, pourtant l'anesthésie était en train de se résorber, provoquant des fourmillements dans sa joue. Elle estima que le stomato avait bien fait son travail et qu'en conséquence elle honorerait leur prochain rendez-vous au lieu de se décommander lâchement. Comme la plupart des gens, elle avait une peur bleue des dentistes et détestait s'asseoir sur leur fauteuil.

—Tu es rentrée, constata Erwan depuis le seuil.

Appuyé sur sa canne, il revenait de sa promenade quotidienne, sa casquette de marin vissée sur sa tête jusqu'aux yeux. Avec son sempiternel caban, il avait une allure presque caricaturale de vieux matelot fatigué. Mais il ne jouait pas au Breton, ni à l'homme de la mer, il l'était dans l'âme, issu de six générations de pêcheurs, et il pouvait s'enorgueillir d'être le premier à avoir surmonté la pauvreté.

— J'enregistre le programme des jours à venir, annonça-t-elle en souriant.

Elle essayait toujours de se montrer gentille, même si son caractère impatient la faisait bouillir quand il fallait répéter plusieurs fois la même chose.

— Tu as décroché mes photos?

L'air mécontent, il était en train d'examiner le mur derrière elle.

— Elles jaunissaient, papa. Mais je te les ai gardées, elles sont là, si tu les veux.

— Tout de même, ronchonna-t-il, c'étaient mes bateaux…

— Leurs coques sont vermoulues depuis longtemps, et nous en avons d'autres qu'il faut mettre à l'honneur. Des agrandissements du *Jabadao*, du *Korrigan* et du *Tam bara* sont chez l'encadreur, je les aurai la semaine prochaine. Tu verras, ce sera splendide!

Elle avait commencé par photographier ses équipages, capitaines, seconds et matelots posant tous ensemble sur le port d'Erquy. Ce cliché trônait désormais sur un coin de la longue table. À portée de main, des rayonnages étaient chargés de classeurs en cuir soigneusement étiquetés aux noms des marins et des bateaux de sa flotte. Devant elle, son ordinateur de bureau restait allumé en permanence. Elle ne reniait pas le passé, mais avait adopté des méthodes plus modernes et plus personnelles pour gérer l'entreprise. Erwan la regardait agir avec autant de fierté que d'exaspération. Qu'elle ait su reprendre le flambeau le comblait, mais qu'elle le porte plus haut que lui le dérangeait. Lorsqu'elle avait acquis le *Jabadao*, un an auparavant, il s'était dit qu'elle prenait trop de risques. Il aurait voulu lui expliquer qu'elle avait les yeux plus gros que le ventre, cependant une exceptionnelle saison de pêche l'avait contraint au silence. Et ce hauturier acheté d'occasion était un beau bâtiment solide, en très bon état. Mahé l'avait confié à Jean-Marie, leur meilleur capitaine, il n'y avait rien à objecter.

— J'ai faim, déclara-t-il. On mange bientôt?

S'il trouvait à peu près normal de voir sa fille en chef d'entreprise, il ne la dispensait pas pour autant de tenir la maison. Elle en avait pris les rênes à la mort d'Annick, il ne voyait aucune raison pour que ça change.

— Attends encore une demi-heure, répliqua-t-elle, je n'ai pas fini.

Il bougonna avant de sortir, de sa démarche mécanique. La coordination de ses mouvements lui posait toujours des problèmes, il cassait souvent des objets et bousculait les meubles au passage. Mahé soupira en considérant la porte close. À trente ans, elle n'aurait pas dû habiter avec son père, mais elle ne pouvait pas se résoudre à l'abandonner. Elle aurait adoré avoir un appartement ou, mieux, une petite maison

16

de pêcheur rien qu'à elle, et pouvoir l'arranger à son goût. Y vivre de manière indépendante, y recevoir des amis, chercher l'âme sœur en refaisant le monde jusqu'à l'aube. Mais elle demeurait coincée là, dans cet endroit où elle était née, avait grandi, et où elle avait perdu sa mère alors qu'elle venait juste de fêter ses treize ans. Bien entendu, Erwan lui disait d'agir à sa guise. «*Si tu as envie d'inviter des copains, ne te gêne pas, je me ferai tout petit.*» Lui? Il en était bien incapable! Et elle ne s'imaginait pas le reléguant dans sa chambre alors qu'il était chez lui. En conséquence, elle organisait pour ses amis des dîners dans les restaurants ou les crêperies de la rue du Port.

Elle entra les dernières données dans l'ordinateur puis s'étira en poussant un long soupir. Contrairement à sa mère, elle n'était pas une bonne cuisinière, aussi se contentait-elle souvent de décongeler des poissons à la poêle ou au four. Au moins, elle savait préparer les galettes de froment et y ajouter tout ce qui lui tombait sous la main. Erwan ronchonnait, évoquait à regret les talents d'Annick, mais il mangeait de bon appétit.

Elle ferma le fichier, se leva enfin. Après le déjeuner, elle devait faire un tour sur le voilier de son amie Armelle. Juste quelques heures en mer pour profiter d'un des derniers beaux jours et respirer l'air du large. Naviguer lui manquait, elle avait envie de prendre un peu de bon temps. Une fois la saison de la coquille commencée, elle aurait du travail par-dessus la tête et ne pourrait plus jouer au skipper. Résolue à expédier le repas, elle décida qu'elle et son père se contenteraient de crêpes jambon-fromage.

*

Jean-Marie avait quasiment terminé l'inspection méticuleuse du *Jabadao*, et il s'octroya une cigarette sur le quai. Il était tombé amoureux de ce bateau dès le jour où Mahé l'avait acheté, tout comme il était amoureux de Mahé. Mais, au moins, il pouvait clamer son attachement au *Jabadao*, alors qu'il restait muet face à la jeune femme. Et pas uniquement parce qu'elle était sa patronne. En fait, il avait succombé à son charme bien des années auparavant, quand Erwan l'avait embauché en tant que mousse. À cette époque-là, hélas, elle n'avait d'yeux que pour Yvon, avec lequel elle s'était fiancée par la suite. Jean-Marie avait dû ravaler ses sentiments et assister, impuissant, aux préparatifs du mariage. Il évitait de naviguer avec le jeune homme, dont il se sentait jaloux malgré tout, mais la nuit du drame, par malheur, ils se trouvaient à bord du même bateau. Déséquilibré par la manœuvre d'Erwan, lui aussi avait failli être jeté à l'eau. Il s'était accroché à un câble, avait vu Yvon basculer. Des heures durant, malgré la tempête, ils étaient restés sur place à décrire des cercles. À la lueur des projecteurs, ils avaient scruté l'écume en vain, prêts à lancer des bouées, et s'étaient épuisés à hurler le prénom d'Yvon tandis que d'énormes vagues les tabassaient. Ils ne s'étaient résignés que lorsqu'ils avaient failli chavirer. Sa vie entière, Jean-Marie se souviendrait de l'appel radio d'Erwan, lancé d'une voix chevrotante. Pour la première fois, il avait été malade, vomissant de la bile que des paquets de mer nettoyaient aussitôt. Il se sentait coupable d'avoir jalousé Yvon, et désespéré d'avoir été incapable de le sauver. Tout le temps du retour au port, ils n'avaient pu penser à rien d'autre qu'à Yvon. Puis Erwan s'était mis à répéter, de cette même voix brisée : « *Bon Dieu, ma fille !* » tandis que Jean-Marie et l'autre marin se taisaient, anéantis.

Il écrasa sa cigarette et fit quelques pas. Le temps était encore estival, mais en ce début du mois d'octobre il n'y avait plus grand monde, Erquy redevenait un simple port de pêche. Jean-Marie s'arrêta, se retourna pour observer le *Jabadao* de loin. Quand Mahé le lui avait confié, il avait fondu de reconnaissance. À bord de ce hauturier, il pouvait aller loin pour pêcher le bar ou le lieu par cinquante mètres de fond. Il demandait toujours à embarquer avec lui le petit Christophe, un gamin doué pour dénicher le poisson, et déjà très bon marin pour ses vingt ans. Lui aussi appréciait le bateau et le chouchoutait, le repeignant avec amour dès qu'ils étaient à quai. Il lui arrivait même de se mettre à gesticuler sur le pont en chantant à tue-tête pour prouver qu'il savait danser en rythme le *Jabadao*, une sorte de gigue typiquement bretonne.

L'envie d'un café fit remonter Jean-Marie vers les bistrots. Il croisa deux jeunes femmes qui marchaient bras dessus, bras dessous, vêtues de shorts qui mettaient en valeur leurs jambes bronzées. Sans doute des vacancières tardives qui lui sourirent en passant. Il savait qu'il plaisait aux filles avec sa carrure de sportif, son teint buriné et ses yeux sombres, mais il en profitait peu. Dans son cœur, il n'y avait de place que pour Mahé. Après la noyade d'Yvon, il avait attendu longtemps que le chagrin s'apaise. Une année s'était écoulée, puis une autre, pendant lesquelles il avait passé son brevet de capitaine de pêche. Il demandait souvent des nouvelles de la jeune femme à Erwan qui le regardait avec une expression farouche et ne faisait rien pour l'encourager. Chaque premier du mois, Jean-Marie prenait la résolution d'oser enfin inviter Mahé à boire un verre ou à dîner, mais la fin du mois arrivait sans qu'il en ait trouvé le courage. Il ne voulait pas avoir l'air de draguer la fille de son employeur, et de toute façon il était paralysé par la timidité dès qu'il était en face d'elle. Les campagnes de pêche s'étaient succédé, puis Mahé était devenue la patronne, ce qui n'arrangeait rien. D'autant plus qu'elle l'appréciait, le traitait en ami, lui confiait volontiers des responsabilités. À présent, il la connaissait depuis dix ans et n'avait pas avancé d'un pas. Il se disait que d'autres auraient eu moins de scrupules, qu'un jour elle tomberait amoureuse d'un homme plus entreprenant, mais rien n'y faisait. Tant qu'elle ne lui adresserait pas un signe, il n'oserait pas.

Il s'installa à une terrasse, commanda un café et alluma une autre cigarette. En ce moment, il sortait avec une fille adorable à qui il n'avait rien promis, pas plus qu'à celles qui l'avaient précédée. Pouvait-il continuer ainsi ? Il avait envie de fonder une famille, il fallait qu'il oublie Mahé. Ou qu'il se décide à lui parler, mais il se savait prisonnier d'une situation bloquée, relevant à présent du fantasme.

Des mouettes poussaient leurs habituels cris stridents au-dessus des eaux du port. Jean-Marie suivit leur manège d'un regard distrait. Prendre la mer restait son meilleur dérivatif, à la barre du *Jabadao*, il ne pensait plus qu'à la pêche. Au moins, il adorait son métier et n'en aurait changé pour rien au monde.

*

—Un plombage dans une molaire, c'est comme un coin dans une bûche. Plus vous mâchez, plus vous enfoncez le coin, jusqu'à ouvrir la dent.

Fascinée, Mahé regardait l'écran de contrôle qui affichait une vue panoramique de sa mâchoire.

—Une couronne me semble la solution la plus adaptée, conclut le docteur Alan Kerguélen.

— Et la plus coûteuse, non ?

Il eut un sourire indulgent en se tournant vers elle.

—À votre âge, mademoiselle Landrieux, ça en vaut la peine. Vous n'avez aucun autre problème, votre dentition est impeccable. Et si vous aviez fait soigner cette carie à temps…

—J'avais la trouille.

—De quoi ? Nous ne sommes plus au Moyen Âge, je ne travaille pas avec des tenailles !

Il repoussa la tablette pour qu'elle puisse se lever.

— Cette couronne, ça représente beaucoup de séances?

— Quelques-unes.

Elle le suivit jusqu'à son bureau, à l'autre bout du cabinet, et prit place en face de lui.

— Je croyais en avoir fini la dernière fois, soupira-t-elle.

— Nous nous étions limités à creuser la dent, la dévitaliser et mettre un pansement. Elle est morte, elle ne va pas se reconstituer toute seule, maintenant elle a besoin d'un… couvercle.

Du bout des doigts, il pianotait sur le sous-main, impatient qu'elle se décide. Résignée, elle sortit son agenda de son sac.

— Très bien, prenons rendez-vous. Je vous préviens, je suis passablement occupée!

— Moi aussi, répliqua-t-il avec un agacement manifeste. Jeudi, quinze heures?

Elle se contenta d'un petit hochement de tête et nota la date. Il lui en proposa deux autres, à quelques jours d'intervalle, puis se leva pour la raccompagner. Le trouvant moins sympathique que la première fois, elle se sentait mal à l'aise. Elle devait avoir l'air déstabilisée car en lui ouvrant la porte il lui demanda:

— Voulez-vous que j'établisse préalablement un devis? Vous pourrez échelonner vos paiements, si vous le souhaitez.

— Merci, ce ne sera pas nécessaire. Donnez-moi juste une idée, à la louche.

— *À la louche?* répéta-t-il, incrédule.

Il éclata de rire en secouant la tête.

—Je vous prépare un devis détaillé pour jeudi.

Il la suivit des yeux tandis qu'elle s'éloignait sous une pluie fine qui méritait son nom de crachin breton et faisait luire les trottoirs. Refermant la porte, il esquissa un sourire las. Cinq ans plus tôt, lorsqu'il s'était installé à Lamballe, il avait cru qu'il redémarrait tout de zéro et que son existence serait paisible, pourtant il commençait à être submergé par la clientèle. Ses anciens patients de Saint-Brieuc avaient été heureux de le retrouver malgré sa longue absence, et le bouche-à-oreille avait trop bien fonctionné. Au moins, il était occupé à longueur de journée et ne pensait quasiment jamais à son ancienne vie. Quand il rentrait chez lui le soir, à défaut d'être heureux, il se sentait apaisé.

Le bruit des instruments sur les plateaux métalliques lui apprit que son assistante remettait de l'ordre dans le cabinet. La journée était terminée, il pouvait partir. Il enfila son blouson en cuir puis alla prendre congé de Christine. Il la traitait toujours avec beaucoup de courtoisie et de complicité, content de l'avoir retrouvée quand il était venu s'installer à Lamballe. Vieille fille, elle avait bénéficié de plusieurs petits héritages et aurait pu se dispenser de travailler, mais elle s'était attachée à lui durant les années où il l'avait employée à Saint-Brieuc. Apprenant qu'il rouvrait un cabinet dans la région, elle était aussitôt venue le voir avant qu'il engage qui que ce soit d'autre.

—Bonne soirée, Christine! Je vous laisse fermer...

Son cabriolet était garé à deux pas, le caducée en évidence sur le tableau de bord. Il quitta Lamballe et s'engagea sur les petites routes menant à la forêt de Saint-Aubin. La maison qu'il avait dénichée était à vendre depuis longtemps quand il était tombé sur l'annonce. Elle s'apparentait par son architecture à une malouinière. Sans doute avait-elle été construite au XVIIIe siècle par un armateur enrichi qui souhaitait une villégiature à la campagne. Elle possédait des toits à pente raide troués de lucarnes pointues, des cheminées élancées, une façade blanche avec des parements de granit. Austère mais majestueuse, ses fenêtres étroites et hautes donnaient d'un côté sur un parc en friche et de l'autre sur les bois. Alan en était tombé amoureux dès qu'il l'avait vue, n'hésitant pas à y investir tout l'argent qui lui restait de son ruineux divorce. Pour le cabinet, il avait dû s'endetter, mais à ce moment-là il s'en moquait, il voulait repartir du bon pied.

En arrivant, il constata que les jours raccourcissaient, bientôt il ferait nuit quand il rentrerait chez lui. Son premier soin, comme chaque soir, fut d'aller voir Patouresse, sa jument alezane. Ce nom breton pouvait se traduire par «bergère» mais, après avoir découvert qu'elle avait peur des moutons, Alan s'était contenté de l'appeler Pat. Pour la première fois de sa vie il pouvait avoir un cheval chez lui, et il en profitait pour s'offrir de merveilleuses balades dans la forêt alentour. Avec Pat, il descendait jusqu'à Saint-Esprit-des-Bois, ou bien gagnait la forêt de la Hunaudaye dont il découvrait tous les chemins. L'équitation

24

avait été son sport favori pendant de nombreuses années, mais il s'était lassé des clubs hippiques et n'aspirait plus qu'à se promener seul.

Cette solitude, il l'avait délibérément choisie, après bien des déboires et des désillusions. Il venait d'avoir quarante ans et ne voulait plus laisser personne lui mettre une chaîne au pied.

—Alors, ma belle?

Accoudé à la porte du box, il détailla sa jument avec plaisir. Élégante avec ses trois balzanes blanches et sa robe mordorée, elle possédait aussi une tête fine et intelligente de pur-sang. Ombrageuse, elle avait appris à lui faire confiance au fil des mois, et elle s'approcha pour qu'il caresse ses naseaux. Fouillant dans la poche de son jean, il trouva un sucre et le lui tendit.

—Ce soir, il est trop tard, mais demain je t'emmène faire un tour, promis!

Il s'était entendu avec un agriculteur voisin qui venait nourrir la jument et la mettre en liberté dans son enclos quand le temps le permettait. Pour lui tenir compagnie, Alan avait acheté une chèvre qui suivait Pat comme son ombre.

—Bonne nuit, les filles! dit-il en fermant le haut de la porte pour la nuit.

Deux boxes et une petite sellerie avaient été aménagés dans un bâtiment annexe bien avant qu'il achète la maison, et ces installations toutes prêtes avaient emporté sa décision. L'agent immobilier avait fait honnêtement remarquer que la propriété était assez isolée, mais c'était ce qu'Alan souhaitait et l'affaire avait été conclue sur-le-champ.

Dans le hall d'entrée, il huma l'odeur d'encaustique qui trahissait le passage de la femme de ménage. Alan la soupçonnait d'utiliser plus de produits d'entretien que nécessaire pour laisser une preuve de son travail, mais peu importait, il était ravi de trouver la maison propre. Il gagna la cuisine, une pièce immense où il se tenait la plupart du temps. À une époque ou une autre, l'un des propriétaires avait dû abattre des murs pour disposer d'un grand espace convivial dont Alan profitait pleinement. Tout au fond s'alignait l'indispensable électroménager avec, au centre, une imposante cuisinière six feux. Du côté opposé régnait une cheminée de pierre flanquée de deux confortables fauteuils club au cuir patiné. Au milieu, une table de monastère achetée dans une vente aux enchères et entourée de chaises bretonnes aux dossiers sculptés. De part et d'autre des fenêtres, couvrant les murs les plus longs, des étagères supportaient aussi bien des assiettes que des livres ou des CD. L'ensemble était déconcertant mais très chaleureux. Alan faisait de belles flambées, lisait, écoutait de l'opéra, réchauffait les plats préparés par la femme de ménage et savourait un vin millésimé. Il n'avait plus les moyens de se constituer une cave, et désormais il buvait ce qu'il achetait.

Après s'être servi un verre, il jeta un coup d'œil au courrier posé sur la table. Quelques publicités, une facture d'électricité et un relevé bancaire ne retinrent pas longtemps son attention. Tout ce qui concernait son activité professionnelle arrivait au cabinet, à Lamballe, ici il ne recevait quasiment rien.

Il alluma la flambée toute prête, mit le CD de *Tosca* dans le lecteur puis s'installa confortablement. Absorbé par les flammes et la musique, il laissa ses pensées dériver. Il ne songeait presque jamais à Louise, sa première femme, parce qu'il avait eu un mal fou à surmonter son deuil et se gardait bien de rouvrir la plaie. Percutée sur un trottoir par un chauffard qu'on n'avait jamais retrouvé, elle avait été tuée sur le coup. Alan n'était pas loin d'elle au moment de l'accident, il sortait d'un magasin mais n'avait rien pu faire. À l'horreur s'était ajouté un insupportable désir de vengeance. S'il avait pu rattraper le chauffard, il l'aurait battu à mort tant la colère l'aveuglait. Il avait vingt-sept ans et Louise vingt-quatre, ils n'étaient mariés que depuis deux ans. L'autopsie avait révélé qu'elle était enceinte, ce qu'elle ne savait pas elle-même. Alan avait attendu longtemps pour pouvoir sortir avec d'autres femmes, et plus longtemps encore avant que la rage le quitte. Durant l'une de ses innombrables insomnies, il s'était aperçu qu'il était en train de se détruire et devait passer à autre chose. Il avait quitté Rennes pour aller s'installer à Saint-Brieuc. Comme ses études avaient été longues, médecine d'abord, puis une spécialité de stomatologie qui le passionnait, il exerçait depuis un an seulement lorsque le drame était arrivé. Les deux années suivantes avaient été vécues dans un brouillard de souffrance personnelle et d'indifférence pour son métier. Reconstruire autre chose ailleurs était devenu une question de survie. Et en effet, à Saint-Brieuc, il n'avait pas tardé à se constituer une nouvelle clientèle, puis à rencontrer Mélanie. Elle était tout le contraire de Louise : expansive, chaleureuse, entreprenante. Il l'avait épousée quatre ans après son deuil, tournant enfin la page.

Il abandonna son fauteuil pour monter le son de la chaîne stéréo et se resservir un verre. Penser à Mélanie était moins douloureux mais exaspérant. Leur relation, qu'il avait crue merveilleuse, s'était révélée un véritable marché de dupes. Dévorée par l'ambition, assoiffée de réussite sociale, Mélanie l'avait poussé à se tourner vers l'orthodontie. Poser des bagues sur les dents des enfants pour leur assurer une dentition bien rangée était extrêmement rentable et demandait peu de temps au praticien. Alan avait alors reçu trente ou quarante gamins par jour, pratiquant sans plaisir des gestes répétitifs. Il voyait chacun trois minutes, le temps de resserrer l'appareil, et passait au suivant tandis que la secrétaire fixait le prochain rendez-vous, car le processus s'étendait sur plusieurs années pour chacun des petits patients. De quoi assurer de très gros revenus à son cabinet, mais il était bien loin de ce qui, d'un point de vue médical, l'avait intéressé dans la stomatologie comme la chirurgie : les implants ou les prothèses, toute la réhabilitation de la bouche. Mélanie se moquait de ses états d'âme et de ses scrupules, elle voulait disposer de beaucoup d'argent pour se lancer dans un projet pharaonique de balnéothérapie. Construire un centre luxueux sur la baie de Saint-Brieuc et se constituer une clientèle fortunée était son obsession. Elle s'imaginait à la tête d'un complexe offrant tous les soins possibles, avec piscine d'eau de mer chauffée, bains de boue et massages, musiques douces et peignoirs moelleux. Comme elle voyait les choses en grand et que sa confiance en elle était illimitée, elle n'avait pas hésité à contracter des emprunts d'envergure, sans écouter les mises en garde d'Alan. Des disputes avaient éclaté, s'étaient multipliées. Quand Alan avait cherché à l'empêcher de s'associer à des partenaires douteux, elle avait pris la mouche et entamé une procédure de divorce. À ce moment-là, il s'était senti soulagé car il n'était plus amoureux d'elle, mais il avait sous-estimé l'âpreté de son épouse. Le divorce l'avait mis sur la paille. Tout y était passé. Le cabinet, la maison, et, afin de ne pas être condamné de surcroît à verser une pension compensatoire, il avait donné jusqu'à son dernier euro. Écœuré, il était reparti à Rennes, où il avait fait une grande partie de ses études, et avait rejoint le service de chirurgie maxillo-faciale du CHU. Pendant un temps, il n'avait plus pensé qu'au travail. S'estimant définitivement vacciné contre le mariage et l'amour, ses rapports avec les femmes n'allaient jamais plus loin qu'une soirée. Puis, un beau jour, il s'était rendu compte que la mer lui manquait et qu'il souffrait d'habiter une grande ville. Pour rien au monde il ne serait retourné à Saint-Brieuc, bien que son ex-femme en soit partie, mais une opportunité s'était présentée à Lamballe et il l'avait saisie, heureux de se retrouver à dix kilomètres de la côte et de la plage immense du Val-André. Très vite, les patients avaient afflué, et l'année suivante il s'était mis à chercher une maison.

—Ah, te voilà… dit-il doucement à la chatte blanche qui venait de faire son apparition.

Elle entrait et sortait à sa guise depuis le jour où elle s'était présentée à la porte de la cuisine, déposant en offrande une souris morte sur le paillasson. Alan avait fait aménager une chatière pour lui laisser sa liberté, mais en fin de compte elle passait beaucoup de temps dans la maison, sans qu'il sache exactement où elle se cachait et ce qu'elle y tramait.

—Eh bien, ma chatoune, une petite fringale?

Il traversa la grande pièce et versa des croquettes dans une assiette qu'il posa par terre, près d'un bol d'eau. Il hésita devant la bouteille de vin restée sur un plan de travail. S'il se servait un troisième verre, il fallait qu'il mange d'abord quelque chose. Vivre seul présentait l'inconvénient de devoir s'occuper de tout, ravitaillement, cuisine et ménage. Pour surmonter ce problème, il avait confié l'intendance à sa femme de ménage, une dynamique retraitée qui conduisait son antique Renault comme un char d'assaut et maniait le balai à la hussarde. Ils se croisaient peu, mais Alan prenait un vrai plaisir à bavarder avec elle quand l'occasion se présentait. Cette Bretonne pur jus à l'accent prononcé tenait parfois des propos iconoclastes et désopilants. La maison était à peu près bien tenue, le frigo toujours plein, les draps étaient changés tous les vendredis. Lorsqu'il lui avait demandé pourquoi précisément le vendredi, elle avait répondu, d'un air entendu : « Au cas où. »

Au cas où il ramènerait une femme, sans doute. Ce qui lui était déjà arrivé mais l'avait invariablement plongé dans un ennui profond dès le lendemain matin. N'étant pas mufle, il se sentait obligé d'offrir un petit déjeuner et de faire la conversation, tout en sachant qu'il ne reverrait pas sa conquête. Sa défiance envers les femmes était solidement ancrée, Louise et Mélanie l'avaient guéri des grands sentiments, chacune à sa manière. Ne voulant plus souffrir, il s'était blindé, et au fond il trouvait cette position confortable.

Il ouvrit le congélateur, saisit au hasard deux plats chinois qu'il mit au four. Le vent avait dû se lever, car il l'entendait tourner autour de la maison et se glisser sous les portes. Un instant, il observa la chatte qui mangeait délicatement, humant chaque croquette, puis il leva les yeux et regarda autour de lui. Dès le début, il avait pris possession des lieux, s'y était senti en paix. Les murs de pierre lui semblaient un rempart contre le monde extérieur après des journées passées à soigner ses patients et à prendre le temps de discuter avec eux. En rentrant chez lui, il voulait savourer ses soirées. Écouter la musique qu'il aimait, boire un bon vin, regarder un des films de son impressionnante vidéothèque, lire un livre devant la cheminée. Quelques amis, triés avec soin, avaient parfois le droit de venir partager un dîner, et dans ces cas-là il avertissait sa femme de ménage pour qu'elle concocte un bon plat à réchauffer. Il ne souhaitait pas devenir sauvage ou misanthrope, seulement se mettre à l'abri du désespoir qui l'avait parfois asphyxié, le faisant douter de tout.

L'odeur de curry qui se répandait dans la pièce le mit en appétit, et il monta encore le son de la chaîne afin de laisser Puccini envahir tout l'espace.

*

Armelle exécuta une manœuvre impeccable pour venir à son mouillage dans le port de plaisance, puis elle jeta l'ancre tandis que Mahé tirait sur le cordage de l'annexe pour la ramener. La pluie avait plaqué leurs cheveux et, malgré les cols relevés des cirés, elles se sentaient trempées et commençaient à avoir froid.

— C'était fantastique! s'émerveilla Mahé.

La sortie avait duré trois heures à peine, mais un vent fort s'était mis de la partie, faisant filer à toute allure le petit voilier.

— La mer était tranquille, on a eu de la chance, approuva Armelle en fermant le panneau du cockpit. Allons à terre, j'ai envie d'un chocolat chaud.

Embarquant dans le canot pneumatique qui tanguait près de la coque, elles échangèrent un sourire réjoui.

— Avoue que la plaisance a du bon, ironisa Armelle en lançant le moteur hors-bord.

Amies depuis l'école primaire, elles ne s'étaient jamais perdues de vue. Armelle travaillait dans l'une des banques d'Erquy où elle avait réussi à être mutée après deux années passées à Rennes.

Son entêtement à revenir avait été dicté par sa passion de la voile, et à peine de retour elle s'était acheté un Dufour 31 d'occasion, avec lequel elle se régalait. Comme Mahé, elle n'envisageait pas son existence sans la mer, et aucun autre endroit en France ne pouvait la séduire davantage que son port natal.

—Regarde cette meute de fichus coquilliers qui viennent nous créer des embouteillages ! cria-t-elle.

Entre le bruit du moteur et celui du vent, Mahé devina la plaisanterie plus qu'elle ne l'entendit, cependant c'était toujours la même. La pêche et la plaisance représentaient deux mondes distincts, même si tous ceux qui naviguaient étaient des marins, et donc solidaires. Par habitude, Mahé essaya de repérer ses propres bateaux parmi ceux qui encombraient la baie. Comme ils étaient peints en rouge cerise et bleu canard, ses couleurs favorites, elle parvenait presque toujours à les distinguer.

Arrivées à quai, elles arrimèrent l'annexe puis filèrent se mettre à l'abri dans le bar le plus proche.

—Contente de ta balade ? s'enquit Armelle en s'affalant sur une chaise.

—Tu sais bien que oui. J'adore ton *Faézer*, avec lui j'irais jusqu'en Amérique.

—Si tu veux mon avis, tu finirais à la nage.

Mahé commanda des chocolats chauds avec des crêpes au sucre et annonça que ce serait sa tournée.

—Comment va ton père ? enchaîna Armelle.

—À sa façon. Ronchon et omniprésent. Tu le connais, il n'accepte pas d'être diminué.

—Même sans ça il aurait mal toléré de vieillir. Et surtout pas de te passer la main !

Contrairement à Mahé, Armelle était très féminine, n'hésitant pas à mettre en valeur ses formes généreuses. Pommettes hautes, mâchoire carrée, yeux en amande, elle était jolie et le savait, toutefois elle n'en abusait pas. Quand elles se promenaient ensemble, on remarquait Armelle en premier, avec son allure avenante de grande blonde, mais le charisme de Mahé finissait toujours par l'emporter, et c'était devenu une blague entre elles car elles ne se sentaient nullement en rivalité.

—Je ne sais pas comment tu fais pour le supporter. Chaque fois que je le vois, il croit se montrer aimable en me posant les mêmes questions décourageantes. Pourquoi n'ai-je pas encore trouvé de mari, est-ce que je ne m'ennuie pas dans ma banque, n'aurais-je pas dû avoir une promotion depuis longtemps ? Comme si j'étais une vieille fille et que je n'avais aucun avenir professionnel.

Mahé se mit à rire car elle connaissait par cœur le comportement de son père.

—Sous prétexte de sollicitude, il appuie toujours là où ça fait mal, reconnut-elle.

Avec sa fille, Erwan se méfiait davantage, craignant sans doute de la mettre en colère. Condamnés à habiter ensemble, ils essayaient de se ménager.

—Tu devrais sérieusement penser à une maison médicalisée.

—Je ne peux pas, Armelle, je me sentirais trop coupable. Me débarrasser de lui parce qu'il radote et qu'il lui arrive d'être méchant ? Je mets ça sur le compte de l'âge et de son AVC. En réalité, hormis quelques séquelles, il va très bien. C'est ce que je constate, et son médecin est d'accord. À condition de ne pas vivre seul, il est assez autonome pour rester chez lui. Si je m'en allais…

Elle n'acheva pas et se contenta de secouer la tête. Elles discutaient assez souvent pour que chacune mesure les problèmes de l'autre.

—Et toi, avec Dan ? s'enquit Mahé pour changer de sujet.

—On se dispute trois fois par semaine, les trois fois où on se voit. Nous ne sommes d'accord sur rien, sauf sous la couette.

—Laisse-le tomber.

—Je me dis ça chaque matin, mais quand on fait l'amour je me dis le contraire. Dan est un homme pour la nuit. De jour, j'ai du mal à le supporter.

Armelle éclata de rire, faisant tourner les têtes des clients du bar.

—Tu ne l'emmènes jamais faire une balade en mer ? Vous pourriez partager le…

—Il *déteste* la voile. Et je ne l'emmène pas avec moi parce que j'aurais trop peur de le balancer par-dessus bord !

Elle allait rire à nouveau mais dut penser à la façon dont Yvon s'était noyé, et elle redevint sérieuse. Elles n'évoquaient jamais ce drame, car Mahé n'était pas guérie de son traumatisme et détestait en parler. Au chagrin était venu se

35

superposer trop vite un sentiment de trahison, puis une rage froide qui ne l'avait pas lâchée pendant des mois. Dans cet état d'esprit, elle n'avait pas pu faire son deuil et ne le ferait peut-être jamais. Yvon était son premier amour, l'homme en qui elle avait cru et qui lui avait honteusement menti, celui qui était mort de façon effroyable et qu'elle n'arrivait pourtant pas à pleurer. Incapable d'accabler un disparu, elle était condamnée à remâcher ses griefs en silence.

— Tu as confié le *Jabadao* à Jean-Marie?

— Bien sûr. Il est fou de ce bateau, il dit qu'il n'en a pas connu de meilleur de toute sa vie de pêcheur. C'est vraiment un gentil garçon, et un bon marin.

— C'est surtout un *beau* garçon!

— Il te plaît? s'étonna Mahé.

— Je ne cracherais pas dessus. Je trouve qu'il a bien vieilli. Je l'ai aperçu l'autre jour sur le port, avec une barbe de trois jours et une cigarette aux lèvres. Il regardait au loin d'un air rêveur, alors j'ai pris le temps de l'observer en me demandant pourquoi je ne m'étais pas intéressée à lui plus tôt. Peut-être qu'il faisait trop jeune... Mais maintenant il est juste à point!

Mahé adressa un clin d'œil à Armelle.

— Tu veux que j'organise un petit dîner au restaurant? lui proposa-t-elle tout en posant un billet sur la table.

— Pourquoi pas? On réunit deux ou trois copains avec lui, chacun paye sa part, bref un truc tout simple qui ne fasse pas arrangé d'avance. Et tu ne t'assieds pas à côté de lui!

Armelle ne plaisantait qu'à moitié, il lui était déjà arrivé de vouloir plaire à des garçons qui, malgré ses efforts, n'avaient d'yeux que pour Mahé.

La pluie avait cessé mais un vent froid les surprit au-dehors. L'automne commençait mal, il n'y aurait pas d'été indien cette année.

— Au fait, tu es contente du stomato? demanda Armelle en remettant sa casquette mouillée.

— Tu avais raison, il ne fait pas mal.

— Non, jamais. Et crois-moi, j'ai une peur bleue des dentistes!

— Moi aussi. Mais je n'en ai pas fini avec lui, il doit me poser une couronne. J'espère que l'addition ne sera pas trop salée!

Les deux jeunes femmes se séparèrent et Mahé se dirigea vers sa maison. Erwan devait l'attendre, il bouderait comme chaque fois qu'elle disparaissait des heures, en particulier pour aller s'amuser. Il lui ferait remarquer d'un ton aigre que s'occuper de l'entreprise valait mieux que de tirer des bords avec sa copine sur un maudit voilier. Pour lui, les plaisanciers représentaient une nuisance inutile, à l'entendre on aurait dû leur interdire la baie afin de laisser travailler les pêcheurs. De plus, il n'appréciait pas Armelle, la jugeant provocante et écervelée. Mahé s'était souvent demandé d'où provenait cette aversion marquée envers sa meilleure amie. Existait-il une sorte de jalousie de la part d'Erwan? Aurait-il voulu que sa fille se consacre entièrement à leurs affaires et à leur maison, sans autre distraction? Depuis qu'il était veuf, il semblait considérer que

37

Mahé devait remplacer Annick, et n'avait pas conscience de se comporter en égoïste.

À la hauteur du tabac *La Coursive*, elle croisa une femme qui en sortait, tenant un petit garçon par la main, et elle s'arrêta net. Figée, elle se retourna pour observer les deux silhouettes. Rozenn était revenue à Erquy? Rozenn et ce gamin dont elle n'avait même pas voulu retenir le prénom. Elle ne se souvenait que d'elle, de son incroyable révélation. Elles étaient alors devant l'église. Les binious venaient de se taire, remplacés par tous les mots qui sortaient de la bouche de cette femme. Les gens qui attendaient pour serrer Mahé dans leurs bras s'étaient éloignés, devinant une querelle. Mahé aurait voulu ne pas entendre, ou au moins ne pas y croire, mais elle avait dû se rendre à l'évidence. Impossible d'inventer un mensonge pareil. D'ailleurs, une fiche d'état civil avait été agitée sous son nez, puis un paquet de photos sorties d'un sac à main d'un geste si violent que certaines étaient tombées dans la boue, à leurs pieds. En apercevant le visage d'Yvon sur les clichés, Mahé s'était penchée pour les ramasser. Voyant trouble à travers ses larmes, elle avait toutefois reconnu cette expression radieuse, ce sourire tendre et ce regard amoureux qu'Yvon n'avait que pour elle. Sauf que ce n'était pas elle qu'il regardait, pas à elle qu'il souriait, pas grâce à elle qu'il était radieux. La femme était aussi sur les photos, avec un bébé. Un charmant tableau de famille, celui de la double vie d'Yvon.

Au loin, Rozenn tourna dans l'une des rues, tenant toujours le petit garçon par la main. Le fils d'Yvon. Un enfant qu'il avait reconnu à la naissance, ainsi que l'attestait l'état civil. Lui ressemblait-il? Une minute plus tôt, Mahé n'avait pas baissé les yeux sur lui, elle n'avait vu que Rozenn. Quel âge avait-il aujourd'hui?

Elle faillit courir pour les rattraper, mais quelque chose l'en empêcha. Sans doute la crainte de rouvrir une plaie mal cicatrisée. Au chagrin aigu qui avait suivi le drame de la noyade s'était ajouté un affreux sentiment de trahison, puis une rage folle. Secouée par des émotions contradictoires, minée autant par la colère que par le désespoir, Mahé avait maudit Yvon mais s'était tue. Raconter les mensonges éhontés de celui qu'elle s'apprêtait à épouser lui avait semblé une humiliation supplémentaire. Elle avait accepté sans broncher les condoléances, les mots d'apaisement prodigués par son entourage et les louanges unanimes à l'égard du disparu alors qu'elle bouillait intérieurement. Mais dévoiler la vérité n'aurait pas soulagé la culpabilité de son père. Le coup de barre malheureux qui avait précipité le jeune homme par-dessus bord demeurerait un geste que le vieux marin ne pourrait jamais se pardonner. Salir la mémoire d'Yvon n'y aurait rien changé. Mahé avait donc choisi le silence. Elle n'avait pas cherché à savoir qui était Rozenn, où elle habitait, ni comment la dissimulation d'une double vie avait été possible. Elle avait tiré un trait, relégué les événements au fond de sa mémoire et décrété qu'il ne fallait plus évoquer le passé. Plus jamais. Seule Armelle avait eu droit à la vérité, quelques mois plus tard, un soir où les deux jeunes femmes avaient trop bu. Mais Armelle possédait assez de force de caractère pour garder un secret, elle l'avait prouvé par la suite.

Mahé fit demi-tour et repartit vers sa maison à pas lents. La vision fugitive de Rozenn avec son petit garçon l'avait secouée. Une multitude de questions lui venaient à l'esprit sans qu'elle puisse leur apporter un début de réponse. L'été étant fini, et avec lui la saison touristique, la présence de cette femme ne se justifiait pas. Avait-elle de la famille à Erquy ? À n'avoir rien voulu savoir, aujourd'hui Mahé ignorait tout d'elle. Elle se souvenait seulement que, à l'époque, Rozenn avait prétendu n'être venue que pour l'enterrement. Venue d'où ? Et puis, ce n'était pas vraiment un enterrement. Voulait-elle à tout prix se recueillir dans une église ? Qu'espérait-elle de cet affrontement avec sa rivale ? Elle pleurait en parlant, le visage ravagé par le chagrin, mais comment avait-elle pu continuer à aimer un homme qui s'apprêtait à en épouser une autre ? Yvon ne méritait pas tant de peine, il les avait trahies toutes les deux, et son fils aussi.

Devant la grille du jardin, Mahé prit le temps de se calmer avant d'entrer. Erwan devait s'impatienter, il allait bouder mais peu importait. Une nouvelle averse commençait, et elle frissonna. Avec la saison de pêche qui commençait, elle n'avait pas intérêt à tomber malade. Si elle en trouvait le courage, elle devait oublier cette rencontre fortuite devant le tabac. Résolument, elle poussa le portail.

2

—Il vous est vraiment impossible de ne pas bouger ? demanda Alan d'un ton mesuré.

Après avoir subi la piqûre de l'anesthésie, Mahé avait dû supporter un désagréable goût de sang, le bruit suraigu et inquiétant des fraises, puis toutes sortes d'instruments s'étaient succédé dans sa bouche. Terrorisée, elle se tortillait sur le fauteuil comme si elle voulait s'y enfoncer.

—Ce n'est qu'un porte-empreinte, expliqua le dentiste en agitant un objet de métal débordant d'une ignoble pâte rose. Restez tranquille trois minutes et ce sera fini. Ça ne fait absolument pas mal. D'ailleurs, je vous le redis, si vous ressentez la moindre douleur ou le plus petit malaise, vous n'avez qu'à lever la main.

Mahé consentit à rouvrir la bouche pour le laisser faire, mais presque aussitôt elle fut prise d'un haut-le-cœur et elle leva les deux bras en même temps, si vite qu'elle fit voler les lunettes de protection du docteur Kerguélen.

—Désolée… J'ai eu l'impression que vous m'enfonciez un truc dans la gorge et que je ne pouvais plus respirer.

Il déposa le porte-empreinte sur la tablette, se pencha pour ramasser ses lunettes puis ôta ses gants et en prit une paire neuve qu'il enfila sans rien dire.

—C'est énorme, cet engin, ajouta Mahé d'un ton boudeur.

—Il y a plusieurs tailles, celle-ci correspond à votre mâchoire.

Apparemment agacé, il parvenait néanmoins à conserver un petit sourire. Sans doute supportait-il des réactions de terreur à longueur de journée.

—On recommence? proposa Mahé, résignée.

—Oui, on recommence tout.

Il fit signe à son assistante de préparer un nouveau mélange de cette affreuse pâte rose. Derrière son masque et ses lunettes, il avait l'air fatigué. Mahé essaya de se détendre, mais quand il lui demanda d'ouvrir la bouche elle se cramponna aux accoudoirs du fauteuil.

—Ce sera vite fini, respirez calmement.

Mahé se concentra sur le bruit répugnant de la pompe à salive, puis elle se mit à compter les alvéoles du Scialytique au-dessus d'elle.

—Et voilà! annonça triomphalement Alan.

L'assistante proposa à Mahé une solution pour lui rincer la bouche, défit la serviette en papier qui tenait lieu de bavoir et écarta la tablette pour que la jeune femme puisse quitter le fauteuil.

—Évitez de boire chaud pendant une heure ou deux, lui recommanda-t-elle.

Alan se débarrassa de son masque, de ses lunettes et de ses gants, puis il considéra Mahé d'un air songeur, comme s'il s'interrogeait sur les séances à venir et sur l'opportunité de lui prescrire des tranquillisants.

—L'empreinte va partir chez le prothésiste, dit-il seulement. Nous aurons un essayage de la couronne dans dix jours.

Avec ses cheveux blond cendré, ses yeux gris très pâles et sa silhouette athlétique, les femmes devaient le trouver séduisant. Mais Mahé n'aimait pas ce genre d'homme qui semblait revenu de tout. Elle détestait son sourire professionnel, et son ton de voix exagérément patient qui la faisait se sentir ridicule. Elle marmonna une formule de politesse en enfilant son caban, puis se hâta de sortir.

Après son départ, Alan soupira.

—Elle est un peu hystérique, non?

—Elle a peur, répliqua Christine. Vous savez bien que tous les gens sont terrorisés dès qu'ils doivent s'asseoir sur ce fauteuil!

Ils rirent ensemble, puis Alan fit remarquer:

—Notre profession gagnerait à mieux communiquer auprès du public. Il y a belle lurette qu'on n'a plus mal chez le dentiste. Avant et après, c'est une autre histoire… Mlle Landrieux était notre dernier rendez-vous, je crois?

—Absolument. Vous pouvez partir, je fermerai.

—Je ne sais pas ce que je ferais sans vous, lui dit-il.

Il le répétait chaque soir, non par habitude mais parce qu'il le pensait. Trouver une autre assistante et avoir à la former le décourageait d'avance. Christine connaissait sa façon de travailler, ses exigences et ses manies, elle anticipait ses gestes et savait quand elle devait rester dans le cabinet pour l'aider ou, au contraire, quand elle pouvait le laisser seul et aller s'occuper d'autre chose. Elle l'admirait en tant que praticien, le respectait en tant que patron, et lui disait volontier sa façon de penser. Dotée d'un bon sens de l'humour, elle n'avait jamais laissé planer la moindre ambiguïté sur leurs rapports. Pourtant, il la soupçonnait d'éprouver à son égard une sorte de sentiment maternel qu'elle n'avait jamais eu l'occasion d'exercer.

—Docteur?

Il était en train d'enlever sa blouse et se retourna afin de la regarder.

—Nous sommes le 3 octobre.

—Oui, et alors?

—Nous sommes *déjà* le trois.

—Oh, je suis navré! Pourquoi attendez-vous trois jours pour me le rappeler?

C'était elle qui établissait ses propres fiches de paye, mais encore fallait-il qu'il signe le chèque. Il se pencha au-dessus du bureau, prit l'antique stylo à encre qu'il affectionnait particulièrement.

—Ce truc bave, rappela-t-elle.

—Je ne sais pas écrire sans lui.

Louise le lui avait offert pour leur deuxième anniversaire de mariage, et il en conservait un souvenir d'autant plus ému qu'elle était morte trois jours après. Quand il tenait ce stylo, c'était un peu comme s'il tenait la main de Louise.

—À demain, dit-il à Christine en lui tendant le chèque.

Une fois dehors, il eut envie d'aller boire une bière sur le port d'Erquy. Il aimait bien regarder les bateaux, écouter les conversations de comptoir quand les estivants étaient partis et que les pêcheurs se retrouvaient entre eux pour raconter leurs campagnes. Parfois, il poussait jusqu'au cap pour le plaisir du point de vue, ou il allait marcher sur la plage du Guen. Mais ce soir il voulait seulement prendre un verre dans un endroit animé, et il se gara à proximité de son bar favori. Il s'installa à l'intérieur parce que les soirées devenaient fraîches, et il observa les passants. Une fois par semaine, il se rendait sur le quai, à l'arrivée des bateaux, et achetait du poisson frais aux petits pêcheurs indépendants. Une tradition de son enfance, quand sa mère le traînait sur le marché, à Cancale où il était né. Il en conservait le goût des huîtres au parfum d'iode, et un attachement viscéral pour la mer. Sans avoir besoin de la contempler chaque jour, il ne voulait pas pour autant s'en éloigner.

Lorsqu'elle passa sur le trottoir, longeant la terrasse du bar, il reconnut Mahé. Elle avait fait quelques courses avant de rentrer chez elle et portait deux gros sacs d'épicerie. Il la vit s'arrêter un instant, poser ses achats pour sortir un kleenex de la poche de son caban et s'essuyer la bouche. Sans doute était-elle encore gênée par l'irritation de sa gencive. Curieusement, alors qu'il y était habitué, le geste l'émut, et il la suivit des yeux tandis qu'elle s'éloignait. Son air résolu, presque conquérant, était très différent de ce qu'il avait vu d'elle jusque-là. Il venait de la trouver jolie alors qu'il l'avait à peine remarquée dans son cabinet. Cependant, il ne regardait jamais ses patientes en tant que femmes, c'était pour lui une règle absolue qu'il n'avait pas l'intention de transgresser. Néanmoins, elle était mignonne... Il ignorait ce qu'elle faisait dans la vie, ils n'en avaient pas discuté mais il pourrait toujours le lui demander la prochaine fois.

Il laissa de la monnaie sur la table et décida de rentrer chez lui retrouver ses animaux, ainsi qu'un nouvel enregistrement du *Don Juan* de Mozart qui devait être arrivé par la poste.

*

Erwan attendait sa fille, tournant en rond et exaspéré. Qu'avait-elle besoin d'autant de rendez-vous chez le dentiste ! Elle possédait des dents parfaites, un sourire de louve, que voulait-elle de plus ? Et puis elle devenait coquette avec les années, il l'avait bien remarqué. Elle changeait souvent de vêtements, il n'avait même pas le temps de s'y habituer. Où s'habillait-elle donc ? Pas à Erquy, il l'aurait parié. Et, comme elle ne lui disait *jamais* où elle allait... Certes, elle s'occupait plutôt bien de l'entreprise, il n'avait pas de reproche à lui faire de ce côté-là, toutefois la maison en souffrait, elle n'était plus aussi bien tenue que du temps d'Annick. Et à quoi rimait cette manie d'avoir son téléphone portable constamment collé à l'oreille? En tout cas, ce n'était pas pour l'appeler lui!

Il n'aimait pas être seul. Ses meilleures années, il les avait vécues lorsqu'il était en pleine activité et qu'il rentrait chez lui pour y trouver son épouse derrière les fourneaux, la table mise, leur fillette endormie avec ses peluches. Il avait été veuf bien trop tôt, il ne s'en remettait pas. Déjà, pour finir d'élever la petite il s'était senti mal à l'aise. Comment comprendre une gamine de treize ans? Des femmes de pêcheurs s'étaient relayées pour veiller sur elle quand Erwan était en mer mais, lorsqu'il rentrait, il ne savait jamais trop quoi dire. Alors il parlait des bateaux, des poissons, et au fond Mahé avait bien retenu la leçon. À seize ans, elle savait déjà se débrouiller à la barre d'un chalutier! Plus tard, quand elle était tombée amoureuse d'Yvon, Erwan avait repris espoir. Ce gars-là était un excellent marin, il avait la tête sur les épaules, il savait s'exprimer. Erwan avait pensé que ce serait un bon gendre, capable de reprendre un jour l'affaire. Les préparatifs du mariage l'avaient réjoui, mais après... Après cet horrible accident, il n'avait plus jamais réussi à dormir sans cauchemarder. Il traînait le souvenir de la tempête, du corps passant par-dessus bord, de sa lutte pour maintenir le bateau à flots, du retour au port. Comment regarder Mahé en face? Par la suite, tout avait changé. Il n'éprouvait plus aucun plaisir à se retrouver avec des pêcheurs, il n'avait plus d'histoires à raconter. Au moment de son accident vasculaire cérébral, il s'était senti presque soulagé de pouvoir lâcher prise. Il serait volontiers resté à l'hôpital durant des semaines, à se faire dorloter. Mais il avait fini par se rendre compte qu'il ne récupérait pas comme il l'aurait dû. Quand il parlait, son élocution était pâteuse, quand il se levait, il était pris de vertiges. Les médecins ne lui avaient pas laissé grand espoir, il allait conserver des séquelles pour le restant de ses jours. Il se serait bien pendu, mais il n'en avait pas trouvé le courage. Et pas davantage celui de s'enterrer vivant dans une maison de retraite. Restait Mahé, et elle avait relevé le défi, en bonne fille qu'elle était. Il aurait dû lui en être reconnaissant, or il ne l'était pas. Il ne *pouvait* pas l'être. Veuf, dépossédé de son affaire de pêche et quasiment incapable de remettre les pieds sur un bateau, il en voulait à la terre entière. Comme il ne s'aimait pas – en tout cas il n'aimait pas celui qu'il était devenu –, il ne parvenait plus à aimer quiconque.

—Ah, tout de même! s'exclama-t-il en entendant la porte s'ouvrir.

Mahé ne jugea pas utile de répondre, elle eut un sourire contraint et alla droit à la cuisine pour déposer ses sacs de courses.

—Qu'est-ce qu'on mange? grommela-t-il.

—Il va te falloir un peu de patience, papa.

—Tu n'as pas rapporté de coquilles? Maintenant que la saison est commencée, je me réjouis à l'idée d'en manger!

—J'y penserai demain. Là, j'ai fait au plus vite.

—Comme d'habitude... Il ne faut pas bâcler les repas, Mahé, c'est très mauvais pour la santé.

Un coup de sonnette les interrompit et Mahé s'empressa d'aller ouvrir pour éviter toute discussion inutile au sujet de la nourriture. Découvrant Jean-Marie devant la porte, elle lui adressa un sourire reconnaissant.

— Je me suis dit que vous ne les aviez pas encore goûtées, ton père et toi…

Le jeune homme lui tendait un sac de coquilles Saint-Jacques, ce qui la fit carrément rire.

— Quelle bonne idée ! Justement, on en parlait.

— J'espère que tout le monde n'en fauche pas à qui mieux mieux, maugréa Erwan qui s'était approché.

Une plaisanterie éculée qu'il avait toujours servie à ses pêcheurs. Il prit le sac, l'ouvrit et examina le contenu avec un grognement approbateur. Mais, quand il voulut le passer à Mahé, il faillit le renverser et il se raidit. Jean-Marie fit celui qui n'avait rien vu.

— Je vous laisse, bon appétit !

— Tu ne veux pas boire quelque chose ?

Après une brève hésitation, il déclina l'offre et s'éclipsa. Mahé referma derrière lui, songeuse. Jean-Marie était son meilleur capitaine, elle lui avait confié le *Jabadao* sans inquiétude et elle bavardait volontiers avec lui en dehors du travail, pourtant elle ne savait rien de sa vie privée. Discret, ponctuel, sérieux, il travaillait depuis plus de dix ans pour les Landrieux mais ne leur avait jamais fait de confidence.

— Il est vraiment très bien, Jean-Marie, dit-elle à son père.

— Oui, c'est un bon gars, répondit Erwan sans enthousiasme.

Mahé le scruta pour tenter de comprendre ce qui le contrariait. Lui tournant le dos, il repartit vers la cuisine de sa démarche mal assurée. Il avait ses coquilles, il aurait au moins pu se montrer souriant! Elle était fatiguée de ses remarques, de sa mauvaise humeur et de son ton acerbe. Afin de ne pas s'emporter contre lui, elle disposait heureusement d'un moyen efficace : faire appel à ses souvenirs d'adolescente. Il avait vraiment fait tout ce qu'il avait pu pour qu'elle ait une vie agréable malgré la mort de sa mère. Même avec maladresse, il avait été un père aimant et responsable. Ne comprenant rien aux besoins d'une jeune fille, il accédait à toutes ses demandes en hochant la tête d'un air entendu, et à l'époque il lui semblait très émouvant. Lorsqu'il signait ses carnets scolaires, il essayait de trouver des commentaires appropriés, mais avait du mal à cacher qu'il s'en fichait un peu. Lui-même avait été un mauvais élève, ce qui ne l'avait pas empêché de réussir, il le clamait haut et fort. Du moment que Mahé s'intéressait à la pêche et aux bateaux, il s'estimait satisfait.

— Je vais les préparer comme tu les aimes, déclara-t-elle, à peine cuites et avec une sauce au cidre.

Il parut satisfait et s'installa à table comme s'ils allaient manger dans deux minutes.

— Ça va, tes dents? C'est important pour une jeune femme d'avoir un joli sourire. De mon temps, on y prêtait moins d'attention, mais maintenant tout doit être parfait ! Il n'y a qu'à voir les magazines féminins, faites-vous refaire ceci, raboter cela…

—Tu lis des magazines féminins ? s'esclaffa Mahé.

—Je feuillette les tiens quand je m'ennuie trop.

—Tu t'ennuies, papa ?

—Je n'ai rien à faire du matin au soir.

—Vois tes amis, promène-toi davantage.

—Je marche mal, ma petite fille, et je me fatigue vite. Quant aux amis… Certains sont encore en activité alors que je suis sur la touche depuis un bon moment. Je n'ai rien à leur raconter, il ne se passe rien dans ma vie. L'affaire, c'est toi qui t'en occupes et je ne veux pas interférer, d'ailleurs tu ne me demandes pas mon avis. Même nos employés me regardent d'un air apitoyé qui me vexe.

—Mais non, pas du tout. Viens discuter avec nous quand les gars rentrent de leur journée de pêche, ça te distraira.

Elle le proposait sans conviction, peu désireuse qu'il débarque au milieu des réunions pour se mêler de tout. Il ne pouvait y avoir qu'un seul patron, ils le savaient tous les deux. D'autant plus qu'elle avait adopté d'autres méthodes, plus modernes, qu'il ne manquait pas de critiquer, tout comme il contestait ses investissements en matière de bateaux.

—Je ne veux pas saper ton autorité, lâcha-t-il d'un ton magnanime.

—Ni semer le trouble dans les esprits, tu as raison, répliqua-t-elle.

51

L'espace d'un instant, il la regarda sans la moindre tendresse. Il se méfiait de son humour, dont il ne voulait pas être la cible. Tandis qu'elle se dirigeait vers la cuisinière pour commencer à préparer les coquilles, il lui lança :

— Toujours pas de petit copain ?

Une question perfide qu'il posait régulièrement. Il devait à la fois souhaiter un gendre et le redouter. Prenant son temps pour répondre, Mahé fit fondre du beurre salé dans la poêle, y ajouta du vinaigre de cidre.

— Des copains, mais pas un en particulier.

— J'aimerais tant te voir mariée avant de partir !

— Partir où ?

— Tu sais très bien ce que je veux dire.

— Oh, tu me parles de ta mort ? Voyons, papa, tu vas très bien !

— Très *bien* ? J'échangerais volontiers ma place contre la tienne, crois-moi.

Et s'il en avait eu le pouvoir, sans doute l'aurait-il fait sans état d'âme. Mahé mit dans la poêle des tranches de pomme, puis une cuillère de crème fraîche. De toute façon, elle ne lui parlait pas de ses aventures et elle ne lui avait présenté aucun des garçons avec lesquels elle était sortie jusque-là. Elle n'avait pas envie d'entendre ses commentaires partiaux, d'être encouragée ou découragée, elle n'avait plus quinze ans. D'ailleurs, même à cet âge-là elle ne l'avait pas vraiment laissé intervenir dans le choix de ses amis. Pour Yvon, il s'était montré très enthousiaste, sans doute parce qu'il rêvait d'un gendre pêcheur, qu'il aurait tout le loisir de former à la direction de l'entreprise avant de prendre sa retraite. Ce gendre-là l'aurait forcément vu toute sa vie comme le patron, une belle garantie pour l'avenir de la famille selon Erwan!

Elle ajouta machinalement du cidre, laissa réduire la sauce. Penser à Yvon venait de lui rappeler la présence de Rozenn à Erquy. Un hasard? Sûrement pas. Cette femme devait avoir une bonne raison pour se trouver là, avec son petit garçon, et Mahé se prit à espérer que cette raison n'ait rien à voir avec elle. Se retournant, elle considéra son père qui ne s'était pas donné la peine de mettre le couvert et attendait, les coudes sur la table et le menton dans les mains.

— Je vais poêler les saint-jacques, on mange dans trois minutes, annonça-t-elle sans bouger.

Ils échangèrent un regard, puis Erwan se leva pour aller chercher deux assiettes. Leur vie quotidienne était faite de ces petits affrontements, ils se comportaient comme un vieux couple et Mahé avait de plus en plus de mal à le supporter.

*

Rozenn avait pris une chambre à *La Table de Jeanne*. La démarche qu'elle s'apprêtait à faire l'embarrassait et l'humiliait, mais elle ne voyait plus d'autre solution. Ses ennuis d'argent devenaient trop sérieux, elle devait faire quelque chose, au moins pour son fils.

Elle sortit de la salle de bains et découvrit Arthur allongé sur le lit, les mains croisées derrière la tête pour mieux regarder la télévision. Son petit visage ressemblait déjà beaucoup à celui de son père. En le voyant, on pensait aussitôt à Yvon. Pour dix ans, il était petit et maigre, mais il possédait une extraordinaire joie de vivre. Rozenn aurait aimé pouvoir lui offrir de meilleures conditions d'existence, un foyer stable et chaleureux, des jouets et des voyages, or elle le trimballait d'un endroit à un autre en lui infligeant des changements d'école, des logements miteux, une mère trop peu disponible. Elle n'avait pas réussi à refaire sa vie, ni à se stabiliser. Travaillant un mois ici, deux mois ailleurs, elle enchaînait les emplois précaires de caissière ou de vendeuse et repartait tenter sa chance un peu plus loin. Jamais elle ne s'était tout à fait remise de son histoire d'amour avec Yvon, incapable de l'oublier malgré ses trahisons.

Elle l'avait connu très jeune et ils s'étaient aimés pendant quelques mois comme des fous. Des disputes, des nuits blanches, des ruptures et des retrouvailles avaient rythmé deux années d'une histoire passionnée mais trop tumultueuse. Rozenn se montrait exclusive, maladivement jalouse, elle lui faisait des scènes et le harcelait. Yvon s'était lassé, il avait voulu rompre. Pire, il était tombé amoureux d'une autre, la fille de son patron, cette petite pimbêche de Mahé aux allures de garçon manqué. Rozenn avait tout mis en œuvre pour le récupérer, n'hésitant pas à le poursuivre de ses assiduités, à le menacer de suicide, à le traquer partout. Parfois il cédait, surtout quand il revenait d'une campagne de pêche et avait envie d'une femme. Rozenn n'était pas dupe, mais elle profitait de l'occasion pour tenter de le reconquérir. Mahé était devenue sa bête noire, elle la haïssait sans la connaître, l'ayant juste aperçue de loin à plusieurs reprises, sur le port ou sur le pont d'un bateau.

À cette époque-là, Rozenn était déjà partie depuis longtemps de chez ses parents. Ils habitaient Perros-Guirec, où ils tenaient un petit bar qui périclitait. Lassés des frasques de leur fille, mauvaise élève et forte tête, ils n'avaient pas cherché à la retenir lorsqu'elle leur avait faussé compagnie en claquant la porte. Elle voulait parcourir le monde mais s'était contentée de longer la côte. Sans diplôme et sans formation, elle se savait en revanche assez jolie pour vite trouver un compagnon qui la prendrait en charge. Et, en effet, elle avait vécu un temps avec un chauffeur routier, un type gentil qui n'exigeait pas grand-chose d'elle et lui avait même trouvé un emploi de secrétaire dans un garage. Mais elle rêvait d'aventure, elle s'ennuyait au milieu des voitures d'occasion et avait préféré une place de serveuse dans un restaurant du Val-André. C'est là qu'elle avait rencontré Yvon et en était tombée follement amoureuse, persuadée d'avoir enfin trouvé l'homme de sa vie. Lorsque, deux ans plus tard, il s'était détaché d'elle, en désespoir de cause elle avait arrêté la pilule. Tomber enceinte représentait son ultime chance de le garder, elle avait cru tout arranger. Malheureusement, il était trop tard, il n'avait rien voulu savoir. Ne pouvant se résigner, elle l'avait supplié de reconnaître au moins le bébé, et il s'était incliné à contrecœur. Pourtant, cette naissance les avait rapprochés. Devant le berceau, à la maternité, Yvon avait été incapable de dissimuler une émotion mêlée de fierté, faisant reprendre espoir à Rozenn. La déception avait été violente quand elle avait compris qu'elle ne récupérerait pas pour autant l'homme qu'elle aimait. Il acceptait d'être père parce qu'il avait le sens du devoir – ou parce qu'il n'avait pas su refuser –, cependant il était fou de Mahé et ne concevait son avenir qu'avec elle. Éperdue de chagrin, Rozenn avait fini par lui arracher la promesse d'une aide matérielle, non pour elle mais pour l'enfant. Yvon n'était pas riche, il vivait de son salaire de pêcheur et ne disposait d'aucune autre ressource, pourtant il lui avait donné régulièrement un peu d'argent. Et puis, un jour, il avait annoncé qu'il allait épouser Mahé, que la date du mariage était fixée. Il aurait d'ailleurs préféré que Rozenn quitte la région. Il redoutait par-dessus tout la réaction de Mahé si jamais elle apprenait la vérité, si elle découvrait qu'il avait déjà un enfant. Bien entendu, il le lui avait caché, et Rozenn s'était sentie affreusement blessée. Ne comptait-elle donc plus du tout pour lui ? Et le bébé, l'adorable petit Arthur, devrait donc rester caché comme un paria ? Il n'était pourtant pas un bâtard, il portait le nom de son père, Yvon l'avait-il oublié ? Rozenn s'était fait tour à tour menaçante et câline, obtenant au bout du compte la promesse qu'Yvon continuerait à venir la voir de temps en temps et se débrouille-rait pour subvenir aux besoins du petit. L'argent n'était pas le plus important, elle voulait surtout qu'il ne puisse pas l'oublier, elle. Hélas, elle ne voyait pas ce que sa propre attitude contenait d'immaturité et d'inconséquence. Au lieu de renoncer à un homme qui ne l'aimait plus, elle s'acharnait en vain, et si Yvon la désirait encore parfois malgré lui quand elle se pendait à son cou, il se surprenait aussi à la détester pour cette chaîne qu'elle lui avait mise au pied.

Par un ami pêcheur, il avait fini par lui trouver une place de serveuse à Guingamp, dans un hôtel-restaurant ouvert toute l'année. Le salaire était meilleur, et un petit logement mis à sa disposition. Elle avait donc quitté le Val-André sans trop de difficulté, satisfaite de rester dans les parages. Et c'est dans cet établissement agréable qu'elle avait appris par hasard la mort d'Yvon, en lisant un journal abandonné par un client. Hébétée, elle avait relu dix fois l'article. Ensuite elle était montée s'enfermer dans sa chambre. Elle y était restée prostrée, roulée en boule comme un petit animal, jusqu'à ce que le patron de l'hôtel vienne la chercher. Pendant un temps, elle avait accompli son service dans un état second. Confié à une vieille dame qui le gardait, son fils se languissait d'elle mais elle se sentait incapable de s'en occuper. Jour après jour, son chagrin se muait en une colère folle contre Mahé. Lorsqu'elle avait appris qu'une cérémonie religieuse aurait lieu à Erquy, elle avait décidé de s'y rendre, son fils dans les bras, pour cracher la vérité au visage de cette femme qu'elle haïssait.

—Qu'est-ce que tu regardes, Arthur ?

Le bruit de fusillade en provenance de la télé venait enfin de la tirer de sa rêverie.

— Un truc, bougonna-t-il.

Il parlait peu et mal, il était trop souvent livré à lui-même.

— C'est violent, dit-elle sans conviction.

— Non, c'est super!

Avec un soupir, elle se détourna. Elle aimait son petit garçon, même si elle ne savait pas s'y prendre avec lui. Et, parce qu'elle l'aimait, elle avait *besoin* d'argent pour l'élever décemment. Elle aurait pu se tourner vers les parents d'Yvon, mais le père était décédé deux ans auparavant, et la mère subsistait avec une maigre retraite. De toute façon, ces gens-là s'étaient réjouis des fiançailles d'Yvon avec Mahé Landrieux, et Rozenn ne voulait plus avoir affaire avec eux. Elle avait essayé de leur amener Arthur quelques mois après la tragédie, sans autre résultat que se voir considérer avec méfiance, comme si elle avait inventé toute l'histoire. Même avec l'extrait de naissance sous le nez, ils étaient restés sceptiques, secouant la tête et fronçant les sourcils. Humiliée, déçue, elle était repartie en se jurant de ne jamais revenir. Quant à ses propres parents, mieux valait ne pas y songer, car elle ne leur avait pas donné signe de vie depuis une dizaine d'années. Ne restait plus qu'une seule personne à qui elle pouvait s'adresser: Mahé elle-même. Si vraiment cette femme avait aimé Yvon, peut-être ne serait-elle pas tout à fait insensible au sort de son fils? Elle n'avait pas eu le temps de l'épouser, pas le temps d'avoir des enfants avec lui, et sans doute serait-elle émue par la ressemblance d'Arthur avec son père. Rozenn savait où elle vivait, mais ne trouvait pas le courage d'aller la voir. Demander l'aumône à sa pire ennemie la rendait malade et ravivait sa colère, néanmoins, elle n'avait plus le choix. Sa carte bancaire était bloquée, elle était interdite de chéquier, ses dernières économies avaient fondu. Payer la chambre et emmener Arthur dans une crêperie achèverait de vider son portefeuille.

Elle ramassa la télécommande qui traînait sur l'oreiller et éteignit la télé.

— Maman! protesta Arthur, furieux.

— Viens, on va se balader sur le port.

— Et manger une glace?

— Mieux que ça.

— Un Mac Do?

— Non.

— Alors je m'en fous.

Il voulut lui reprendre la télécommande, mais elle leva le bras et la maintint hors de portée.

— J'ai quelqu'un à voir. Une dame.

— Qui?

— Tu ne la connais pas.

— Gentille?

— On verra.

— Je peux pas rester ici? Si je te promets de pas bouger…

— Pas question.

Elle lui tendit son blouson en souriant.

— Allez, chéri, après la visite je t'offre des crêpes!

Consciente qu'il représentait une sorte de monnaie d'échange, elle se sentit vaguement coupable mais elle chassa cette idée désagréable. De façon paradoxale, c'était pour son bien qu'elle se servait de lui.

Elle lui ébouriffa les cheveux, l'embrassa dans le cou, puis elle empoigna leur petit sac de voyage.

*

Alan s'était octroyé une après-midi de congé, groupant ses rendez-vous dans la matinée. À présent que les jours raccourcissaient, il voulait profiter des derniers bons moments de l'automne. Il avait fait quelques courses avant de quitter Lamballe puis, en rentrant, il était allé seller sa jument. Une balade dans la forêt avec Pat était exactement ce qu'il lui fallait. Au milieu des chênes, des hêtres et des châtaigniers qui changeaient subtilement de couleur, il s'engagea sur l'un de ses chemins favoris. De Saint-Aubin à Saint-Symphorien, il savait à quels endroits le relief du terrain lui permettrait de galoper, et où se mettre au pas pour observer les animaux sauvages. Ceux-ci se laissaient souvent approcher, percevant l'odeur du cheval, pas celle de l'homme. À l'époque où Alan était étudiant, jamais il n'aurait cru pouvoir éprouver un si grand plaisir contemplatif, une telle sérénité. Pour lui, l'équitation était alors un sport de compétition, il participait à des épreuves universitaires ou régionales en regardant uniquement les obstacles à sauter, pas le paysage qui les entourait. Vingt ans plus tard, il avait appris à prendre son temps. Les chagrins et les déceptions avaient peu à peu modifié sa perception des choses, jusqu'à son caractère. Il avait trouvé comment se préserver, il ne fonçait plus tête baissée. Désormais, il savourait chacun des bons moments, conscient de leur précarité, et ne comptait plus sur les autres pour remplir son existence. Débarrassé de Mélanie et de sa folie des grandeurs, il n'éprouvait plus le besoin de s'enrichir. Mais comment limiter sa clientèle ? Sa réputation lui apportait sans cesse de nouveaux patients, venus parfois de loin, et il avait dû donner des consignes à Christine pour qu'elle en éconduise quelques-uns avec diplomatie.

« Mon travail ne m'intéresse que si je peux l'exécuter posément. Ne me prenez pas des rendez-vous à la chaîne, ou nous finirons tous les soirs à minuit ! » lui répétait-il. Christine levait les yeux au ciel, mais elle s'arrangeait pour lui donner satisfaction.

Il écarta une branche, sortit d'un fourré et put laisser s'élancer sa jument sur un sentier plus dégagé. Le crépuscule était encore loin malgré la pénombre qui régnait dans le sous-bois. Alan savait qu'il foulait une terre de légende, au rythme cadencé du galop de Patouresse. Toutes les forêts de Bretagne, même moins célèbres que celle de Paimpont – appelée à tort Brocéliande –, recelaient des mystères, des étangs secrets, et peut-être des enchanteurs. Il suffisait de tomber sur une minuscule clairière, éclairée d'un rayon de soleil fin comme une épée et dardé à travers le feuillage, pour croire à la magie. Dans son enfance, Alan avait été bercé par les contes que sa mère lui lisait d'une voix mélodieuse. Son frère, de quatre ans son aîné, riait déjà de ces histoires de druides et de fées, mais Alan ne s'en lassait pas.

Il fit accélérer Pat pour sauter le fossé marquant la fin du chemin, puis il la remit au pas et abandonna les rênes sur son encolure. Son frère lui manquait parfois, malgré leurs conversations sur Skype, où ils pouvaient se voir et se parler par écrans interposés. Ludovic habitait New York, il avait choisi d'y faire sa vie. Au décès de leur père, leur mère l'avait rejoint là-bas, et elle semblait s'y plaire, alors qu'Alan ne pouvait s'imaginer ailleurs qu'ici.

Il émergea sur un terrain plus dégagé et décida de descendre jusqu'à Saint-Esprit-des-Bois. Sa jument lui faisait confiance, se promener avec elle était un pur plaisir. Il passa ses doigts dans la crinière, lui donna une claque amicale sur l'épaule. Tant qu'il connaîtrait des moments comme celui-ci, il continuerait à s'estimer heureux et ne regarderait pas en arrière. La vie l'avait chahuté, cabossé, mais il s'en sortait plutôt bien dans sa solitude délibérée.

*

Tétanisée, Mahé tentait de faire bonne figure. Que Rozenn soit venue sonner chez elle l'avait stupéfiée, néanmoins elle l'avait reçue. Pour éviter l'intrusion intempestive de son père, elle avait conduit la jeune femme jusqu'au bureau, et proposé au petit garçon de jouer dans le jardin. Avant qu'il ne proteste, sa mère l'avait fait taire, et il était allé se poster devant le muret pour observer la rue et les passants.

—Vous pourrez le surveiller par la fenêtre. Je suppose que vous souhaitez me parler en... privé?

Tout en lui désignant un des fauteuils de bois sur lesquels ses capitaines prenaient place chaque jour, Mahé passa derrière la grande table et s'installa face à Rozenn. Elles échangèrent un long regard circonspect avant que l'intruse se décide à lancer:

—Ma visite doit vous surprendre, hein?

—Bien sûr.

—Je ne suis pas venue de gaieté de cœur.

Méfiante, Mahé attendit que Rozenn s'explique davantage. Sa présence dans ce bureau était si inattendue qu'elle devait avoir une raison impérieuse.

—Depuis la noyade d'Yvon, commença-t-elle j'ai connu des années de galère.

Le mot *noyade* choqua Mahé. Pour évoquer le drame, elle aurait plutôt choisi le terme de disparition, comme tous les marins, sauf qu'elle n'y faisait jamais allusion.

—Avec un gamin dans les pattes, reprit Rozenn, c'est difficile de trouver un boulot et un logement. Moi, toute seule, je m'en sortirais, j'ai toujours su me débrouiller depuis que je me suis tirée de chez mes parents, mais en ayant la charge d'Arthur, c'est plus compliqué. Pour

63

pouvoir travailler, il faut que je le fasse garder, et ça mange mon salaire.

— Il ne va pas à l'école ? s'enquit Mahé.

Elle ne voulait pas laisser Rozenn égrener ses malheurs, elle ne comprenait pas pourquoi cette femme s'adressait à elle.

— Si, il y va, mais moi je suis serveuse et nos horaires ne sont pas compatibles !

Rozenn marqua une pause et regarda autour d'elle, s'attardant sur les photos des bateaux.

— Vous continuez à en vivre ? demanda-t-elle avec un geste vers les cadres. Moi, ça m'aurait dégoûtée. Mais j'imagine que ça rapporte, parce que c'est beau, chez vous…

Mahé préféra ne pas relever, entrevoyant déjà ce qui avait conduit Rozenn à Erquy.

— Yvon était très fier d'avoir un fils, je crois vous l'avoir dit à l'époque quand je suis venue à l'église.

— Vous l'avez dit, oui !

— Et c'est la vérité ! Il pétait d'orgueil à la maternité, tout le monde l'a vu. Un garçon, ça représente quelque chose pour un homme.

— Une fille aussi, je suppose, ne put s'empêcher de répliquer Mahé d'un ton ironique.

— Non, ce petit bonhomme, c'était le prolongement d'Yvon, ça l'a sacrément ému. Il a tout de suite juré de s'en occuper, je n'ai même pas eu à demander. Et il a tenu parole, tous les mois il me donnait de l'argent pour le bébé. Il prenait des nouvelles, il venait me retrouver, il me filait un chèque ou des billets. Je sais qu'il n'osait pas vous en parler, évidemment ! Épouser la fille de son patron, être un jour à la tête de l'affaire de pêche… il y avait de quoi le faire planer, il ne voulait pas y renoncer. Mais tout de même, Arthur comptait beaucoup pour lui, d'ailleurs il l'avait reconnu, il lui avait donné son nom, et il voulait que son fils ait une bonne éducation, une belle vie. Il était prêt à tout pour lui. S'il n'était pas tombé de ce foutu bateau, il aurait tenu parole et je n'en serais pas là.

Mahé gardait le silence, curieuse de voir jusqu'où cette femme oserait aller. Elle avait compris qu'il était question d'argent, et cette idée la révoltait. Yvon lui avait menti, l'avait trahie, menant sans scrupules une double vie dont elle refusait d'avance d'être responsable aujourd'hui.

— Pour une mère célibataire, croyez-moi, c'est dur d'élever un gamin. Je n'y arrive pas, voilà.

Rozenn se pencha en avant, posa ses coudes sur la longue table et prit sa tête entre ses mains. Au bout de quelques instants, Mahé demanda :

— Qu'attendez-vous de moi ?

— Un peu de compréhension. On était deux à se partager le même homme. Moi, je le savais, vous pas, mais qu'est-ce que ça change puisqu'il est mort ? On l'a aimé toutes les deux. Si vous aviez décidé de passer votre vie avec lui, c'est que vous aviez des sentiments très forts. Il n'est plus là, d'accord, mais son fils existe, c'est son portrait craché ! Ça ne peut pas vous laisser indifférente, non ? Ce gosse n'a rien. À peine de quoi bouffer certains jours ! Vous, d'après ce que je vois, vous avez tout…

Comme Rozenn n'avait pas cessé de la fixer, sans se préoccuper de ce que son fils pouvait faire dehors, ce fut Mahé qui jeta un coup d'œil par la fenêtre pour s'assurer que le petit garçon était encore dans le jardin. Elle l'aperçut, toujours immobile, et son cœur se serra.

— Je suppose que vous bénéficiez d'aides, en tant que mère célibataire, finit-elle par articuler. Et d'indemnités, si vous vous retrouviez au chômage ?

— Oh, toute cette paperasserie pour toucher trois sous ! Écoutez, vous me répondez comme une employée de l'administration, une fonctionnaire ! Ce n'est pas ce que j'espérais de vous.

— Quoi d'autre ?

— Le restaurant où je travaille va fermer pour tout l'hiver, soupira Rozenn en se reculant. Je suis aux abois. Vous croyez que ça me plaît d'être là ? Si vous saviez par quoi je suis passée ! Il y a même un notaire qui m'a contactée, parce que le seul héritier d'Yvon, c'est Arthur. Sauf qu'il n'y avait pas grand-chose en guise d'héritage et que je n'ai pas le droit d'y toucher, ce sera pour le gosse une fois qu'il sera majeur. En attendant, personne ne se demande comment il va y arriver, à sa majorité !

Elle fouilla dans son sac, sortit son portefeuille d'un geste théâtral et l'ouvrit en grand.

— Regardez, je n'ai plus rien !

Mahé marqua une pause avant de répondre, sur un ton mesuré :

— Que désirez-vous exactement ? Que je vous aide ? Pourquoi devrais-je le faire ? Yvon n'a pas été honnête envers moi. Il a reconnu son fils, c'est bien, mais il me l'a caché comme quelque chose de honteux, et ça, c'est moche. De toute façon, c'est votre histoire, pas la mienne. Je ne suis pas la veuve d'Yvon, ni la mère de son enfant. Je l'ai aimé passionnément, vous avez raison, et en retour il m'a menti. Qu'aurait-il inventé, si j'étais tombée enceinte? Qu'il était fou de joie d'être père pour la première fois? Je préfère ne pas penser à ce qu'aurait été notre mariage dans ces conditions. En venant m'apprendre la vérité, en quelque sorte, vous m'avez rendu service, mon chagrin a été atténué, j'ai pu tourner la page...

— Pas moi! l'interrompit Rozenn. Moi, je traîne Arthur qui m'empêche d'avancer! Écoutez, je veux juste que vous me dépanniez. Prêtez-moi un peu d'argent, je vous rembourserai, je vous le jure.

Mahé leva la main en esquissant un sourire amer.

— Pas de serment, s'il vous plaît.

Elle se sentait de plus en plus mal à l'aise, hésitant sur la décision à prendre. De nouveau, elle jeta un coup d'œil vers la fenêtre et sursauta. Le petit garçon devait s'ennuyer ferme, il était venu coller son visage au carreau. Sa ressemblance avec Yvon ne faisait aucun doute. Elle se détourna pour calculer ce qui resterait sur son compte une fois réglée la note du dentiste. Elle ne disposait pas de beaucoup de liquidités et ne comptait pas se servir dans la caisse d'une entreprise qu'elle gérait avec rigueur.

— Je peux vous donner mille euros, décida-t-elle.

— Pas plus? s'écria Rozenn. Ça ne fait pas mon affaire, j'ai des dettes, je dois du fric à tout le monde!

— C'est votre problème.

— Vous êtes riche, vous vous foutez de moi !

— Mais enfin, s'énerva Mahé, de quel droit exigez-vous quoi que ce soit ?

La situation devenait absurde. Elle sortit son chéquier d'un tiroir, pressée d'en finir.

— Et si je vous laissais le petit ?

— Quoi ?

Stylo en l'air, Mahé dévisagea Rozenn avec stupeur.

— Vous êtes folle...

L'enfant ne méritait pas ce que sa mère venait de dire, et une bouffée de compassion prit Mahé à la gorge.

— J'aurais pu vous le confier, se défendit Rozenn. Juste pour quelques jours, le temps de trouver un boulot mieux payé et de me remettre à flots. Il serait bien, ici.

— Il ne me connaît pas, le pauvre ! À quoi pensez-vous donc ? Bon, finissons-en, je vais vous faire un chèque de mille cinq cents euros. Quoi que vous en pensiez, je ne peux pas faire davantage. Si vous êtes honnête, vous me les rendrez un jour. Mais ne revenez plus pour me demander de l'argent, je n'ai aucune raison de vous aider, vous n'êtes pas mon amie et je ne me sens pas solidaire du passé d'Yvon. C'est clair ?

Rozenn prit le chèque et le considéra d'un air maussade avant de le ranger dans son portefeuille. Au carreau de la fenêtre, l'enfant avait disparu. Mahé se leva, traversa le bureau à grands pas et ouvrit la porte à la volée. Elle vit son père assis sur le muret, le petit garçon face à lui.

— Allez-vous-en maintenant, dit-elle à mi-voix.

La scène l'avait profondément perturbée, faisant resurgir des souvenirs douloureux. Elle s'approcha du petit garçon, se força à lui sourire.

— Au revoir, Arthur !

Elle ouvrit la grille pour laisser passer Rozenn et le gamin, puis se retourna vers son père qui l'observait avec curiosité.

— C'était qui ? finit-il par demander.

Pas une seconde elle n'imagina lui dire la vérité, aussi se contenta-t-elle de hausser les épaules avec indifférence.

— Une vague relation.

— Jolie femme, et mignon petit bonhomme…

Dans les yeux d'Erwan brillait une étrange lueur. Qu'était-il en train d'imaginer ? Mahé contourna la maison pour gagner l'entrée principale. Sans doute ne reverrait-elle jamais ses mille cinq cents euros, et elle se demandait pourquoi elle les avait donnés. Rozenn était en effet une jolie jeune femme, elle semblait en bonne santé et pouvait sûrement se débrouiller pour trouver du travail et élever son fils. Était-elle aussi irresponsable qu'elle le paraissait ou avait-elle joué la comédie afin d'obtenir de l'argent sans se fatiguer ? S'adresser à Mahé était une idée ahurissante. S'était-elle imaginé qu'elle vouait à la mémoire d'Yvon un respect inconditionnel ?

— Quel respect, bordel ? C'était un menteur et un lâche !

—Tu es bien énervée, marmonna Erwan qui l'avait suivie.

Elle empoigna une casserole et la posa brutalement sur la cuisinière. Elle en avait assez de vivre avec son père, assez de lui préparer ses repas, assez d'être espionnée en permanence. Elle se retourna et le considéra sans indulgence. Appuyé sur sa canne, voûté, il avait l'air d'un vieil homme vulnérable. Au long de son existence, il avait traversé beaucoup d'épreuves et s'était montré courageux, opiniâtre. Seul son accident vasculaire cérébral avait eu raison de lui, le contraignant à dépendre de quelqu'un. En l'occurrence sa fille, qu'il avait élevée seul, et qui était son unique famille. Radoucie, Mahé lui adressa un sourire.

—On va bientôt manger, lui dit-elle gentiment.

Mais la visite de Rozenn lui avait coupé l'appétit, et le visage du petit Arthur risquait de l'obséder longtemps.

3

Au début du mois de novembre, la température chuta brusquement. Un vent glacé balayait la côte et l'arrière-pays en permanence, intensifiant la sensation de froid. Comme la nuit tombait tôt, les gens se hâtaient de rentrer chez eux, le col relevé et la tête dans les épaules. Ce soir-là, un peu avant sept heures, Alan raccompagna son dernier patient. L'absence de Christine, clouée au lit par une bronchite, lui avait fait prendre du retard et l'avait perturbé. Il ouvrit la porte de la salle d'attente pour éteindre la lumière et resta saisi en découvrant Mahé qui lisait un magazine.

—Mais qu'est-ce que... Oh, je suis vraiment désolé, j'ai failli vous oublier! Mon assistante n'est pas là et je n'ai pas l'habitude de travailler seul, je suis complètement désorganisé.

Contrarié, il la précéda jusqu'au cabinet, jeta un coup d'œil sur son agenda et soupira.

—En effet, vous êtes marquée là, à dix-huit heures.

—Oui, et je poireaute depuis une heure, répliqua Mahé sans sourire.

Il jeta les instruments épars dans un bac en émail, alla prendre un nouveau plateau dans le stérilisateur.

—Installez-vous, je vous en prie. Je fais juste une radio de contrôle, ce ne sera pas long. C'est votre dernier rendez-vous et je vous promets que vous serez sortie dans dix minutes. En principe, je n'aime pas faire attendre… Vous étiez pressée?

—Pas vraiment, mais avec cette mer démontée j'ai hâte de savoir si tous mes bateaux sont rentrés au port.

—Vos bateaux?

—J'ai une petite affaire de pêche.

Il la dévisagea pour s'assurer qu'elle était sérieuse.

—Magnifique! décida-t-il avec enthousiasme. Je ne vous imaginais pas patron pêcheur, comme quoi on se trompe souvent sur les apparences…

Après avoir fait la radio, il examina l'écran de son ordinateur et déclara que tout était parfait.

—Vous vous y êtes habituée? voulut-il savoir.

—Au début, j'avais l'impression d'avoir un caillou dans la bouche, mais très vite je n'y ai plus pensé.

—Cette dent ne devrait plus jamais vous créer de problème.

—Merci. On n'a plus besoin de se revoir, je suppose?

—Non, c'est terminé. Venez une fois par an pour un examen, même si tout va bien. Prévenir est moins onéreux que guérir.

Il se débarrassa de ses gants, de son masque, et enleva sa blouse. Il portait un col roulé et un jean, ce qui lui donnait l'air plus sympathique que dans son rôle de praticien. Mahé sortit son chéquier de son sac puis tendit la main vers un stylo.

—Pas celui-là! protesta-t-il brusquement en le lui ôtant des doigts. Il écrit très mal, prenez plutôt le Bic.

Elle lui jeta un regard intrigué avant de remplir son chèque.

—Je vous raccompagne, mademoiselle Landrieux. Non, en fait, je pars avec vous, assez pour aujourd'hui, je ferme.

Comme si elle comprenait parfaitement son envie de s'en aller, elle lui adressa un sourire spontané qu'il trouva très chaleureux.

—Voulez-vous qu'on l'étrenne? demanda-t-il d'un ton léger.

—Qu'on étrenne quoi?

—Cette couronne!

Interloquée, Mahé le scruta jusqu'à ce qu'il précise:

—Il fait froid, il pleut, finir la semaine comme ça est désolant, non? Je vous invite à boire un cocktail à *La Belle Époque*, c'est un bar agréable, à deux rues d'ici. Ça vous tente?

Sa proposition le surprit lui-même. Était-ce l'absence de Christine, le temps maussade ou le charme de sa cliente qui venait de le pousser à transgresser une règle absolue: jamais de familiarité avec les patients?

—Vous pouvez dire non, ajouta-t-il, je ne me vexerai pas. Mon offre est un peu incongrue, j'en ai conscience, mais elle est innocente.

Occupé à verrouiller sa porte, il l'entendit rire derrière lui.

—Vous avez besoin de compagnie, docteur?

—Là, tout de suite, oui. Pourtant, c'est rare! En réalité, je suis un ours.

—D'accord pour un verre, accepta-t-elle simplement.

Ni l'un ni l'autre n'avait de parapluie, et une petite bruine glacée les accompagna jusqu'à la rue de Bouin. Une fois attablés, Mahé opta pour une bière, dont la carte offrait un large choix, et lui pour un whisky. Elle passa ses doigts dans ses cheveux mouillés, écarta sa frange.

—Sale temps, soupira-t-elle. D'où êtes-vous originaire? Kerguélen, c'est forcément breton.

—De Cancale. Mais j'ai surtout vécu à Rennes et à Saint-Brieuc.

—Vous n'êtes pas allé bien loin! s'esclaffa-t-elle.

—Et vous?

—Pas davantage. Erquy, point barre. Après mon bac, mon père m'a offert un vrai tour de France et j'ai voyagé pendant quelques mois. J'ai vu des endroits magnifiques, mais tout ce qui est loin de la mer me déprime, j'en ai vraiment besoin.

—Votre affaire de pêche, c'est un truc de famille?

—Oui, depuis plusieurs générations. J'en ai pris la tête après l'AVC de mon père.

—Il est très diminué?

—Des pertes de mémoire, des vertiges, un manque de coordination dans les gestes... Sinon, il a gardé son caractère de cochon, voilà bien quelque chose qui n'a pas changé!

Alan l'écoutait avec intérêt, tout en se demandant pourquoi il lui avait proposé de boire un verre. Une future conquête? Elle semblait un peu jeune pour lui, et pas spécialement facile à séduire malgré l'aisance avec laquelle elle bavardait. Mais elle n'était pas mariée et possédait un charme fou, une personnalité atypique, peut-être appréciait-elle les aventures éphémères?

—En tout cas, il ne pouvait plus diriger l'affaire, d'autant plus que la pêche est en pleine mutation et qu'il faut avoir la souplesse de s'adapter.

—Une autre? proposa-t-il en désignant son verre vide.

—La dernière, alors, il est tard.

—On vous attend?

—Ça ira, répondit-elle de façon évasive. J'envoie juste un texto.

Elle prit son portable, tapa un message à toute allure puis le posa sur la table. Quand elle releva la tête, il la trouva vraiment jolie avec son regard bleu-vert et son sourire en coin.

—Et vous, dentiste, c'est intéressant?

—Stomato, précisa-t-il. Je tiens à la nuance parce que je peux pratiquer des opérations, poser des implants… J'aimais bien travailler à l'hôpital, mais Rennes est trop loin de la mer! Et puis, je tiens à mon indépendance, je veux pouvoir organiser mes journées comme je l'entends.

Mahé se pencha sur son téléphone qui vibrait et lut la réponse à son message.

—Tout le monde est à terre, je suis rassurée, commenta-t-elle. Vous habitez Lamballe?

—Non, un endroit paumé à quelques kilomètres d'ici, en lisière de forêt. Une jolie malouinière pour laquelle j'ai eu un coup de foudre mais qui est aussi le palais des courants d'air.

—Et vous êtes marié?

—Dieu m'en préserve! Je ne suis pas Barbe-Bleue, toutefois j'ai déjà eu deux épouses, et ça s'est mal terminé les deux fois. J'estime être guéri. Et vous?

—Célibataire.

—Est-ce que ça explique que vous traîniez dans un bar avec moi?

—On traîne? ironisa-t-elle. Je pensais que vous vouliez me draguer.

—Je vais le faire. Voulez-vous que je vous emmène dîner chez moi?

—Bien sûr que non.

—D'accord, ce sera pour une autre fois.

—Vous croyez?

—Je me contente d'espérer.

Ils rirent ensemble avant d'achever leurs verres.

—C'était très gentil d'accepter de m'accompagner ici, lui dit-il plus sérieusement en se levant.

Il régla au comptoir en passant et, alors qu'ils sortaient, ils croisèrent un grand type brun qui s'apprêtait à entrer, une jeune fille à son bras.

—Jean-Marie! s'exclama Mahé.

Alan vit le type se troubler, apparemment embarrassé par la rencontre. Mahé fit les présentations, échangea quelques mots avec eux et leur souhaita une bonne soirée.

—Je vous accompagne, proposa Alan.

—Inutile, je…

—Il faut que je récupère ma voiture, et vous semblez partir dans la même direction que moi.

—Moi qui croyais à un effort de galanterie!

—Que vous ne vouliez pas accepter…

Avec un nouveau rire, Mahé releva son col pour se protéger car il pleuvait toujours.

—Jean-Marie est mon meilleur capitaine, expliqua-t-elle. Un marin hors pair! Il travaille pour nous depuis plus de dix ans, et j'espère qu'il ne se mettra jamais à son compte parce que je voudrais vraiment le garder.

—Il ne vous quittera pas de sitôt, il est amoureux de vous, répliqua Alan.

—Vous dites n'importe quoi.

—Non, désolé, ça se voit au premier coup d'œil.

—Vous vous trompez.

Au lieu d'insister, il la prit par le bras pour lui éviter de marcher dans une flaque. Qu'elle le croie ou non n'avait pas grande importance, néanmoins le beau marin, avec son air ténébreux de brun farouche, était en extase devant elle. Les femmes ne remarquaient donc pas ce genre de choses?

En s'arrêtant devant son break, Mahé jeta un regard amusé au cabriolet Eos garé juste devant elle.

—Joli, non? s'enquit Alan en le désignant.

—C'est à vous? Un vrai piège à filles!

—Juste une Volkswagen. Vous êtes sensible aux belles voitures?

—Pas du tout. Regardez la mienne! Et c'est pire à l'intérieur, ça sent le poisson.

Elle lui tendit la main d'un air résolu, apparemment pressée de partir.

—Je n'ai pas le droit de me servir à des fins personnelles du numéro de téléphone qui est dans votre dossier, ce ne serait pas déontologique. Mais comment faire pour vous inviter une autre fois? Vos dents ne seront pas assez complaisantes pour vous ramener chez moi...

—Même si c'est désuet, je suis dans l'annuaire! lança-t-elle avec un dernier petit sourire.

Il la regarda démarrer, réjoui par le moment qu'il venait de passer. Avec un peu de chance, Mahé serait la prochaine femme qu'il ramènerait chez lui un vendredi soir. Si elle était bien celle qu'il imaginait, ce serait une aventure délicieuse et sans conséquence, telle qu'il les aimait.

*

Jean-Marie avait renoncé à la soirée qu'il projetait. Après un cocktail à *La Belle Époque*, bu en dix minutes, il s'était résigné à emmener Émilie dîner au *Prieuré*, comme prévu, mais ensuite il avait prétexté une immense fatigue pour la déposer en bas de chez elle. Tout le temps du repas, il avait pensé à Mahé et à l'homme qui l'accompagnait. Qui était donc ce type aux yeux gris trop clairs? Grand et mince, cheveux blond cendré, la quarantaine. Jean-Marie était sûr de ne l'avoir jamais vu auparavant. Or il connaissait presque tous les amis de Mahé, ceux avec qui elle sortait au restaurant quand elle en avait assez de son père. Parfois, il faisait partie de la bande de copains, et dans ces cas-là il passait la soirée à se promettre de tenter quelque chose. Mais, bien sûr, il n'osait pas. Il regardait Mahé se faire draguer en bouillant de rage, sans rien montrer de ce qu'il éprouvait. Il n'amenait pas de fille, il venait seul pour se laisser une chance, et repartait déçu de lui-même. Ne parviendrait-il jamais à surmonter cette timidité maladive envers elle? Avec n'importe qui d'autre il arrivait à se comporter normalement, c'était désespérant. Ce soir, devant *La Belle Époque*, Mahé avait dévisagé Émilie avec curiosité. Demain, elle allait lui demander qui était cette jolie fille et pourquoi il la cachait, pourquoi il fuyait Erquy. Et Mahé? Que faisait-elle là? Avait-elle un amant, une histoire d'amour secrète? À trente ans, elle finirait bien par avoir envie de se marier! Bon, cet homme-là semblait un peu vieux pour elle, et il ne paraissait pas y avoir une grande familiarité entre eux, tant mieux.

Il était toujours très contrarié lorsqu'il se coucha. Après avoir réglé son réveil sur six heures, il resta longtemps allongé dans le noir sans trouver le sommeil. Pour la première fois, il éprouvait un sentiment d'urgence, de danger. Voir Mahé sortir d'un bar de Lamballe en compagnie d'un inconnu l'avait secoué. Il ne se fit aucune promesse mais il sut qu'il allait enfin trouver le culot de sortir de sa réserve. Le lendemain, samedi, Mahé avait suggéré de se réunir dans une crêperie du port et l'y avait convié. Il estima que c'était sa dernière chance et qu'il la saisirait.

*

Erwan regardait sa fille avec agacement. Elle venait de disposer sur la table un couvert – un seul ! –, avec un plat de viande froide, une salade de haricots verts, du pain et un yaourt aux fruits. Elle y ajouta une bouteille de cidre entamée avant de se tourner vers lui.

— Voilà, tu as tout ce qu'il te faut !

— Ce n'est pas très gai de manger seul, marmonna-t-il.

— Peut-être, mais ce soir je sors. Désolée, papa, j'ai besoin de me distraire de temps en temps.

— Bien sûr… J'espère que tu en profites pour voir des garçons ?

— Entre autres.

— Ton amie Armelle est de la fête ?

— Nous ne fêtons rien de spécial, on se réunit entre copains.

— Alors, amusez-vous bien, dit-il d'un ton sinistre. Mais tu ne devrais pas inviter cette fille quand tu cherches l'âme sœur ! Elle est trop jolie et elle veut séduire tout le monde.

— Ce n'est pas une « fille ». Elle et moi avons passé l'âge. En plus, c'est une véritable amie.

— Si tu le crois, tu es bien naïve.

— Nous étions en primaire ensemble ! Je la connais mieux que toi, et je ne comprends pas pourquoi tu ne l'aimes pas.

Se détournant, elle attrapa son blouson fourré et son sac.

— Tu rentreras tard?

— Aucune idée! Bonne soirée, papa.

Elle claqua la porte avant qu'il puisse ajouter quelque chose. Pourquoi était-il incapable de se réjouir pour elle? Chaque fois qu'elle sortait, elle le sentait blessé. Aurait-il voulu qu'elle reste toujours à la maison pour lui tenir compagnie? Il s'ennuyait, soit, mais elle n'y était pour rien. Elle savait qu'elle le retrouverait affalé devant la télé, quelle que soit l'heure de son retour, mais ne s'en souciait plus. S'il refusait d'aller se coucher tant qu'elle était dehors, grand bien lui fasse. Au moins, il lui avait épargné son habituel: «Mets-moi dans une *maison*!» En réalité, il n'avait aucune intention de quitter la sienne tant que sa fille s'occuperait de lui. Mais combien de temps encore allait durer cette cohabitation forcée? De plus en plus souvent, Mahé avait l'impression d'étouffer. Elle aurait dû s'en aller mais elle était toujours partagée entre l'exaspération et la compassion. Une nouvelle fois, elle se dit qu'il l'avait élevée. Il avait fait ce qu'il avait pu pour elle compte tenu de son métier prenant et de son veuvage mal supporté. Avec l'âge, hélas, il devenait odieux, et le jour où elle finirait par partir il ne manquerait pas d'affirmer qu'elle n'avait pas de cœur. Saurait-elle assumer ce moment pénible, supporter ses reproches, refuser la culpabilité?

Elle rejoignit son petit groupe d'amis dans la crêperie *Le Vieux-Port* qui bénéficiait d'une vue imprenable sur la baie. Les nouveaux propriétaires avaient suivi un stage de maîtres crêpiers à Maure-de-Bretagne et ils préparaient d'exceptionnelles galettes de sarrasin. De plus, la décoration avait été changée, ce qui en faisait un endroit de choix avec sa terrasse couverte et chauffée. Armelle était déjà là, verre en main, ainsi que Jean-Marie et trois autres copains. Tous les cinq saluèrent bruyamment l'arrivée de Mahé, considérée comme la mascotte de la bande.

— Tu prends un kir ? proposa Jean-Marie.

Il lui avait gardé une place à côté de lui, mais à peine Mahé y fut-elle assise qu'elle décida d'échanger avec Armelle.

— J'ai un truc à dire à Nicolas, lui expliqua-t-elle en lui tapotant l'épaule.

Discrètement, elle adressa un clin d'œil à son amie qui lui sourit en retour. Leur plan allait peut-être fonctionner, en tout cas Armelle avait désormais sa chance. Mahé songea à la jeune fille entrevue à Lamballe, mais si Jean-Marie ne l'avait pas amenée ce soir, c'était sans doute qu'elle n'avait pas d'importance pour lui. Dans le cas contraire, Armelle perdrait son temps, cependant le jeu de la séduction l'amusait toujours.

Comme chaque fois qu'ils se réunissaient pour un dîner de ce genre, la conversation devint vite bruyante, ponctuée d'éclats de rire. Dans ces moments-là, Mahé oubliait son père. Elle ne pensa pas non plus à Rozenn. En revanche, à deux ou trois reprises, elle songea à Alan Kerguélen, encore étonnée de l'avoir si facilement accompagné dans ce bar. Elle le trouvait séduisant, mystérieux, en tout cas très différent des hommes qu'elle connaissait. S'il l'appelait, comme prévu, sans doute accepterait-elle une autre invitation.

Face à elle, Armelle déployait tout son charme pour capter l'attention de Jean-Marie, mais il n'avait pas l'air de l'écouter.

— Vous, les pêcheurs, vous rangez systématiquement les plaisanciers dans la catégorie des emmerdeurs.

— Pas moi, se défendit-il sans conviction. J'aime bien regarder les voiliers, et certains skippers sont de sacrés bons marins. En revanche, on voit des écervelés qui veulent sortir par tous les temps alors qu'ils ne maîtrisent pas leur bateau. Je ne dis pas ça pour vous, Armelle.

— Encore heureux! répliqua-t-elle avec un grand sourire. Si vous voulez, je vous emmène faire un tour un de ces jours. La voile, c'est autre chose que les affreux moteurs diesel de vos chalutiers.

— J'adore ce bruit. Sur le *Jabadao*, c'est la musique de fond.

— Eh bien, je préfère le bruit du vent. Le glissement de soie de l'étrave dans l'eau. Et même les mouettes.

— La mer est votre loisir, moi j'en ai fait mon gagne-pain.

— Ah, revoilà la supériorité du marin pêcheur!

Elle s'était mise à rire, la tête renversée en arrière, sans parvenir à le dérider.

— Qu'est-ce qui ne va pas, Jean-Marie? finit-elle par demander en lui posant la main sur le bras. On s'amuse, détendez-vous un peu.

Il fit l'effort de se tourner vers elle mais il semblait ailleurs.

—Allez, insista-t-elle, promettez-moi de venir à mon bord, je vous ferai faire une petite sortie dont vous vous souviendrez!

—Je n'ai pas le temps, Armelle. Je vais attaquer une semaine de pêche la nuit, c'est crevant. Mais pouvoir vendre du poisson tout frais le matin représente un gros avantage.

—Vous ne faites donc pas partie de la bande de coquilliers qui se précipitent hors du port en fin de matinée? Une soixantaine de dingues au coude à coude qui...

—Ils n'ont que leurs trois quarts d'heure réglementaires pour ramasser les coquilles, et seulement deux jours par semaine.

—Je sais bien! C'était pour vous provoquer! Même si je ne pêche pas, je connais les lois.

Il se décida à lui adresser un sourire hésitant qu'elle prit pour un encouragement.

—J'ai suivi des stages et j'ai passé mes deux permis mer, côtier et hauturier, pour pouvoir trouver plus facilement un assureur pour mon voilier. Pourtant, je n'y étais pas forcée car je n'ai qu'un petit moteur de 6 CV! Mais j'ai appris beaucoup de choses et je pense maintenant que ce devrait être obligatoire pour avoir le droit de naviguer.

De l'autre côté de la table, Mahé les observait d'un air amusé, et Jean-Marie surprit son regard. Mal à l'aise, il s'écarta aussitôt d'Armelle. Il sentait que l'occasion de parler à Mahé allait lui échapper encore une fois, mais comment faire?

Armelle avait beau être une très belle jeune femme, elle ne l'attirait pas. À tout prendre, il lui préférait Émilie, plus réservée, plus douce. Et si Mahé devait continuer à l'ignorer, il serait moins malheureux avec une gentille fille qu'avec la tonitruante Armelle.

— Si on allait boire un verre ailleurs ? proposat-il à la cantonade.

Sa proposition fut accueillie par des cris de joie et, surmontant sa timidité, il offrit l'hospitalité chez lui. Il habitait à proximité, rue Foch, une petite maison de célibataire qu'il finissait de payer. Meublée à son idée, de façon assez spartiate, elle était de plain-pied et s'agrémentait d'un jardinet où fleurissaient tout l'été des hortensias dont il s'occupait avec soin. Dans l'entrée encombrée, des cirés, des casquettes et cabans étaient accrochés à des patères, au-dessus de plusieurs paires de bottes. Là régnait le désordre inhérent au métier de Jean-Marie, mais le séjour était parfaitement rangé.

— Tu me donnes un coup de main ? glissa-t-il à Mahé en l'entraînant vers la kitchenette.

Il s'empara d'un plateau, y disposa des verres, puis il prit une grande inspiration.

— Tu es particulièrement jolie, ce soir ! Tu...

— Ce n'est pas à moi qu'il faut dire ça, chuchota-t-elle. Tu n'as pas remarqué qu'Armelle te couve du regard ?

Elle le prit par l'épaule et l'attira à elle pour lui glisser à l'oreille :

— Je crois que tu as un ticket avec elle.

La main de Mahé sur lui, son souffle dans son cou, l'effluve de son parfum le firent tressaillir.

—Elle ne m'intéresse pas, parvint-il à articuler.

—À cause de ton amie Émilie? Tu es amoureux?

—Non plus. La fille dont je rêve, c'est toi.

Voilà, il était arrivé à l'avouer, et maintenant de la réaction de Mahé dépendaient tant de choses qu'il en oubliait de respirer. Malheureusement, ce ne fut pas du tout ce qu'il espérait, car elle éclata d'un rire insouciant.

—Jean-Marie!

Par jeu, elle fit semblant de le bourrer de coups de poing.

—D'accord, mon vieux, très bien, tu ne veux pas en parler, c'est ta vie privée.

—Non, non, Mahé, je...

—J'aurais dû me souvenir que tu es très secret. En tout cas, tu as l'info, et moi qui connais bien Armelle, je peux te dire que c'est une femme formidable. Mais si ton cœur est déjà pris, eh bien, tant mieux pour toi!

—Tu ne m'écoutes pas, protesta-t-il en la saisissant trop brusquement par le bras.

Elle esquissa un mouvement de recul et le dévisagea.

—Qu'est-ce qui te prend, Jean-Marie?

—J'essaie de t'avouer quelque chose de grave.

Il l'avait lâchée, conscient de sa maladresse, toutefois il était allé trop loin pour reculer.

—J'ai toujours eu un faible pour toi, lâcha-t-il d'une voix étranglée.

—Tu n'es pas sérieux, là?

L'expression incrédule de Mahé mit un comble à son malaise tandis qu'elle poursuivait, impitoyable :

— Tu as trop picolé ou quoi ? Regarde autour de toi, il y a plein de jolies filles prêtes à te tomber dans les bras. Armelle, Émilie ou qui tu veux ! Toi et moi, nous sommes amis depuis longtemps, on travaille ensemble, on a de la considération l'un pour l'autre, du moins, j'espère… Et ça me suffit.

Durant deux ou trois secondes, il resta atterré, puis il se ressaisit et s'empara du plateau. Mahé attendit un peu avant de le suivre. Ainsi, il prétendait avoir un *faible* pour elle ? Elle n'avait rien remarqué, rien deviné, mais à présent elle se remémorait la phrase d'Alan Kerguélen devant *La Belle Époque*. Il avait vu en deux secondes ce qu'elle ignorait naïvement et que Jean-Marie ne cachait pas si bien. S'efforçant de sourire, elle rejoignit les autres dans le séjour. Du coin de l'œil, elle remarqua que Jean-Marie était décomposé, ce qui la désola. Elle l'aimait beaucoup, elle admirait sa maîtrise à bord d'un hauturier et son infaillible instinct de pêcheur, elle le savait franc et honnête, mais jamais elle n'avait envisagé de flirter avec lui. Il y avait des années qu'ils appartenaient à la même bande de copains, qu'ils allaient dîner ou danser ensemble de façon innocente, elle n'avait aucune envie que ça change. L'attirance qu'il prétendait ressentir était-elle venue avec le temps ? Il n'était pourtant pas un homme solitaire, elle l'avait souvent aperçu accompagné, et elle avait toujours cru qu'un beau jour il leur présenterait une fille et leur annoncerait qu'il se mariait. Il avait trente-trois ans, il était mûr pour fonder une famille.

Elle alla s'installer sur un des deux canapés et prit le verre qu'Armelle lui tendait.

— Je ne vais pas tarder à rentrer, soupira-t-elle.

— Ton père t'attend, comme d'habitude?

— Probablement endormi devant la télé. J'ai beau lui dire de se coucher sans s'occuper de moi, il ne peut pas s'empêcher de rester là.

— Mets la télé dans sa chambre, suggéra Armelle.

Mahé éclata de rire tant l'idée lui paraissait incongrue. Erwan détestait le moindre changement, il trouverait d'excellentes raisons pour refuser, et il en profiterait pour se plaindre d'être relégué, ignoré.

— Il faudrait que tu te décides à partir, Mahé. Je sais qu'il ne veut pas se retrouver seul et qu'il brandit la menace de la maison de retraite, mais est-ce que ce ne serait pas mieux pour tout le monde?

— Pas pour lui.

— Ou alors, tu laisses tes bureaux où ils sont, de façon à avoir un œil sur lui dans la journée, et le soir tu t'en vas. Je te l'ai déjà dit, je suis prête à prendre une colocation avec toi! On vivrait entre filles, ce serait génial...

Elles en avaient parlé souvent, et chaque fois Mahé éludait. Elle n'était pas prête à laisser son père, sachant d'avance que la culpabilité s'abattrait sur elle. Quand sa mère était décédée, il aurait très bien pu l'envoyer en pension. Son métier étant accaparant, tout le monde aurait compris. Mais il ne s'était pas débarrassé d'elle, il l'avait gardée avec lui à la maison. Aujourd'hui, elle faisait preuve de la même générosité.

—Le beau ténébreux m'a ignorée, chuchota Armelle. Il y a une femme dans sa vie?

—Non…

—Eh bien, je perds mes pouvoirs, je vieillis!

Elles se turent parce que Jean-Marie venait vers elles, une bouteille à la main.

—Je vous ressers? proposa-t-il.

Il avait retrouvé son expression habituelle et Mahé en profita pour se lever.

—Merci, mais il est tard, je dois y aller.

—Je pars avec toi, décida Armelle en lançant un dernier regard appuyé à Jean-Marie, puis elle l'embrassa en lui glissant un bout de papier dans la poche.

—Si tu as besoin de quoi que ce soit à la banque, viens me voir, je traiterai ton dossier en priorité! Je t'ai noté mon numéro de portable, c'est plus simple pour me joindre.

Dehors, le vent toujours glacial n'avait pas faibli. Serrées l'une contre l'autre, elles redescendirent vers le port où Armelle avait laissé sa voiture.

—Jean-Marie me plaît vraiment, mais j'ai dû me rendre à l'évidence, c'est toi qu'il regarde.

—Il a tort, répliqua Mahé, il ne m'intéresse pas.

—Tu le lui as dit?

—Tout à l'heure, dans sa cuisine.

—Et?

—Rien. On bosse ensemble, il n'est pas question d'autre chose. Comme il n'est pas idiot, il se fera une raison.

—Alors, je conserve mes chances!

Mahé allongea le pas pour s'accorder au rythme d'Armelle qui, plus grande qu'elle, marchait vite.

—J'ai bu un verre avec le dentiste, avoua-t-elle soudain.

—Non! Kerguélen? Je ne lui voyais pas une tête de dragueur...

—Il ne m'a pas encore vraiment draguée.

—Tu parles! Tes succès auprès des mecs me dépriment. Et quand je regarde Nicolas et sa femme en jeunes mariés transis d'amour, ça me déprime encore plus. Tu crois qu'on va rester les deux dernières célibataires d'Erquy?

—Je ne vois pas pourquoi.

—Toi, parce que personne ne te plaît, moi, parce que trop d'hommes me plaisent. Allez, monte, je te dépose.

Elles s'installèrent dans la voiture d'Armelle, qui brancha aussitôt le chauffage.

—Pourquoi dis-tu que personne ne me plaît?

—Tu n'as pas eu une seule histoire sérieuse depuis la disparition d'Yvon. Autant je m'emballe pour le premier venu, autant tu gardes la tête froide. C'est pour te préserver? Tu penses que tous les hommes sont des traîtres?

—Inconsciemment, peut-être. Et pour ne rien arranger, figure-toi que cette femme, Rozenn, est venue me voir il y a quelques jours.

—Qu'est-ce qu'elle te voulait?

— Du fric.

— Quoi?

— Elle est sans le sou et elle n'arrive pas à élever son fils, c'est-à-dire le fils d'Yvon. Il s'appelle Arthur et il ressemble terriblement à son père.

— Mais on s'en fout! explosa Armelle. Toi, surtout! Elle a eu le culot de te mettre son gamin sous le nez et de te demander de l'argent? Tu l'as foutue dehors, j'espère?

— Je lui ai fait un chèque.

— Je rêve... Sur quelle planète vis-tu donc? Tu ne serais pas ma meilleure amie, je te traiterais de pauvre conne. Gros, le chèque?

— Pas tant que ça.

— Ne finasse pas avec moi, je le verrai passer sur ton compte.

— Mille cinq cents. Elle n'ira pas loin.

— Qu'elle aille au diable!

— Tu n'as aucune pitié, hein?

— Pas pour une menteuse qui a fermé les yeux sur la double vie de son mec et qui était prête à le voir se marier avec une autre sans rien dire. Ce genre de femme ne m'inspire pas de compassion.

— Je crois qu'elle a dû espérer jusqu'au dernier moment qu'Yvon renoncerait, qu'il lui reviendrait. Elle avait le bébé, elle croyait sans doute que ce serait suffisant.

— Franchement, Mahé, je me fous pas mal de ce qu'elle a pu penser. Quant à toi, tu es une vraie poire. Je t'imaginais plus... aguerrie. Dieu sait que tu en as bavé, à l'époque, entre le drame et les révélations hallucinantes de cette bonne femme. On t'a ramassée à la petite cuillère, moi la première, mais c'était il y a très longtemps et j'étais persuadée que tu avais tourné la page. Or il suffit que Rozenn se pointe et tu lui files du fric!

— C'est le gamin qui m'a fait de la peine, Armelle. Il n'y est pour rien.

Elle l'affirmait d'un ton ferme mais, au fond, elle ne savait pas pourquoi elle avait cédé. En s'arrêtant devant la grille de la maison de Mahé, Armelle désigna les fenêtres éclairées du rez-de-chaussée.

— Ton père ne ferme jamais les volets?

— Ni les rideaux. Il veut pouvoir me guetter, mais il s'endort toujours.

Lorsqu'elle sortit de la voiture, Armelle se pencha et la retint un instant par la manche.

— Tu vas le revoir, le dentiste?

— Peut-être.

— Tu as raison, il a du charme. Dors bien, ma jolie!

Mahé claqua la portière et se dépêcha de rentrer. Le froid était anormal pour le mois de novembre, avec un vent du nord persistant qui rendait la mer mauvaise. À l'intérieur, il faisait trop chaud, Erwan avait dû mettre les radiateurs à fond. Il devenait frileux en vieillissant, comme s'il payait toutes ces années passées à rester à la barre d'un chalutier par n'importe quel temps. Elle le trouva installé confortablement sur le canapé, où il avait même apporté son oreiller. Après avoir éteint la télé et constaté qu'il dormait toujours, elle alla chercher une couverture qu'elle étala sur lui. Debout au milieu du séjour, elle resta un moment songeuse. Malgré la déclaration maladroite de Jean-Marie, leurs rapports ne devaient pas changer, elle y veillerait. Si elle voulait rester crédible dans son rôle de patron, aucune ambiguïté n'était possible. Elle regrettait de n'avoir rien deviné et d'avoir peut-être été trop familière avec lui. Dans sa jeunesse, elle avait toujours vu son père traiter ses marins sur un pied d'égalité, partageant le travail et les casse-croûte à bord, les grosses plaisanteries et les beuveries à terre, mais elle, elle ne pouvait pas se le permettre. Elle était une jeune femme et ne naviguait pas avec eux, elle devait conserver un peu de distance. Quant à Jean-Marie… Pourquoi ne lui plaisait-il pas ? Trop brun, trop baraqué, trop timide ? Chaque fois qu'elle était allée chez lui, elle avait ressenti la même impression d'ordre et de rigueur. Un garçon méthodique, sobre, dénué de fantaisie. Il ne la faisait pas rêver, voilà tout. Immergée depuis toujours dans le monde de la pêche, elle avait envie de découvrir d'autres univers.

Tandis qu'elle jetait un dernier coup d'œil à son père qui ronflait, la bouche entrouverte, elle frissonna malgré la chaleur de la pièce. Dehors, le vent soufflait en rafales, et la météo des prochains jours restait mauvaise. Peut-être fallait-il changer le programme du *Jabadao*. S'il y avait des coups de tabac en haute mer, inutile de mettre une équipe en péril. Les hommes d'abord, bien sûr, et aussi son meilleur bateau.

Elle éteignit au moment où Erwan se réveillait. Il l'entendit monter l'escalier, ouvrir en haut la porte de sa chambre. Un bruit familier et réconfortant. Quand elle était jeune, il se sentait rassuré de la savoir bien rentrée et hors des dangers de la rue ou des mauvaises fréquentations. À présent, c'était pour lui-même qu'il était tranquillisé lorsqu'elle était là. Il n'était plus seul. Une seconde, il se demanda s'il ne serait pas mieux dans son lit, mais il était bien installé, au chaud, et il n'avait pas le courage de bouger. S'il le faisait, toutes ses douleurs liées à l'âge ressurgiraient. Un des volets aux gonds fatigués produisait un grincement agaçant. Depuis le temps qu'il disait à Mahé d'appeler le menuisier ! Elle prétendait être débordée, pourtant elle trouvait le temps de s'amuser avec ses amis.

La pénombre fut brusquement remplacée par une obscurité complète. Donc, il était vingt-trois heures, moment de l'extinction de l'éclairage public sous prétexte d'économies. De quoi transformer les rues en coupe-gorge ! Fallait-il vraiment rogner trois sous sur le dos des gens obligés de rentrer tard chez eux ? Bientôt, on allait devoir s'équiper d'une lampe électrique ou d'un briquet pour arriver à mettre sa clef dans sa serrure.

Erwan remonta la couverture jusqu'à son menton. Il acceptait mal les changements d'habitude, les bouleversements. La vie moderne allait trop vite pour lui, il se sentait sur la touche, incapable de suivre. Les initiatives de Mahé concernant leur affaire le laissaient dubitatif, chaque fois il croyait qu'elle se trompait. Pourtant, le plus souvent, elle avait raison.

Qui était donc cette femme qu'elle avait reçue quelques jours plus tôt ? Le gosse l'avait troublé, déstabilisé, il n'arrêtait pas d'y repenser. Se pouvait-il vraiment que ce soit le fils d'Yvon ? L'âge correspondait, néanmoins il était inimaginable qu'il s'agisse de lui. Mahé lui en aurait parlé. Forcément.

Il s'accrocha à cette idée et essaya de se rendormir. Mais, sans la télé en fond sonore, c'était plus difficile.

*

À la fin de la semaine, le temps n'avait guère changé. Bien en dessous des températures habituelles d'un mois de novembre. Il faisait froid et un vent glacé persistait. La plupart des pêcheurs se plaignaient de ces conditions, la mer était mauvaise, le volume des coquilles et des poissons vendus à la halle à marée s'en ressentait.

Jean-Marie n'avait pas voulu changer son programme, chaque soir il quittait le port pour gagner le large, confiant dans les capacités du *Jabadao* comme dans celles de Christophe et de ses autres matelots. Un peu plus tard dans la saison, il partirait pour de courtes campagnes de quatre jours. Le bateau était équipé de machines à glace et de cales isothermes, il pouvait s'aventurer en haute mer mais la durée de conservation des poissons dépendait de leur variété et restait limitée. À bord du *Jabadao*, ils étaient réfrigérés et non pas congelés, donc stockés à zéro degré, et conservaient l'aspect du poisson frais jusqu'à la mise en vente. La rémunération des marins pêcheurs se faisait à la part, liée à la valeur des captures, et trouver le bon endroit où descendre le chalut était une question d'instinct. Quand l'équipe était soudée, les hommes travaillaient avec un minimum de mots, un regard leur suffisait pour coordonner leurs gestes. Jean-Marie surveillait toutes les opérations d'un œil intransigeant, attentif à la manipulation des poissons qui ne devait jamais être brutale afin de ne pas meurtrir leur chair fragile.

Depuis qu'il avait avoué à Mahé son attirance pour elle – et il avait utilisé une expression tout à fait dérisoire –, il se désespérait de la réponse obtenue. Tant d'années à ne pas oser parler pour s'entendre dire qu'elle ne souhaitait rien d'autre que de l'amitié! Il ne l'avait jamais regardée comme une copine, mais comme la femme qu'il désirait passionnément. Il était dans une position délicate car il ne parvenait pas à la considérer en tant que chef, même s'il l'écoutait scrupuleusement. Ayant toujours fait partie du monde de la pêche, elle possédait de bonnes bases, et elle s'était donné les moyens de diriger une entreprise en obtenant ses brevets de patron et de capitaine. Elle ne manquait pas d'initiative, parfois même de culot, et elle s'adaptait vite. En comparaison d'Erwan, qui n'aurait jamais pu envisager de modifier ses méthodes, elle savait suivre, voire anticiper les changements. Néanmoins, aux yeux de Jean-Marie, elle était à la fois celle qu'il voulait pour épouse, et l'adolescente garçon manqué qu'il avait vue devenir femme. Il était entré chez Erwan à dix-neuf ans, alors que Mahé en avait seize. Plus tard, lorsqu'elle était tombée amoureuse d'Yvon, il avait eu le cœur brisé, il avait même failli partir. Mais il était resté, gardant contre toute logique un infime espoir, qui s'était ranimé après le drame et qu'elle venait d'éteindre en parlant d'estime et d'amitié.

Il baissa le régime du moteur, fit allumer les projecteurs. Le temps était vraiment mauvais, le vent du large creusait la mer. La pêche ne serait sans doute pas bonne cette nuit, mais il fallait essayer.

*

—Il y a quelqu'un? répéta Mahé d'une voix plus forte.

Elle s'était trompée trois fois de route en venant, et malgré les explications qu'Alan lui avait données par téléphone, elle avait failli ne pas trouver la malouinière. Quelle idée d'habiter un endroit aussi isolé! Néanmoins, en découvrant la maison dans la lumière de ses phares, elle l'avait trouvée très belle. La sobriété de son architecture militaire la rendait austère et pourtant élégante avec ses ouvertures bien alignées, entourées de granit taillé. Sur le ciel sombre, Mahé avait deviné le toit d'ardoise à pente raide percé de hautes cheminées. Puis elle avait escaladé le perron, transie par l'air glacé, avait sonné et attendu en vain, avant de pousser la porte, qui n'était pas fermée.

Après avoir traversé le hall, elle pénétra dans une pièce imposante qui semblait tenir toute la largeur de la maison et où régnait une agréable chaleur. À un bout, une belle flambée ronflait, à l'autre, quelque chose mijotait sur une plaque de la cuisinière. Alan n'avait pas pu quitter les lieux en les abandonnant à un risque d'incendie. Peut-être était-il allé chercher d'autres bûches dehors ?

—J'ai entendu votre voiture et j'ai fait aussi vite que j'ai pu! lança-t-il en entrant derrière elle. Ma jument a un problème de tendon, alors, le temps de la soigner…

—Votre jument ?

—Pat. Patouresse, en fait.

—Bergère ?

—Je vois que vous avez des bases de breton.

—C'est la moindre des choses. Et vous ?

—Un peu, mais j'ai oublié. Mon grand-père le parlait très bien.

Il portait un jean couvert de traces blanches et, dans un geste d'excuse, il écarta ses mains maculées d'argile.

—Pour l'inflammation, on doit mettre un emplâtre le long des tendons, et on enroule un bandage par-dessus. C'est assez salissant! Je peux vous laisser seule encore quelques minutes ? Il y a du champagne au frais, servez-vous donc une coupe, je me dépêche de vous rejoindre.

Il s'élança vers l'escalier, pressé d'aller se changer. Mahé profita de l'invitation et trouva dans le réfrigérateur une bouteille de Ruinart. Par curiosité, elle alla soulever le couvercle de la cocotte en fonte et en inspecta le contenu. Un rôti de porc mijotait au milieu de tomates et d'oignons, dégageant une odeur alléchante. L'avait-il préparé lui-même ? Il n'avait pas l'air d'un homme d'intérieur, à en juger par le joyeux désordre qui régnait dans la pièce. Sur une étagère pleine de verres de toutes tailles, elle prit deux flûtes qu'elle déposa près des fauteuils, au coin du feu. Il y avait des piles de CD à côté d'une chaîne hi-fi, des journaux abandonnés sur un guéridon, des bottes de cheval au pied de l'escalier, un ordinateur portable ouvert et allumé sur une table de bridge.

Alors qu'elle s'installait devant la flambée, elle vit arriver une petite chatte blanche. D'un bond léger, celle-ci sauta sur le bras du fauteuil pour observer Mahé de plus près, et n'eut aucune réaction quand Alan dévala l'escalier pour les rejoindre.

— Elle vous a adoptée, constata-t-il en s'emparant de la bouteille.

Il l'ouvrit avec des gestes précis, inclina les flûtes pour y verser le champagne.

— À quoi allons-nous trinquer ? À votre venue chez moi ? À cet hiver qui arrive trop tôt ?

Détendu, souriant, il alla d'abord ajouter une bûche dans l'âtre, puis revint vers Mahé.

— Vous avez eu du mal à trouver, je suppose ?

— C'est un endroit perdu, presque improbable.

— Voilà pourquoi je l'aime.

— Seriez-vous misanthrope ?

—Un peu, je l'avoue. Je vois des gens toute la journée et, en rentrant chez moi, je n'ai plus envie de voir personne.

—Sauf une femme de temps en temps? ironisa-t-elle.

—Une *jolie* femme, oui. Et parfois des amis, de *vrais* amis. Pour le reste, j'ai fait le tri.

—Vous avez aussi une jument, un chat…

—Une chatte. C'est elle qui m'a choisi, moi ou la maison. Je ne sais pas d'où elle vient, je ne connais pas son âge, et je la laisse vivre à sa guise. Je ne l'ai d'ailleurs pas baptisée, je l'appelle juste chatoune. Pour la jument, c'est différent, j'adore les balades à cheval. J'ai beaucoup pratiqué l'équitation à une époque, mais l'aspect compétition ne m'intéresse plus du tout, j'ai seulement envie de me promener en forêt. Et vous, votre sport favori?

—Aucun en particulier. J'aime la voile et je navigue de temps en temps avec une amie, mais ce n'est pas un sport. Pour me donner bonne conscience, je vais courir sur la plage.

—Laquelle?

—De préférence la Grève du Goulet, pour profiter du paysage depuis le sentier de corniche. Ou bien Saint-Pabu, entre mer et colline, qui est moins fréquentée que la plage du Caroual.

Alan resservit du champagne et proposa de passer à table.

—J'espère que le rôti de porc ne sera pas trop sec! J'avais demandé à la personne qui s'occupe de la maison de préparer un plat d'hiver, facile à réchauffer.

—Vous ne cuisinez pas?

—Jamais pour mes invités, les malheureux!

Il lui tint sa chaise pendant qu'elle s'asseyait et en profita pour demander:

—Pourquoi avez-vous accepté ce dîner?

—Par curiosité.

—C'est tout?

Il alla s'installer en face d'elle et la regarda avec insistance. Ses yeux gris, très pâles, restaient posés sur elle, attendant une réponse, mais elle lui retourna sa question:

—Pourquoi m'avez-vous invitée?

—La raison est évidente, je vous trouve très jolie. Je n'aurais pas dû, parce que vous êtes aussi une de mes patientes. Et vous pourriez croire que je fais ça tout le temps, alors qu'au contraire je m'abstiens de draguer mes clientes.

—Alors, comment faites-vous? Lamballe est une petite ville... Les sites de rencontres sur Internet, peut-être?

—Vous êtes adepte?

—Pas du tout.

—Donc, vous avez le même problème que moi. Pas assez d'occasions, de visages nouveaux.

Il se dirigea vers la cuisinière et s'affaira pour mettre le rôti et les légumes dans un plat de service. Perplexe, elle l'observa en se demandant de quelle façon ils allaient terminer la soirée. «Ne pas céder la première fois», prétendait Armelle, qui avait toute une série de préceptes qu'elle ne respectait d'ailleurs pas.

—Examen réussi? demanda-t-il en se retournant.

Il avait surpris son regard, ce qui la fit rire.

— Je ne serais pas là si vous ne me plaisiez pas, mais je voulais m'en assurer!

Pourquoi était-elle aussi abrupte, qu'est-ce qui lui arrivait? Une envie de s'amuser, d'avoir une relation sans conséquence? Alan vint poser le plat devant elle, retourna s'asseoir, la considéra d'un air intrigué.

— Difficile de vous ranger dans une catégorie de femmes. Déjà, patron pêcheur, ça commence mal pour vous situer! Et puis vous êtes jolie, vous semblez avoir une forte personnalité, et vous êtes seule à la trentaine. Vous cherchez le prince charmant? Si c'est le cas, je ne vais pas faire votre affaire.

— Je ne cherche rien de spécial. J'ai eu un grand amour de jeunesse pour un marin qui a disparu en mer à quelques jours de notre mariage.

— Oh, désolé…

— Je l'ai été moi aussi, mais pas longtemps. J'ai appris quelques semaines plus tard qu'il menait une double vie. Le perdre avait déjà été très dur, mais en plus ma confiance dans les hommes a été totalement ruinée.

— D'accord, ça ne doit pas vous aider à en trouver un. Vous pourriez réviser votre jugement en tombant sur un type honnête. Il y en a davantage que de salauds.

— C'est vous qui le dites. Quand on est jeune, on est très vulnérable, je ne sais pas si je pourrai oublier.

— Vous allez rester vieille fille?

—Ne suis-je pas en train de parler à un vieux garçon?

—J'ai eu un deuil à surmonter moi aussi, et en secondes noces j'ai épousé une traîtresse. Le même parcours que le vôtre, mais sur une plus longue période. Entre les deux épisodes, j'ai eu le temps de me remettre, tandis que vous... Bon, maintenant que nous avons échangé nos malheurs, on pourrait discuter de choses positives?

—D'accord. Ce rôti est un délice.

—Resservez-vous. Après, je vous ferai goûter mes fromages typiquement bretons, un saint-gildas très crémeux et un ti'pavez moulé aux algues.

—Seriez-vous chauvin?

—Passablement attaché à ma région, que je n'ai d'ailleurs jamais pu quitter. Et vous? Auriez-vous une velléité de déserter?

—Grands dieux, non, je vous l'ai dit! Impossible de m'imaginer loin de la mer et des bateaux. J'adore mon métier, je n'en changerais pour rien au monde.

—Moi non plus. Vous voyez, il y a tout de même des trucs enthousiasmants pour les gens revenus de tout que nous sommes...

Il quitta sa chaise, contourna la table.

—Est-ce que vous resterez ici ce soir, Mahé?

Interloquée, elle murmura:

—Eh bien, vous n'y allez pas par quatre chemins!

Sourcils froncés, il hésita avant de lui sourire.

—Pardon, je me suis mal exprimé. Je pensais plutôt à l'alcool. Si vous devez reprendre le volant, on arrête de boire, sinon je vous ouvre un bon bourgogne pour aller avec le fromage. J'ai une chambre d'amis très présentable.

Elle se sentit rougir et supposa qu'il la trouvait ridicule. Embarrassée, elle tenta de se rattraper en répliquant :

—Mon père refuse d'aller se coucher tant que je ne suis pas rentrée.

Cette fois, il eut carrément un éclat de rire.

—Mauvaise excuse, vous n'avez plus quinze ans ! Trouvez autre chose, ou dites simplement que vous n'avez aucune envie de vous éterniser après le café. Je vous proposais le bourgogne parce que ça prédispose au flirt, et qu'ensuite on pourrait aviser. On a beau être au fond des bois, je ne suis pas le grand méchant loup... et vous n'êtes pas une vierge effarouchée. Je me trompe ?

Il avait l'air de s'amuser, mais pas aux dépens de Mahé, au contraire, il la mettait dans son camp, celui des adultes consentants. Flirter avec lui n'était pas inconcevable, elle y avait pensé avant de franchir la porte de sa maison. Qu'elle rentre chez elle à minuit, à trois heures du matin ou à l'aube ne changerait rien au sommeil d'Erwan sur le canapé. Il se prétendait insomniaque, et en réalité il dormait comme un bébé. D'ailleurs, elle l'avait bien prévenu de ne jamais l'attendre quand elle sortait, et de s'éviter le ridicule d'appeler la gendarmerie si elle ne rentrait pas.

Malgré son peu d'expérience, Mahé s'était toujours sentie assez libre avec les hommes. À défaut de vrai coup de cœur, elle avait eu deux amants éphémères et une courte liaison. Alors, pourquoi pas Alan, l'espace d'une nuit? Elle était libre, elle n'avait rien à perdre, et cet homme lui plaisait parce qu'il paraissait différent de tous ceux qu'elle avait rencontrés jusque-là. Direct, dénué de romantisme et sans doute farouchement indépendant, tout à fait du genre à ne pas la harceler si, par la suite, elle ne souhaitait pas aller plus loin. Il devait avoir une quarantaine d'années, les rides autour de ses grands yeux gris l'attestaient, mais, pour Mahé, c'était un charme supplémentaire. Enfin, l'impression d'être loin de tout, dans cette grande maison chaleureuse perdue au milieu des forêts, lui procurait une sensation excitante.

— Va pour le bourgogne, décida-t-elle d'un ton brusque.

Toujours debout à côté d'elle, il la dévisagea, hocha la tête et répéta :

— Après, on avisera.

4

Rozenn avait vite dépensé l'argent donné par Mahé. Après avoir réglé ses dettes les plus urgentes, elle s'était offert un manteau et des bottes, une coupe de cheveux chez le premier coiffeur venu, et avait acheté une doudoune pour Arthur.

Avec le froid de cette fin d'automne, et Noël qui approchait, elle se sentait toujours aussi inquiète pour son avenir. Éponger les arriérés et s'habiller ne suffisait pas, elle devait retrouver un emploi. Et, avant tout, mettre la main sur une bonne âme qui accepterait de garder Arthur sans contre-partie. Afin d'être embauchée comme serveuse, un travail dont elle s'acquittait sans déplaisir, elle devait être libre de ses mouvements. Quant à Yann, son nouveau flirt, pas question de lui imposer un gamin. Si elle voulait conserver une chance de connaître une véritable histoire avec cet homme, elle devait le ménager.

Mettre la main sur un type sérieux était sa grande ambition. Si seulement elle pouvait se débarrasser d'Arthur quelque temps, elle était sûre d'y parvenir. Elle le récupérerait ensuite, bien entendu. À sa manière, elle adorait ce gosse, même si pour l'instant il l'encombrait.

L'idée d'aller taper un peu d'argent à Mahé Landrieux avait pu sembler farfelue ou déplacée, néanmoins, ça avait marché, et Rozenn s'en félicitait. Elle pensait peut-être la solliciter de nouveau, mais pas pour du fric. Cette femme avait été remuée par la ressemblance flagrante d'Arthur avec son père, et malgré ses protestations ou sa froideur, elle n'avait pas pu y rester insensible. De là à lui fourguer le petit pour quelques semaines, il n'y avait qu'un pas de plus à franchir.

Yann était quelqu'un d'intéressant. Il avait son salaire de maître d'hôtel, de l'ancienneté, la confiance de son patron. Si Rozenn était disponible, il parviendrait à la faire engager. Certes, la saison touristique était terminée, mais l'établissement dans lequel il travaillait à Dinard restait ouvert toute l'année. L'une des serveuses partait, c'était l'occasion rêvée de se caser. Elle aurait à la fois un boulot stable et Yann à proximité.

Cent fois, elle avait tourné le problème dans sa tête. Elle fantasmait sur Yann, du moins sur ce qu'il lui ouvrait comme perspectives. Elle se voyait en couple avec lui, peut-être même mariée, et il ferait un bon père pour Arthur. Enfin, elle n'en savait rien, elle se contentait de l'espérer. De toute façon, le petit n'avait pas de père du tout, ce serait toujours mieux que rien. Et plus tard, pourquoi ne pas monter leur propre affaire ? Ouvrir un bistrot ou même un hôtel ? N'ayant jamais connu la moindre sécurité, elle en rêvait, en faisait sa terre promise. Bon, Yann n'était pas absolument séduisant, mais c'était un gars sérieux et elle n'en demandait pas davantage. Tous ceux qui l'avaient précédé dans le lit de Rozenn étaient des rigolos qui prenaient leurs jambes à leur cou dès qu'ils découvraient l'existence d'Arthur. Yann, lui, n'avait rien dit quand elle avait avoué qu'elle avait un enfant. Un bon point. De là à le lui infliger tous les soirs… Pas avant de l'avoir ferré pour de bon!

Et puis, Rozenn voulait vivre. Profiter un peu de l'existence, souffler, ne plus dépendre d'hypothétiques pourboires et de jobs saisonniers. Ne plus habiter une chambre minable, ne plus compter les pièces dans son porte-monnaie. D'ailleurs, elle ne savait pas compter, ni s'organiser ni prévoir. Pourquoi avait-elle décidé de garder son bébé quand elle avait découvert qu'elle était enceinte? Pour obliger Yvon à rester avec elle, d'accord. Mais elle s'était trompée de tactique parce qu'il n'avait pas changé d'avis, se cramponnant à cette oie blanche de Mahé. À la maternité, elle avait bien cru qu'il allait faire machine arrière, mais non, il s'obstinait à vouloir épouser la fille d'Erwan Landrieux. Un sacré égoïste, Yvon!

Aux questions qu'Arthur posait sur son père, elle répondait invariablement qu'il s'était noyé. Une mauvaise formulation car maintenant le gosse avait peur de l'eau, elle l'avait vu sur la plage quelques semaines plus tôt. Aurait-elle dû dire qu'il avait «disparu», selon l'expression pudique des marins? Eh bien oui, disparu au fond de l'océan, ce qui n'était pas plus rassurant pour le pauvre Arthur.

Donc, le premier problème à résoudre, d'où découleraient toutes les solutions, était de persuader Mahé. Rozenn devait trouver une raison imparable, une solide explication. Elle n'avait pas vu l'intérieur de la maison des Landrieux, mais son apparence était chaleureuse, avec sa façade de grès rose et son jardinet. Le bureau où elle avait été reçue lui avait semblé cossu, orné de belles photos de bateaux et doté d'un matériel informatique moderne. Pour Rozenn, ça «sentait» l'argent. Yvon avait toujours prétendu le contraire, mais elle restait persuadée que cette aisance matérielle était la raison de son attachement à Mahé. Il se voyait sûrement patron à la place d'Erwan et se donnait l'apparence du gendre idéal. Tout ça pour se noyer! Quelle saloperie, la mer… Comment Mahé n'avait-elle pas pris en horreur les pêcheurs et les chalutiers? Non, elle trônait dans son beau bureau, elle jouait au petit chef sans état d'âme. Rozenn la trouvait tout aussi détestable qu'à l'époque où elles étaient rivales, pourtant elle allait devoir faire patte de velours si elle voulait la convaincre de se charger d'Arthur l'espace de quelques semaines. Il serait là-bas comme un coq en pâte, dans un endroit qui pour une fois devait ressembler à un foyer. Restait à trouver cette foutue idée, et Rozenn continuait à se creuser la tête parce que sa survie en dépendait. Du moins le croyait-elle, sans se demander ce qu'en penserait son petit garçon.

*

Mahé n'en revenait pas d'avoir passé la nuit chez Alan. Ou plus exactement la nuit *avec* Alan. Car, forcément, la chambre d'amis n'avait été qu'un prétexte, à peine la lui avait-il montrée qu'ils s'étaient retrouvés sur l'édredon moelleux du grand lit, lancés dans une course à qui déshabillerait l'autre le plus vite.

Elle en conservait un souvenir assez agréable, même s'il était un peu flou. Comme ils avaient vidé la bouteille de bourgogne après celle de champagne, ils étaient à moitié ivres. À moitié seulement, puisque ça s'était très bien passé pour une première fois. Alan avait de l'expérience et de la patience, on pouvait le qualifier de bon amant. Mahé avait aimé son corps mince et dur, ses mains habiles, l'odeur de sa peau. Ils avaient partagé un moment de plaisir d'où l'amour était exclu, un divertissement exempt de tout romantisme superflu. Le café du lendemain matin avait été bu en copains, et aucune promesse de se revoir ne s'était échangée sur le perron. Pour une fois, Mahé n'aurait pas à fuir les assiduités qui suivaient souvent une brève aventure.

En était-elle satisfaite ? Son impression à ce sujet restait mitigée. Si le côté « partenaires » était pratique et rassurant, il avait aussi un goût amer. Mahé se demandait parfois si elle réussirait à aimer de nouveau, à éprouver ce sentiment violent et sans réserve que lui avait inspiré Yvon. À l'époque, elle s'était sentie transportée, ivre de bonheur et remplie d'amour, avec une impression de légèreté qu'elle n'avait jamais retrouvée. Apprendre l'existence de Rozenn et du bébé, réaliser à quel point elle avait été trompée par celui à qui elle voulait confier sa vie entière, tout cela au beau milieu d'un chagrin inouï, avait anéanti quelque chose en elle. C'était comme si son cœur s'était figé, durci, racorni. Elle ne pouvait pas s'empêcher, certaines nuits, de ressasser les mensonges d'Yvon, toutes ces excuses qu'il lui débitait alors pour justifier ses absences, tous ces serments d'amour qu'elle buvait comme du petit-lait sans savoir qu'il les servait à une autre dans le même temps. En lui mettant son bébé sous le nez, quelques années plus tôt, Rozenn l'avait littéralement poignardée, et le couteau était encore dans la plaie.

— Raconte-moi tout! exigea Armelle dont les yeux brillaient.

Après avoir subi les vertueuses remontrances d'Erwan – trouvé comme prévu sur le canapé –, Mahé avait expédié les affaires courantes dans son bureau, puis elle s'était rendue à la halle à marée, et enfin précipitée à la banque pour inviter Armelle à déjeuner.

— Sa maison est superbe, énigmatique, propre et mal rangée.

— Sa chambre?

— Pas vue. Nous nous sommes arrêtés à la chambre d'amis.

112

—Et alors? Lui?

—Très bien. Pour la quarantaine, pas une once de graisse! La peau douce et les muscles durs. Je ne crois pas que seules les balades à cheval le maintiennent en forme. Il a… comment dire? Du souffle et de l'endurance.

Armelle eut un rire joyeux qu'elle essaya de rendre discret. De tout temps, elles s'étaient raconté leurs aventures en détail et, si elles ne pouffaient plus comme des collégiennes aujourd'hui, elles continuaient à s'amuser.

—À part ça, il est très gentil, juste un brin cynique.

—Oui, il a l'air un peu revenu de tout.

—Il est veuf une fois, divorcé ensuite.

—Tu comptes le revoir?

—Je ne sais pas.

La moue dubitative de Mahé intrigua Armelle, qui insista:

—Allez, persévère pour une fois! Tu ne veux jamais aller au-delà d'une nuit, on dirait que ça t'effraie.

—J'ai seulement l'impression qu'on a fait ce qu'on avait à faire et qu'on s'est tout dit.

—Il est si peu intéressant?

—Non, mais…

—Trop vieux pour toi? Quarante et combien?

—Je ne lui ai pas demandé sa carte d'identité. Ça ne me gêne pas qu'il ait quelques années de plus que moi, la question n'est pas là, mais il met une sorte de distance entre lui et le reste du monde.

—Il se préserve? Eh bien, vous êtes pareils!

Pour fuir les oreilles indiscrètes, Mahé avait choisi d'aller à *L'Atelier Cuisine*, au Val-André. Dans cette ancienne voilerie, transformée en bistrot marin, on servait d'excellents produits de la mer pour un prix raisonnable.

—Tu ne m'as pas donné de détails croustillants, protesta Armelle. Il a un tatouage, une cicatrice, trop de poils? Il porte une gourmette, sa médaille de baptême?

—Rien de tout ça. Ou bien je ne m'en souviens pas.

—Mahé!

—Vraiment. Je ne sais même pas s'il ronfle, je dormais profondément.

—Mais tu as pris du plaisir?

—Ah, ça, oui…

—Quelle note?

—Au moins neuf sur dix.

—Magnifique! Dommage que tu n'en sois pas amoureuse.

—Si c'était le cas, je crois que j'irais au-devant d'une grosse déception.

—Et tu ne prendras pas le risque, bien entendu! Tu as tort, tu te prives de grandes émotions. Moi qui suis un cœur d'artichaut, au moins, je vibre chaque fois en espérant LA rencontre décisive.

—Où en es-tu avec Jean-Marie?

—Nulle part, il se défile.

—Insiste pour l'emmener faire un tour sur ton bateau, il se détendra.

—Le temps ne s'y prête pas. En plus, il doit en avoir marre de la mer et des vagues, non?

—Il adore ça, et c'est une autre façon de naviguer qui devrait lui plaire. Puisque Dan ne veut jamais que tu l'embarques, même par calme plat...

—Oh, Dan! Franchement, j'en ai soupé, je l'ai largué.

Elle leva les yeux pour observer la grand-voile accrochée au plafond et réalisée par des Terre-Neuvas.

—De toute façon, reprit-elle, je vais désarmer le *Faézer* et le mettre en hivernage. Il n'y a pas eu d'arrière-saison, c'est rageant! Alors, pour en revenir à Jean-Marie, peut-être vais-je lui demander de m'emmener sur son chalutier pour une nuit de pêche?

—Pas question.

—Pourquoi?

—Tu viens de le dire, le temps est dangereux. Personne n'a la tête à s'amuser en ce moment.

—Tu ne fais pas tes quotas de pêche?

—Si, à peu près. Mais j'ai une avarie de moteur sur un des bateaux et une drague à changer sur un autre. Des dépenses qui n'étaient pas prévues. Pour tout arranger, un de mes gars est malade. Et tu les connais, ils ne se mettent pas en arrêt pour un rhume! D'ailleurs, je dois passer prendre de ses nouvelles cet après-midi, sa femme était inquiète au téléphone.

Redevenue sérieuse, Armelle prit l'addition.

—C'est moi qui t'invite.

—Je n'en suis pas là!

—Ton compte personnel est débiteur. Tes largesses avec cette Rozenn de malheur, en plus des honoraires de ce cher docteur Kerguélen, t'ont mise à sec.

—La fin du mois arrive, ça va s'arranger.

—Pour ce que tu te payes… Moi qui n'ai pas le quart de tes soucis et de tes responsabilités, figure-toi que je viens d'être augmentée!

—Oui, mais tu t'amuses moins que moi, répliqua Mahé avec insouciance.

S'amuser n'était sans doute pas le mot approprié, néanmoins elle se sentait d'humeur légère. Peut-être la nuit passée chez Alan lui avait-elle apporté une rupture bienvenue dans la routine du quotidien.

—À charge de revanche, dit-elle en voyant Armelle sortir sa carte bancaire.

*

Lorsque Alan regagna son cabinet après un déjeuner hâtif, il fut intercepté dès l'entrée par Christine qui faisait une drôle de tête.

—Vous avez une visite inattendue qui ne va pas vous plaire, chuchota-t-elle.

Son air renfrogné n'annonçait rien de bon, or elle était toujours d'une grande courtoisie avec tous les patients.

—Mélanie, votre ex-femme, lâcha-t-elle avec dédain.

Le prénom fit à Alan l'effet d'une douche froide.

—Je suppose qu'elle n'est pas là pour un problème dentaire, ricana-t-il.

—Elle ne m'a pas fait de confidences, vous pensez bien! Elle veut vous voir, c'est tout ce que je sais.

Déjà, à Saint-Brieuc, Christine ne supportait pas Mélanie. Bien avant qu'Alan s'en aperçoive lui-même, elle avait jugé l'épouse de son patron comme une femme ambitieuse dénuée de scrupules et sans moralité. À l'époque, chaque fois qu'elle venait au cabinet, Christine ne s'adressait à elle qu'avec réticence.

—Je vais la recevoir, décida-t-il.

—Faites vite, votre rendez-vous de quatorze heures est déjà là.

Alan ouvrit la porte de la salle d'attente, sourit à l'une de ses patientes qui feuilletait un magazine, puis découvrit Mélanie debout devant la fenêtre, les bras croisés, dans l'attitude d'une femme impatiente.

—Je n'en ai pas pour longtemps! jeta-t-elle à l'autre femme d'un ton péremptoire.

Elle passa devant Alan, qui referma la porte, et ils se retrouvèrent face à face dans le couloir.

—Tu as l'air en pleine forme, ça fait plaisir, déclara-t-elle en le dévisageant.

Pour sa part, elle n'avait pas changé. Le teint hâlé artificiellement comme toujours, les yeux très maquillés, une cascade de cheveux blonds tombant sur ses épaules, une silhouette impeccable dans un tailleur de velours noisette. Il supposa qu'elle continuait de dépenser une fortune pour entretenir son visage et son corps. La précédant jusqu'à son cabinet, il la laissa s'extasier.

—Tu es magnifiquement installé! Figure-toi qu'une de mes amies fait partie de ta clientèle. Aline Rousseau, tu vois de qui je parle? C'est elle qui m'a signalé que ça marchait fort pour toi. Je vois qu'elle avait raison. Et moi qui te croyais toujours à Rennes…

—Je suis pressé, l'interrompit-il. Qu'est-ce que tu veux?

—À la bonne heure, tu n'es pas devenu muet! Tu es encore fâché contre moi? C'est du passé, Alan, nous avons tourné la page.

—Dieu merci.

—Nous aurions dû rester en bons termes.

—Ça me coûtait trop cher pour pouvoir garder le sourire.

—Tu ne voulais pas croire à mon projet.

—Il aurait fallu que je sois fou.

—Et tu ne m'aimais plus.

—Les derniers temps, non. Plus du tout.

Elle se crispa comme s'il l'avait injuriée avant d'enchaîner :

—Et, surtout, tu as eu peur. Tu as manqué d'ambition. Nous aurions pu faire de grandes choses ensemble. J'étais bien partie mais tu m'as coupé les ailes… Bref! Tu ne veux pas savoir où j'en suis?

—En aucun cas.

—Ça devrait pourtant t'intéresser. Figure-toi que je suis retombée sur mes pieds et que je suis sur le point d'ouvrir enfin mon centre. Un truc d'envergure dont tu ne tarderas pas à entendre parler.

118

— Si c'est ce que tu es venue me raconter, tu peux en rester là. J'ai du travail, Mélanie.

— Oh, mais moi aussi! Pour l'instant, j'habite Paimpol, ensuite je serai logée dans le complexe lui-même, qui se trouve à la pointe de l'Arcouest, face à l'île de Bréhat. Un site exceptionnel.

— Je m'en fous! explosa-t-il. Tu peux bien habiter à Palavas-les-Flots ou en enfer, je ne retiendrai pas l'adresse. Je te connais assez pour savoir que tu es là pour me demander quelque chose, et la réponse est non. Voilà, c'est clair?

— Laisse-moi t'expliquer, Alan, ou tu risques de le regretter.

— Les regrets, je les ai eus en découvrant qui tu étais. Je ne veux plus *jamais* avoir affaire avec toi. Maintenant, sors de chez moi avant de me parler d'argent.

— Argent? ricana-t-elle. Quand je pense que tu as prétendu que je t'avais ruiné! Tu t'en es bien remis, on dirait?

Il la prit par le coude sans ménagement et la força à sortir. Sans la lâcher, il la reconduisit jusqu'à la porte qu'il ouvrit en grand.

— Ne reviens plus, c'est inutile, gronda-t-il en la poussant dehors.

Elle le toisa avec une expression haineuse avant de s'éloigner, la tête haute. Comment avait-il pu être tellement amoureux d'elle? Après Louise, une femme si douce, si droite, par quelle aberration s'était-il entiché de cette garce de Mélanie? Il avait cru pouvoir rebâtir sa vie avec elle, il avait attendu en vain qu'elle ait envie d'avoir des enfants, il s'était laissé entraîner dans la spirale infernale de la réussite. Au bout du compte, elle l'avait dépouillé avec une parfaite indifférence. Égocentrique, superficielle, elle s'était servie de lui à des fins très personnelles et il n'avait rien vu durant des années, accaparé par ce cabinet d'orthodontie où il travaillait douze heures par jour sans plaisir. La revoir lui rappelait sa propre bêtise, son aveuglement, et il se sentait humilié.

—Ah, tout de même, vous l'avez mise dehors!

Christine le rejoignit en lui présentant sa blouse.

—Je me demandais si elle réussirait à vous embobiner encore une fois.

—Par chance, j'ai vieilli, ironisa-t-il.

—Tant mieux. C'est une personne nuisible. On y va?

Il lui sourit, brusquement apaisé. Davantage qu'une assistante, Christine était sa complice depuis longtemps et elle veillait sur lui de façon quasi maternelle.

—Si jamais je retombe amoureux, vous n'aurez qu'à me parler de Mélanie et je me calmerai. Agitez-la comme une gousse d'ail devant un vampire, ce sera radical!

Sous l'œil attendri de Christine, il partit chercher sa patiente dans la salle d'attente.

*

Indifférente à l'odeur de gas-oil et de poisson, Mahé discutait sur le pont du *Tam bara*, debout devant le compartiment moteur.

—Pas de réparation de fortune, pour risquer de retomber en panne, en pleine mer cette fois! S'il y a des pièces à changer, faites-le maintenant.

Elle négociait âprement avec un mécanicien qu'elle connaissait bien mais qui était toujours débordé.

—Vous auriez tout intérêt à le remplacer, soupira-t-il. Ce moteur n'en peut plus, il compte trop d'heures, il a vécu.

—Vous voulez que je mette la clef sous la porte?

—Mais enfin, Mahé, vous n'êtes pas aussi butée que l'était Erwan, vous devriez comprendre que…

—Écoutez, j'ai une équipe à terre au chômage technique, or je suis sur le fil du rasoir avec tous les caprices de la météo ces derniers jours. Commander un moteur et l'installer, c'est bien trop long, bien trop cher. Trouvez-moi une solution pour que ce bateau reprenne la mer au plus vite.

—Avec vous, faut ma patience, grommela le mécanicien. De toute façon, je n'ai pas la pièce nécessaire à l'atelier. Ils l'ont sûrement en stock à Rennes, mais ça prendra deux ou trois jours pour qu'elle arrive.

—Je peux aller la chercher et la rapporter ce soir, à condition que vous soyez sur ce pont demain matin à la première heure. D'accord?

Il la considéra d'un air agacé mais finit par hocher la tête.

—D'accord. Je connais les difficultés des petits armements comme le vôtre, Mahé.

— Cette année, c'est pire que tout. Entre la folle augmentation du carburant et le mauvais temps qui s'éternise... Bon, marquez-moi les références de cette satanée pièce.

Elle prit son agenda dans son sac et nota ce qu'il lui dictait. Heureusement, elle avait eu la sagesse de toujours réinvestir ses bénéfices dans ses bateaux, entretenus avec soin. Pour les réparations courantes, tous ses marins savaient bricoler eux-mêmes, mais là la panne était trop sérieuse et le *Tam bara*, son plus vieux navire, allait rester immobilisé pour la journée.

Le mécanicien remonta sur le quai et alla annoncer la nouvelle aux deux pêcheurs qui auraient dû embarquer et attendaient son verdict. Mahé s'attarda un instant à bord pour un rapide examen du reste du bâtiment, puis elle les rejoignit.

— Je file à Rennes, déclara-t-elle. Vous pouvez en profiter pour vous occuper du bateau, je le trouve un peu négligé. Et, tant qu'il ne pleut pas, pourquoi pas un petit coup de pinceau ? Il reste de la peinture au bureau, mon père vous ouvrira.

Elle était désolée pour eux, sachant que le manque à gagner d'une journée de pêche compterait à la fin du mois. Mais ils étaient conscients du mal qu'elle se donnait pour tout gérer, et ils la considéraient comme l'une des leurs. Certains d'entre eux la connaissaient depuis longtemps, ils l'avaient vue apprendre d'Erwan les rudiments puis les finesses de leur métier, et ils la respectaient car elle aurait très bien pu conduire toute seule n'importe lequel de ses bateaux.

122

Après être rentrée chez elle à pied, elle prévint son père, récupéra les clefs du break et prit la direction de Rennes. En passant à Lamballe, l'itinéraire le plus court pour gagner l'autoroute, elle eut une pensée pour Alan qui devait travailler dans son cabinet. Même si elle avait passé un bon moment avec lui, elle se demandait si ça valait la peine de poursuivre l'aventure. Comme elle l'avait confié à Armelle, il n'était pas le genre d'homme qu'elle cherchait. Mais, au fond, elle cherchait peu, et surtout il lui aurait fallu chercher ailleurs. Où et quand ? Elle n'avait pas le temps, peut-être pas l'envie, en tout cas elle ne voulait pas s'interroger à ce sujet.

À Rennes, elle se rendit directement chez leur fournisseur, et en repartant elle résista à la tentation d'aller perdre deux heures dans le centre pour faire du shopping. Cette distraction-là se partageait avec Armelle, environ deux fois par an, lors de mémorables virées où elles se conseillaient mutuellement et partageaient des fous rires dans les cabines d'essayage.

Repassant par Lamballe en fin d'après-midi, elle eut un moment d'hésitation et, sur un coup de tête, elle se gara place du Martray. Boire un verre avec Alan avant de regagner Erquy la tentait soudain. Faire une pause dans cette détestable journée lui permettrait de retarder l'inévitable discussion avec son père au sujet de la panne de moteur. Car, même s'il prétendait ne se mêler de rien, il avait un avis sur tout. Pourquoi ne pas aller sonner au cabinet pour voir si Alan avait

123

fini? S'il était occupé, tant pis, elle irait boire son verre seule ou repartirait.

En traversant la place, elle reconnut le cabriolet Eos garé un peu plus loin; Alan était encore là. Une vraie voiture de célibataire dragueur, même s'il s'en défendait, car ce n'était pas le modèle idéal pour emprunter les chemins boueux menant chez lui.

Elle resserra son écharpe, agacée par ce vent qui ne désarmait pas depuis plusieurs jours. La nuit était tombée et la lumière des réverbères faisait luire les trottoirs. À cette heure, la ville n'était pas très animée, et un sentiment de tristesse submergea Mahé. Elle aurait pu choisir de s'arrêter chez des copains à Erquy pour se faire offrir l'apéritif et partager un moment d'amitié, mais elle en avait assez d'être la fille seule à qui on fait une place sur le canapé. Presque tous ceux de sa génération étaient mariés à présent, ou au moins en couple, et leurs préoccupations principales concernaient les bébés ou le crédit de la maison. Hormis Armelle, elle ne se reconnaissait dans aucune des femmes de son entourage. Son métier, son célibat qui s'éternisait, le fait qu'elle vive avec son père à trente ans passés, tout cela la marginalisait.

De loin, elle vit que les fenêtres du cabinet étaient allumées et elle pressa le pas. La conversation désabusée et ironique d'Alan, qui ne risquait pas de porter sur les moteurs de bateau, était exactement ce qu'il lui fallait. Alors qu'elle levait la main pour sonner, la porte s'ouvrit sur l'assistante qui s'apprêtait à partir, emmitouflée dans une épaisse doudoune.

—Mademoiselle Landrieux! Mais… vous aviez rendez-vous?

Elle avait posé la question d'un ton incrédule, tout en jetant un coup d'œil significatif à sa montre.

—Non, non, je passais à tout hasard voir le docteur Kerguélen…

—Laissez, Christine, je m'en occupe.

Derrière l'assistante – et la dépassant d'une tête –, Alan adressa un sourire las à Mahé. Il semblait fatigué et pas vraiment de bonne humeur, habillé lui aussi pour sortir, néanmoins il lui fit signe d'entrer.

—À demain, Christine! Et soyez prudente sur la route, je crois qu'il va neiger.

Il referma la porte avant de se tourner vers Mahé.

—Un problème?

—Non, aucun, s'empressa-t-elle de répondre.

—Ah…

Embarrassée par la froideur de l'accueil, elle bredouilla:

—De la neige, tu crois vraiment?

—Pas moi, la radio.

Son propos laconique n'avait rien d'encourageant.

—Je reviens de Rennes, expliqua-t-elle en essayant de paraître enjouée. Après ces quatre-vingts kilomètres de route, j'ai eu envie d'une bière bien fraîche et je me suis souvenue de *La Belle Époque*. Tu serais partant?

— Pour ne rien te cacher, ma journée a été pénible.

— Moi aussi! répliqua-t-elle. Bon, dans ces conditions je ne vais pas te déranger plus longtemps.

— Attends une seconde.

Il parut réfléchir, finit par ébaucher un nouveau sourire, tout aussi peu convaincant.

— Veux-tu venir dîner à la maison?

— Je n'en demande pas tant. Et puis je dois...

— Ah, oui! Papa? Tu es comme Cendrillon, tu as la permission de minuit? Écoute, je suis crevé et ce serait...

— Je ne te demande pas d'explications non plus, l'interrompit-elle d'un ton sec.

Avant qu'il ait pu protester, elle franchit la porte qu'elle claqua violemment.

— Une vraie furie..., marmonna-t-il.

Il s'en voulait de l'avoir mal reçue et faillit se lancer à sa poursuite. Mais il avait envie de rentrer chez lui, pas de traîner dans un bar. Dommage, il aurait pu lui faire une omelette ou un gratin de macaronis, les deux seuls plats qu'il savait préparer, et ensuite un câlin parce qu'elle était tout à fait délicieuse au lit. Malheureusement, elle semblait aussi avoir mauvais caractère, ce qu'il n'avait pas remarqué la première fois. Et puis, cette façon de débarquer sans prévenir! Christine ne manquerait pas de lui en reparler le lendemain matin, dévorée par la curiosité.

Il attendit quelques minutes pour être certain de ne pas rencontrer Mahé dans la rue, piétinant

126

dans son entrée, toujours contrarié. Après la visite de Mélanie, il était resté de mauvaise humeur tout l'après-midi, et l'irruption de Mahé n'arrangeait rien. Maudites bonnes femmes…

Il finit par s'en aller, ne vit personne sur la place et se dépêcha de récupérer sa voiture. D'ici deux ou trois jours, il appellerait la jeune femme pour s'excuser. Ou alors, il lui ferait envoyer des fleurs, son adresse était dans le dossier.

Arrivé chez lui, il se servit un verre puis alluma une bonne flambée devant laquelle il s'installa, son ordinateur sur les genoux. Une fois par semaine, il s'offrait une conversation avec son frère en vidéo sur Skype. Ils s'étaient promis de ne pas perdre le contact malgré l'éloignement, et jusqu'ici ils avaient tenu parole. Avec les six heures de décalage, c'était le début de l'après-midi à New York. Quand Ludovic apparut sur l'écran, les deux frères échangèrent un premier sourire ravi.

— Avant tout, bon anniversaire, mon vieux! s'exclama Alan.

Il leva son verre et but une gorgée qu'il savoura.

— Un excellent cru en ton honneur. Un pauillac que tu n'es pas près de trouver dans ton exil! Ou alors, à prix d'or…

— Vas-y, fais-moi saliver.

— Château Lynch-Bages.

— Tu plaisantes?

— Je le gardais pour une occasion.

— Tu es un beau salaud!

— Merci. Quoi de nouveau chez les Yankees?

— L'hiver s'annonce très froid.

— Pour nous aussi. Pluvieux, venteux, froid et précoce. Comment va ta petite famille ?

— Linda t'embrasse et les enfants aimeraient savoir s'ils peuvent venir en vacances chez toi l'été prochain.

— À condition que tu les accompagnes. Gérer deux ados en pleine crise est au-dessus de mes forces.

Il éclata de rire car il adorait ses neveux, qui le lui rendaient bien. Deux ans plus tôt, en découvrant la malouinière lors d'un voyage en France, ils avaient décrété que c'était le plus beau terrain de jeux du monde.

— Et maman ? reprit Alan.

— Je lui ai promis de l'appeler avant de raccrocher, elle a très envie de te parler.

— Toujours heureuse de s'être expatriée ?

— Oui, elle est proche de ses petits-enfants, elle adore le mode de vie américain et… elle profite de l'existence.

Ils rirent ensemble car l'expression signifiait que leur mère, à soixante-cinq ans, refusait toujours de vieillir.

— Elle s'habille de plus en plus « jeune », ajouta Ludovic, mais ici, ça passe inaperçu.

À la mort de leur père, ils avaient craint que leur mère ne se remette jamais du deuil, ce en quoi ils s'étaient lourdement trompés. Au contraire, elle avait été comme enfin libérée de trop d'années de contraintes et de bonne moralité, ne se privant pas de déclarer que, puisqu'elle avait accompli son devoir de bout en bout, désormais elle ne ferait plus que ce qui lui plaisait. Vendant sans le moindre regret sa maison de Cancale, elle s'était dépêchée de rejoindre son fils aîné aux États-Unis pour y commencer une nouvelle vie.

— Tes affaires marchent? s'enquit Alan.

— Oui, pas mal, mais je bosse douze heures par jour. Mon côté «frenchy» décourage certains clients mais m'en apporte d'autres.

Ingénieur informaticien, Ludovic avait monté une petite société qui prospérait. Qu'il se plaise dans la folle agitation d'une si grande ville étonnait encore Alan, toutefois leurs caractères avaient toujours été radicalement différents.

— Et toi, dans ta cambrousse isolée, rien de neuf?

— Une routine que j'adore, comme tu sais. Pat avait un problème de tendon mais c'est fini. De toute façon, le temps n'est pas à la balade. Quant au cabinet, ma salle d'attente ne désemplit pas. Ça devrait me réjouir, au moins pour l'aspect financier, sauf que j'étais venu chercher le calme à Lamballe!

— Si je t'entends te plaindre de réussir... Bon, et les femmes? J'adorerais te voir retomber amoureux.

— Ne parle pas de malheur, veux-tu? Figure-toi que j'ai eu la visite de Mélanie aujourd'hui.

— Quel culot! Elle n'a vraiment aucune honte, hein? Après t'avoir plumé et roulé dans la farine, elle espère te soutirer encore quelque chose?

— Je ne lui ai pas laissé le loisir de me le dire. Si elle est venue, elle avait forcément une idée en tête et je ne veux pas la connaître.

—Garde-toi de cette femme, Alan. Vous n'avez plus rien en commun, alors ne la laisse pas t'approcher.

—Nous sommes bien d'accord. En fait, je ne laisse *personne* m'approcher de trop près.

—N'exagère pas. Tu tiens à finir seul?

—La fin n'est pas pour tout de suite, et j'apprécie la solitude.

—Mais au moins, tu continues à faire quelques conquêtes?

—Je n'ai pas dit que je n'aimais plus les femmes! Je ne tiens pas à ce qu'elles envahissent mon espace vital, c'est tout.

—Franchement, Linda ne bouffe pas mon oxygène.

—Vous vous aimez vraiment, je suppose que ça change tout.

—Qui est la dernière fée à avoir franchi ton seuil?

Ludovic parlait de fées depuis que ses enfants, charmés par les légendes bretonnes que leur grand-mère leur avait racontées, s'étaient mis à croire aux enchanteurs et à toute la magie du monde celtique.

—Un patron de pêche.

L'ayant dit sérieusement, il vit que son frère hésitait à rire.

—Elle s'appelle Mahé, précisa-t-il, une brune d'une trentaine d'années.

—J'ai une chance de faire sa connaissance?

—À mon avis, aucune.

—Dommage. Quand comptes-tu venir nous voir?

—Pas dans l'immédiat, Ludovic.

—C'est toujours moi qui traverse l'Atlantique! Déplacer maman, Linda et les enfants…

—Et pourquoi pas toi tout seul, juste une fois?

—On m'arrache les yeux si je fais ça. Mais, bon, je te promets d'y penser. Évidemment, si c'était pour faire la connaissance de ma future belle-sœur, j'arriverais ventre à terre.

—Pourquoi dis-tu ça? Tu me vois passer devant le maire pour la troisième fois? Je me sentirais incurable. Le genre de crétin à qui les leçons ne profitent pas.

De nouveau, il leva son verre, savoura deux gorgées, puis il prit un fin cigare qu'il alluma tranquillement tandis que Ludovic poussait des exclamations furieuses.

—Tu fais ça pour me rendre fou ou quoi?

—Pour te donner envie.

—J'ai cessé de fumer pour ne pas devenir un paria. Ici, c'est vraiment prohibé!

—En France, on y vient. D'ailleurs, on nous enlève une petite liberté chaque matin, une vraie peau de chagrin. Il y a aussi des campagnes contre le sucre, les graisses, la viande, l'alcool… Voilà pourquoi j'aime tellement être chez moi au fond des bois, ça reste l'endroit où je peux vivre à ma guise.

—Bon, il faut que je retourne bosser, je vais te passer maman. Prends soin de toi et passe une merveilleuse soirée avec tous tes vices, je te les envie!

Avec un dernier rire, il adressa un clin d'œil à Alan puis disparut de l'écran et fut remplacé par leur mère.

—Seigneur, tu as très mauvaise mine!

—Appelle-moi juste Alan, maman, c'est plus intime.

—Très drôle. Tu blasphèmes, maintenant?

—Tu mets Dieu à toutes les sauces.

—Ici, c'est dans le vocabulaire courant. Non, vraiment, chéri, il me semble que tu as maigri. Je me trompe? C'est l'image, peut-être… Je regrette que tu ne sois pas là pour goûter le kouign-amann que je viens de faire. Fondant dedans, caramélisé dessus! Les enfants adorent ça et je tiens à ce qu'ils se souviennent de leurs origines.

Elle semblait en grande forme, un peu trop maquillée mais le regard pétillant de joie de vivre.

—J'ai entendu ta conversation avec Ludovic et, sincèrement, il est de très mauvais conseil. Il voudrait que tu te repasses la corde au cou? Mais c'est de la folie pure! Tu es très bien comme ça, crois-moi. Les plaisirs du célibat ne se discutent pas, je regrette de les avoir découverts si tard. En revanche, pour Mélanie je suis d'accord, la prochaine fois qu'elle franchira ta porte, accueille-la avec un revolver. Comment va la brave Christine?

—Elle veille sur moi comme une mère.

—Dis-lui que je suis jalouse. Si tu étais venu faire carrière ici, j'aurais pu continuer à tenir mon rôle.

—Je n'y tiens pas.

—À changer de pays? Mais tu te serais régalé, ils sont très en avance pour les implants!

Elle se tenait au courant de tout, l'esprit en éveil, et l'indépendance l'avait rajeunie. Alan tenta de se la rappeler trente ans plus tôt. Effacée, douce, elle avait en permanence un petit sourire qu'on pouvait croire serein mais qui en fait était résigné. Indiscutablement, elle avait été une bonne mère, néanmoins en tant que femme son existence avait dû être un peu terne. Pour se rattraper, elle offrait à ses petits-enfants l'image d'une grand-mère assez... originale.

— On se reparle la semaine prochaine, maman.

— Je suis toujours dans les parages quand tu appelles Ludovic.

Ils échangèrent un long regard plein de tendresse à travers leurs écrans, puis Alan coupa la communication. Cette conversation hebdomadaire lui faisait toujours plaisir, il n'était sans doute pas aussi sauvage qu'il le croyait.

Après avoir ajouté une bûche, il décida de se confectionner l'omelette aux herbes qu'il aurait pu partager avec Mahé. En traversant la pièce, il vit que la petite chatte blanche l'attendait près de son écuelle vide et qu'elle dardait sur lui un regard de reproche.

— Décidément, lui lança-t-il, quoi qu'on fasse il y a toujours quelqu'un pour être mécontent de vous !

*

Après un dîner vite expédié, Mahé était retournée travailler dans son bureau. Elle avait eu du mal à faire entendre à Erwan que non, elle ne sortait pas, elle allait seulement faire de la comptabilité de l'autre côté du mur.

— Et va te coucher dans ton lit, pour une fois, avait-elle marmonné, excédée par sa mauvaise journée.

Elle commença par régler les fiches de paye, laborieuses à établir car elles étaient calculées sur les ventes réelles dans la halle à marée. Le mois de novembre n'avait pas été fameux, malgré les efforts de chacun, et il restait à espérer que décembre serait meilleur, puisque le cours de la coquille Saint-Jacques allait augmenter pour les fêtes. Avec le *Jabadao*, Jean-Marie essaierait de rapporter un maximum de poissons recherchés comme le turbot, la sole ou la lotte. Pour ça, il devrait s'éloigner des côtes en effectuant des rotations de plusieurs jours. Il avait choisi d'embarquer avec ses coéquipiers habituels, dont le petit Christophe. Ce gars-là était vraiment une bonne recrue, il s'améliorait d'année en année. Mahé l'avait vu à l'œuvre trois mois plus tôt, lors d'une sortie où elle avait décidé de remplacer au pied levé l'un de ses pêcheurs malade. Elle était rentrée épuisée mais fière de n'avoir pas démérité. Elle était toujours capable d'éviscérer puis de laver un poisson en un rien de temps. Devant la table de tri, elle s'était retrouvée à côté de Christophe, lancée dans un concours de vitesse avec lui. Toute la journée, elle avait savouré des sensations oubliées. Le bruit métallique infernal du chalut qui descend, les paquets de mer s'abattant sur le pont, les casse-croûte dévorés en trois bouchées, le poids des bottes et du long ciré, le ronronnement lancinant du moteur diesel, les mains gelées malgré les gants, et toutes les odeurs mêlées qui ne lui avaient pourtant pas donné mal au cœur. Elle avait vécu cette journée comme un challenge, et aussi une bouffée d'oxygène dans son quotidien.

Un bourdonnement de son téléphone portable lui fit baisser les yeux : Armelle venait de lui envoyer un texto laconique lui annonçant qu'elle passait la soirée avec Jean-Marie. Merveilleux ! Ainsi, elle était arrivée à ses fins, le beau brun avait cédé ? En les imaginant en tête à tête, Mahé eut envie de rire. Armelle si bavarde, et Jean-Marie si taciturne, elle plutôt délurée et lui franchement réservé, l'une noctambule et l'autre couche-tôt...

— Comme quoi les extrêmes s'attirent...

Elle fit rouler son fauteuil jusqu'à la fenêtre, mais il n'y avait rien à voir. Le ciel était sans étoiles et les réverbères venaient de s'éteindre. Mahé s'autorisa enfin à repenser à la façon dont Alan l'avait reçue. D'accord pour l'emmener chez lui, et donc dans son lit, mais pas assez motivé pour prendre le temps de boire un verre dans un bar. Voilà qui s'appelait aller droit au but ! Et, puisqu'ils avaient *déjà* couché ensemble, inutile d'y mettre les formes. Une attitude vexante, dont elle n'avait pas l'habitude. Jusqu'ici les hommes l'avaient traitée avec respect, et en général c'était elle qui prenait ses distances la première.

— Je n'aurais pas dû choisir un type de cet âge, un vieux cavaleur macho !

Pour une fois que Mahé subissait un échec, Armelle ne manquerait pas de faire de l'humour. Surtout si sa soirée avec Jean-Marie lui donnait satisfaction. D'un coup de pied rageur, elle ramena le fauteuil devant la table. Ressasser ne servait à rien, elle n'avait qu'à tirer un trait sur Alan. Un de perdu, dix de retrouvés. Sauf qu'à Erquy, évidemment...

Elle éteignit l'ordinateur, se leva et s'étira. Son existence manquait de fantaisie mais elle n'y pouvait rien. À l'époque de ses fiançailles avec Yvon, elle avait eu l'impression de vibrer à chaque minute, de ne plus toucher le sol, de sentir son cœur battre follement. Revivrait-elle jamais cette sensation magique?

En sortant dans le jardinet, elle vit que la fenêtre de la chambre de son père était encore allumée. Au moins, il y était monté, mais maintenant il devait guetter le bruit de la porte d'entrée. Par pur esprit de contradiction, elle faillit retourner travailler. Elle ne voulait pas être épiée, attendue! Elle n'était ni une dame de compagnie ni une garde-malade, pour un peu elle serait partie en courant vers le premier bar ouvert. Mais, un soir de fin novembre, en semaine, il y avait peu de chance qu'elle en déniche un.

À force de tergiverser, elle frissonna dans l'air glacé. Décidément, c'était une très mauvaise journée, et le seul moyen d'y mettre un terme était d'aller dormir.

«Demain, il fera jour...», lui chuchotait sa mère en l'embrassant le soir. Elle remontait la couette, lui glissait son ours préféré dans le cou et redisait la phrase comme une promesse. Surmontant une stupide envie de pleurer, Mahé rentra chez elle.

5

Au cours de sa promenade quotidienne, Erwan avait déjà fait tomber sa canne deux fois lorsqu'elle lui échappa de nouveau. Un passant eut l'obligeance de la ramasser et de la lui tendre avec un sourire compatissant. Vexé, Erwan décida d'écourter sa balade. Il marchait d'un pas traînant et mécanique de vieillard, ce qui l'exaspérait. Croisant deux marins qu'il connaissait vaguement, il répondit à peine à leur salut de peur de perdre encore cette foutue canne. Et dire que dix ans auparavant il arpentait ce port à grandes enjambées ! Il se sentait prisonnier d'un corps qui ne répondait plus normalement, comme une machine détraquée. Pourtant, ce matin, il s'était trouvé assez en forme pour aller voir débarquer les arrivages de poisson frais. Il aurait voulu constater par lui-même les mauvais chiffres que Mahé lui donnait depuis deux ou trois semaines, et éventuellement échanger quelques mots avec les autres patrons de pêche, mais le jour semblait mal choisi. Si c'était pour récolter des regards de commisération, autant rentrer chez lui. Sauf qu'il s'y ennuyait à périr, condamné à l'inaction alors qu'il avait travaillé douze heures par jour toute sa vie.

—Hé, Erwan!

On le hélait et il s'arrêta, se retourna de mauvaise grâce. L'homme qui venait vers lui, sourire aux lèvres, avait été l'un de ses collègues et naviguait encore.

—On ne te voit plus depuis un moment! Tu te caches?

—J'ai des problèmes de santé, bougonna Erwan.

—Tu as pourtant bonne mine. C'est ta fille qui te chouchoute, hein?

—Elle est trop occupée pour ça.

—Oui, on la voit se démener tous les jours, elle en veut!

Mahé était connue comme le loup blanc dans le monde des pêcheurs d'Erquy, et sa popularité agaçait Erwan malgré lui.

—Regarde qui arrive au port, on dirait bien son *Jabadao*…

Les yeux sur la mer, l'autre avait mis une main en visière et Erwan l'imita.

—Oui, c'est bien «notre» bateau.

Il avait insisté sur le possessif, refusant d'être totalement exclu de sa propre affaire.

—Un beau navire, apprécia son ancien ami.

—Je n'aime pas trop ses couleurs criardes, laissa tomber Erwan avec une moue.

Le rouge cerise et le bleu canard dont Mahé avait repeint tous leurs bateaux ne lui plaisaient pas, parce que ainsi elle se les était appropriés.

— Jean-Marie est toujours le capitaine ? Mahé a de la chance, ce gars-là est formidable.

— C'est moi qui l'avais embauché quand il était tout jeune, rappela Erwan. Une bonne recrue, mais j'ai dû le former.

— Eh bien, il a grandi ! Allez, je t'emmène boire un café ? Il fait frisquet ce matin…

Erwan ne voulait pas qu'on l'emmène quelque part, il voulait y aller seul et l'expression l'avait hérissé. Tout en se sachant injuste et mal luné, il déclina l'offre.

— Je me rentre, bougonna-t-il. À une autre fois.

Il venait de se priver délibérément du plaisir d'une petite discussion au chaud. Il aurait pu apprendre beaucoup de choses de ce type toujours en activité, des détails que Mahé ne lui donnait qu'avec parcimonie, comme s'il se mêlait de ce qui ne le regardait pas. Mais, bon sang, il était concerné, même s'il lui laissait la bride sur le cou ! Tout en se dirigeant vers sa maison, il regretta l'occasion manquée, toutefois s'il avait refusé c'était surtout par crainte du ridicule. Sa main qui aurait tremblé en tenant la tasse, peut-être du café renversé, les mots qui se bousculaient et le faisaient parfois bafouiller, non, il ne se montrerait pas sous ce jour-là.

De loin, il avisa devant sa porte une femme et un petit garçon qui paraissaient attendre. Interloqué, il reconnut la visiteuse du mois précédent, flanquée de son gamin. Il aurait voulu faire demi-tour mais à quoi bon ? Fuir, toujours fuir ! De toute façon, Mahé n'allait pas tarder à rentrer et elle les recevrait, comme l'autre fois. Au moins, d'ici à son retour, il allait pouvoir poser quelques questions. Il s'arrêta devant la femme, porta deux doigts à sa casquette.

—Vous désirez?

—J'ai sonné mais il n'y a personne. Nous étions venus voir Mahé…

Elle agita un gros bouquet de fleurs qui pendait au bout de son bras.

—Elle ne va plus tarder. Entrez donc.

Il poussa la petite grille et les précéda dans le jardinet en désignant la porte du bureau, sur le côté de la maison.

—Vous connaissez le chemin, je pense?

Toutefois il les accompagna et resta avec eux.

—Vous êtes une amie de ma fille?

—Une connaissance, répondit-elle prudemment.

—Ne touche pas à ça, bonhomme, dit-il en voyant Arthur tourner autour de l'ordinateur.

—Oui, tiens-toi tranquille et va donc dans le jardin.

—Fait froid! protesta le gosse.

Mais il sortit sans refermer la porte, qu'Erwan alla pousser.

—Un bien joli petit garçon que vous avez là. Je ne sais pas pourquoi mais il me fait penser à quelqu'un…

Quand il se retourna, Rozenn l'observait d'un air intrigué. Elle ouvrit la bouche mais n'eut pas le temps de répondre, car ils entendirent Mahé parler au gamin, dehors. Elle entra en le tenant par l'épaule, l'air contrarié.

—Bonjour, laissa-t-elle tomber en toisant Rozenn. Papa, si tu veux bien nous laisser, je n'en ai pas pour longtemps.

Dépité, Erwan dut s'en aller alors que sa curiosité n'était pas satisfaite.

—Je vous avais demandé de ne pas revenir, que faites-vous ici ?

Mahé s'efforçait de parler d'un ton neutre pour ne pas effrayer le petit garçon, mais elle n'avait qu'une envie : les mettre dehors.

—Ne vous braquez pas, je suis venue en amie. Et, d'abord, je vous ai apporté ça. Comme vous voyez, je paye mes dettes ! Enfin, ce n'est qu'un début, mais vous pourrez constater que je suis de bonne foi.

Elle prit son portefeuille, compta cinq billets de vingt euros qu'elle posa sur la table. Mahé regarda les billets, puis Rozenn.

—Vous comptez revenir quinze fois de suite ? ironisa-t-elle. Écoutez, je ne vous demande rien. Si vous pouvez me rembourser, tant mieux, mais faites-le d'un coup, même si c'est l'année prochaine !

—Je voulais seulement vous prouver que je ne suis pas malhonnête.

—Je m'en fiche ! explosa Mahé.

Le petit Arthur l'observait, bouche bée, puis son menton se mit à trembler. Ce gamin n'y était pour rien, inutile qu'il soit témoin d'une incompréhensible querelle d'adultes.

—Et puis, poursuivit Rozenn d'un ton hésitant, je vais avoir la possibilité de gagner plus d'argent. J'ai trouvé une place à Dinard, dans un hôtel-restaurant ouvert toute l'année et qui va assurer les réveillons. Il y aura de gros pourboires à la clef! Les clients sont toujours plus généreux quand ils ont bien bu. Mon seul souci, c'est Arthur. Personne ne veut le garder et je vais être obligée de le laisser tout seul. Alors, je vous le demande encore une fois, est-ce que vous ne pourriez pas le prendre chez vous une dizaine de jours? Je vous l'amène le vingt-quatre décembre et je le récupère le deux janvier. À ce moment-là, j'aurai de quoi lui acheter un cadeau de Noël, et je vous ferai un autre versement.

—Vous êtes cinglée, lâcha Mahé à voix basse.

Elles se tournèrent ensemble vers Arthur qui se trouvait à l'autre bout du bureau, le nez collé à la vitre.

—Il a peur, tout seul la nuit. La porte de ma piaule n'a même pas de serrure, il peut arriver n'importe quoi.

—Cinglée et irresponsable!

—Je n'ai pas le choix. Vous croyez que ça me fait plaisir de m'adresser à vous? Mais à qui d'autre, hein? Tous ceux à qui j'ai demandé m'ont dit non, et le gosse se sent rejeté parce que personne ne veut de lui!

Atterrée, Mahé secoua la tête sans répondre. Soit Rozenn était une manipulatrice – mais dans quel but? –, soit ce n'était qu'une pauvre femme à l'esprit simple. Elle ne semblait pas se rendre compte de ce qu'elle faisait subir à son petit garçon, à le ballotter ainsi, à le proposer partout comme si elle voulait s'en débarrasser.

142

Qu'éprouvait-il dans sa tête d'enfant ? Si Yvon voyait ça, du ciel, il devait être accablé.

—À condition qu'il soit d'accord, je prendrai Arthur quelques jours à Noël. Pour le reste, débrouillez-vous.

Pour la deuxième fois, elle venait de céder aux exigences de Rozenn. Pourquoi ? Par compassion pour l'enfant ? Représentait-il ce qu'elle n'avait pas eu avec Yvon ? Elle s'était toujours dit qu'elle ferait une bonne mère, une mère aimante comme avait été la sienne, partie trop tôt. Elle connaissait le vide d'un parent absent, or non seulement le pauvre Arthur n'avait pas de père mais sa mère n'était qu'une écervelée.

—Je le fais pour que vous puissiez travailler, et que ça lui serve à lui. Arthur ?

L'enfant se détourna de la fenêtre à regret puis vint vers Mahé en traînant les pieds.

—Est-ce que ça t'amuserait de passer Noël ici avec moi et avec mon père ? Il y aura un sapin décoré, une crèche, tu pourras veiller...

—Et des cadeaux ? demanda-t-il d'un ton boudeur.

Mahé s'aperçut qu'elle ne connaissait rien aux enfants de cet âge-là. Elle regarda Rozenn, qui se mit à rire avec insouciance.

—Il ne croit plus au père Noël depuis longtemps ! J'apporterai un petit quelque chose bien emballé, ne vous inquiétez pas.

—Ce n'est pas à moi de m'inquiéter, répliqua Mahé.

Elle se leva pour signifier qu'il n'y avait rien à ajouter. Comment allait-elle annoncer ça à

Erwan ? Pouvait-elle faire passer Rozenn pour une ancienne camarade de lycée venue lui demander un grand service ? Mentir n'était pas dans ses habitudes, elle s'en tirerait mal.

Rozenn ramassa son sac, prit le temps d'y ranger son portefeuille.

— Dis au revoir, Arthur, on s'en va.

Buté, son fils se contenta d'un petit signe de la main. Rozenn estima que ça irait comme ça, si elle le braquait davantage il était capable de faire une crise de colère, ce qu'elle voulait à tout prix éviter. Avoir obtenu l'accord de Mahé était inespéré, autant ne pas gâcher sa chance. Débarrassée d'Arthur, ne serait-ce que quelques nuits, elle allait pouvoir s'occuper sérieusement de Yann. Elle avisa soudain le gros bouquet de fleurs qu'elle avait posé au bout de la table en entrant. Le livreur d'Interflora le lui avait remis parce qu'il n'y avait personne chez les Landrieux et qu'elle attendait devant leur porte. De façon machinale – et aussi parce qu'elle était curieuse –, elle avait pris la carte agrafée sur le papier cristal. Du bout des doigts, elle la chercha dans sa poche, prête à la sortir, mais elle se ravisa. Peut-être Mahé imaginerait-elle que c'était Rozenn qui les avait apportées. Pourquoi pas, après tout ? Ce genre de cadeau la disposerait bien à l'égard d'Arthur, autant laisser planer le doute. Et si l'expéditeur se manifestait, eh bien tant pis, Rozenn pourrait toujours dire qu'il n'y avait jamais eu de carte, que celle-ci avait dû s'égarer dans la camionnette du fleuriste. Ravie de son idée, elle

144

prit son fils par la main et se dépêcha de s'en aller.

*

Mélanie ne décolérait pas. La manière dont Alan s'était comporté l'avait vexée, déçue. Bien sûr, elle n'avait pas supposé qu'il la recevrait avec des démonstrations de joie, mais au moins avec un minimum de courtoisie. Ils étaient divorcés depuis longtemps, et leurs griefs auraient dû être oubliés. Elle le découvrait rancunier, ce qui ne l'arrangeait pas, et tout à fait indifférent, ce qui l'humiliait. Elle s'était pourtant préparée avec soin pour cette rencontre, faisant appel à sa mémoire afin de se souvenir de ce qu'il aimait. Un joli chemisier, un maquillage pas trop appuyé, des bijoux sobres… et une jupe courte car, à l'époque, il adorait ses jambes. Mais il ne l'avait même pas regardée, pressé de la mettre dehors. Quel idiot ! Elle était habituée à ce que les hommes l'admirent, la désirent, et à trente-six ans elle était à l'apogée de sa beauté.

Alan avait été très amoureux d'elle. *Très*. Quand elle l'avait rencontré, il ne se remettait pas de la mort de Louise, toujours hanté par l'accident et par le chauffard. Il avait désespérément besoin d'oublier le drame pour rebâtir son existence. Mélanie l'avait tiré de son marasme en lui redonnant goût à l'amour. Il s'était entiché d'elle parce qu'elle avait su le faire rire et réveiller en lui l'envie de vivre. De morose, il était devenu passionné, prêt à toutes les folies. Mais elle souhaitait seulement qu'il l'épouse et se mette au travail pour de bon. Pas question de végéter dans son hôpital avec un salaire de misère, elle avait d'autres projets pour lui. En quelques années, il s'était mis à gagner beaucoup d'argent grâce à son installation à Saint-Brieuc. Un cabinet judicieusement tourné vers l'orthodontie, où Mélanie avait vu les choses en grand, déterminée à en faire un véritable pôle d'attraction pour la région. Les parents se bousculaient chez Alan, soucieux d'offrir à leurs enfants une dentition parfaite. Il aurait dû se satisfaire de cette brillante situation, surtout que Mélanie, portée par le succès de son mari, souhaitait monter d'autres projets ambitieux. Elle avait le sens des affaires et savait que l'argent va à l'argent. Son idée d'institut de la mer pour femmes riches était maligne, bien ciblée, très rentable, mais nécessitait de gros investissements. Les revenus d'Alan ne pouvaient pas suffire, néanmoins ils offraient à la fois un point de départ et une garantie. En cautionnant l'affaire, le *docteur* Kerguélen la rendait sérieuse. Hélas, cet idiot avait pris peur! Il prétendait être las de poser des bagues sur les dents des enfants, mais en réalité l'importance du projet lui avait flanqué la trouille. Immanquablement, son désaveu avait donné un coup d'arrêt à toute l'histoire, réduisant à néant les ambitions de Mélanie. Elle lui en avait tellement voulu qu'elle s'était détachée de lui. Car elle aussi avait été amoureuse, au moins au début.

Garée à proximité du chantier, elle se contentait de regarder de loin afin de ne pas s'aventurer dans la boue. Cette fois, le complexe allait voir le jour, en principe rien n'arrêterait les travaux. Avec la participation de deux banques, en plus des trois investisseurs privés que Mélanie avait réussi à convaincre, le dossier était sans faille. Malheureusement, Mélanie ne serait pas une associée de poids. Elle avait beau avoir conçu le projet, il lui échapperait au bout du compte, car elle ne disposait pas des fonds nécessaires pour rester majoritaire. Son avenir se limiterait au poste de directrice, et elle ne toucherait que des dividendes ridicules en plus de son salaire, ce qui la démotivait. Pire encore, quand son contrat arriverait à terme, dans trois ans, il pourrait très bien ne pas être renouvelé. Et, d'ici-là, elle devrait soumettre toutes ses décisions à ses partenaires. Des conditions draconiennes, qu'elle avait été obligée d'accepter.

De loin, elle voyait les ouvriers s'affairer. Où était passé le chef de chantier, reconnaissable à la couleur de son casque ? Tous les jours, elle discutait pied à pied avec lui, le rendant responsable du moindre retard. Dès l'ouverture du centre, elle prendrait en main les employés avec la même fermeté. Si elle ne commettait aucune erreur, elle réussirait à se rendre indispensable, irremplaçable. Déjà, lors du recrutement, elle comptait se montrer très intransigeante et trier les candidates sur le volet. Elle avait si souvent fantasmé sur ce projet que ses idées étaient bien arrêtées. Les chargées de l'aquagym, masseuses, esthéticiennes ou hôtesses d'accueil devraient avoir une présentation irréprochable. Et le maître-nageur un physique de jeune premier!

Elle ébaucha un sourire qui disparut lorsqu'elle repensa à Alan. Apparemment, il avait reconstitué une grosse clientèle, et sans doute refait sa pelote. Lorsqu'elle avait appris cette renaissance inattendue, Mélanie s'était dit qu'il était temps de faire la paix. Depuis leur divorce, il n'avait pas donné le moindre signe de vie, mais il était toujours célibataire, il ne semblait y avoir aucune femme dans sa vie, en conséquence le champ était libre pour reprendre des relations… apaisées. Le plan conçu par Mélanie consistait à le traiter en ami, en complice, et à lui proposer une bonne affaire. Elle lui présenterait les choses comme une sorte de dédommagement. Puisqu'il avait tout perdu au moment de leur séparation – par bonheur, elle avait engagé un avocat génial! –, elle lui offrirait le moyen de récupérer son argent. Une proposition privilégiée et sans risque. Pour lui, ce serait un investissement sûr, et pour elle la possibilité d'apporter un nouveau partenaire financier dans l'affaire. Vis-à-vis des commanditaires, elle marquerait un point.

Sauf qu'il ne lui avait pas laissé placer un mot. Et que son attitude n'augurait rien de bon. Si elle lui parlait d'argent, il pousserait des hurlements. Fallait-il entreprendre une tentative de séduction? Il n'avait pas l'air partant non plus, toutefois elle le connaissait bien. Ils avaient partagé de merveilleux moments au lit et il n'avait sûrement pas perdu la mémoire. En ce qui la concernait, ce ne serait pas un effort, même pas une hypocrisie car, en le revoyant, elle l'avait trouvé toujours aussi attirant. Il n'avait pas pris un seul kilo, juste quelques rides au coin de ses yeux gris, toujours aussi clairs. Sa voix grave et posée, même en colère, conservait son charme. La quarantaine lui allait bien, pourquoi était-il seul ? Mélanie était bien placée pour savoir qu'il aimait les femmes, donc il devait multiplier les aventures, mais aucune n'avait su le retenir. Conservait-il des sentiments pour elle ? Quand elle lui avait annoncé qu'elle le quittait, il avait paru anéanti. Certes, ils se disputaient beaucoup à ce moment-là, mais il était toujours très attaché à elle et il avait mal vécu leur divorce. La preuve, il n'avait pas cherché à se battre contre elle, il s'était résigné à tout lui laisser.

Songeuse, elle se demanda comment elle pourrait l'aborder de nouveau. Loin de Christine, qui avait toujours été son ennemie et veillait jalousement sur lui. Lors d'une prise de bec, Mélanie l'avait traitée de vieille fille refoulée, et par la suite elles ne s'étaient plus adressé la parole. Mieux valait donc ne plus se présenter au cabinet. Mais où ? Chez lui ? Malheureusement, elle ignorait son adresse, introuvable car il devait être sur liste rouge. Elle n'allait pas s'amuser à le suivre ! Néanmoins, elle pouvait le guetter, un soir, repérer sa voiture. Aimait-il toujours les coupés rapides ?

Elle frissonna, glacée à force de rester debout en plein vent. Si elle voulait aller constater l'avancée des travaux, elle devait changer de tenue. En principe, le chantier serait achevé dans trois mois, ce qui permettrait une ouverture au printemps. À condition de respecter les délais. Ce qui dépendait d'elle, de sa vigilance, de son autorité.

Résolument, elle enfila ses gants et se dirigea vers le coffre de sa voiture où se trouvaient ses bottes en caoutchouc.

*

Mahé avait vu les fleurs après le départ de Rozenn, et elle les avait rapportées dans la maison. Drôle d'idée, pour quelqu'un sans le sou, d'acheter de si belles roses en plein hiver! Sans doute était-ce pour amadouer Mahé, qui ne les avait même pas remarquées. Se sentant vaguement mal à l'aise, elle les arrangea avec soin dans un grand vase. Bon, elle n'allait pas se culpabiliser pour un bouquet, après tout elle avait cédé en acceptant de recevoir le petit Arthur pour Noël. Une décision stupide, irréfléchie, qu'Armelle allait tourner en dérision. D'ailleurs, Armelle n'aimait pas spécialement les enfants, alors que Mahé était vite attendrie par eux. N'avait-elle pas rêvé d'en faire deux ou trois avec Yvon? Même si elle s'en défendait, en regardant le petit Arthur elle éprouvait des émotions contradictoires. Cet enfant représentait quelque chose qu'elle aurait pu avoir, qu'une autre avait eu à sa place. Il était le symbole d'une histoire ratée, et il le payait cher avec une mère aussi inconséquente.

—Eh bien, dis-moi, elle ne s'est pas moquée de toi, ton amie!

Le choix du mensonge lui était offert par son père sur un plateau. S'inventer une amie obligée de confier son fils quelques jours pour raisons familiales, pourquoi pas? Mais Mahé détestait mentir.

— C'est une histoire compliquée, finit-elle par avouer. Nous aurons le petit Arthur en garde à Noël. J'espère que ça ne t'ennuie pas? Sa mère a des soucis.

— Du genre?

— Problèmes de boulot. Elle travaille pendant les réveillons.

— Ah… Et cet enfant n'a pas d'autre famille?

— Je ne crois pas.

— Tu trouveras le temps de t'en occuper? Le 24 et le 31, la halle à marée ne désemplit pas, il faudra que tu sois sur place.

— Je sais. Au pire, je te le confierai quelques heures.

— Nous y voilà! Garder les enfants, ça devient mon rôle? D'ailleurs, je ne connais pas ce gosse.

Afin qu'il cesse de poser des questions, Mahé sortit une feuille de la poche de son jean.

— Je voulais te montrer ce chiffre, papa. Ce sont nos dépenses de l'année en gas-oil.

Il sortit ses lunettes, lut ce qu'elle lui montrait.

— Tu plaisantes?

— Non. Les carburants ont tellement flambé que certains patrons de pêche sont prêts à jeter l'éponge. Les gars font pourtant attention, ils ont conscience que la facture devient trop lourde, mais ils n'y peuvent rien. Il faut bien aller sur zone, même doucement. Et on ne peut pas répercuter les hausses, on les prend sur la marge qui est déjà inexistante.

— On a du souci à se faire, alors ?

— Oui.

— Tu vas tenir ?

Elle remarqua qu'il venait de se désolidariser, la rendant seule responsable de l'entreprise.

— J'ai un peu de réserve. Pas grand-chose, mais ça ira. En revanche, pour les primes que j'ai l'habitude de donner en fin d'année…

Le voyant inquiet, elle regretta de lui avoir parlé. Cependant il devait comprendre que l'époque avait changé, et plus encore qu'il ne le supposait. De son temps, il avait pu sortir du lot, devenir patron et en vivre correctement. Aujourd'hui, le métier décourageait les jeunes par son peu d'avenir.

— À quand le moteur électrique ? s'insurgea-t-elle. Les constructeurs ne pensent qu'aux voitures, mais pour les bateaux ce serait fantastique ! Moins polluant, moins bruyant, moins cher à utiliser…

Erwan haussa les épaules comme si elle venait de proférer une énormité.

— Il faudra bien que quelque chose change, papa. Sinon, nous allons tous sombrer. Il n'y aura plus que des bateaux-usines et du poisson congelé.

— Ou bien plus de poisson du tout, ricana-t-il.

Elle pensait qu'il avait oublié Rozenn et Arthur, mais il y revint sans transition.

— Ce gosse, Mahé, qui est-ce, au juste ? Tu me crois aveugle, sénile ? Tu penses que je ne fais pas le rapprochement? C'est son portrait craché, bon Dieu!

Stupéfaite, elle le scruta quelques instants. Il ne pouvait pas savoir, elle ne lui avait jamais rien raconté. Alors, qui? Rozenn s'était-elle confiée à quelqu'un qu'il connaissait? Elle n'avait pas l'air d'une femme discrète, peut-être clamait-elle son histoire sur les toits?

— Yvon ne savait pas comment te le dire mais ça lui pesait trop, alors il m'en a parlé.

— À toi? s'écria-t-elle, incrédule.

— Il avait honte, il fallait que ça sorte.

— Mais quand? insista-t-elle.

Mahé connaissait son père, il n'aurait jamais accepté une confidence pareille sans réagir violemment. Il aurait cassé les fiançailles de sa fille, pris Yvon par la peau du cou pour le jeter dehors.

— Juste avant ce foutu… accident.

Le drame, ni Erwan ni Mahé n'y faisait jamais la moindre allusion, s'étant réfugiés dans un silence commun qui leur évitait de pleurer.

— Je ne comprends pas, murmura-t-elle.

— Je m'étais donné un délai pour prendre une décision. Pendant ces trois jours de pêche, je voulais lui parler entre quat'z'yeux, qu'on s'explique entre hommes. Il n'y avait pas de solution mais…

Il vacilla soudain, devint livide et dut s'appuyer au buffet.

— Ah, j'ai mal…, souffla-t-il.

L'espace d'une seconde, elle se demanda s'il ne jouait pas la comédie, puis elle se précipita pour le soutenir.

— Viens t'allonger sur le canapé. Fais doucement, là… Je vais appeler le SAMU.

— Non! Ce n'est rien, ça va passer.

Mais les traits d'Erwan semblaient creusés et Mahé prit peur. Après lui avoir glissé un coussin sous la tête, elle saisit son portable et prévint les secours.

*

— Magnifique! s'exclama la femme d'une cinquantaine d'années, les yeux rivés sur le miroir.

Elle tourna la tête à droite, puis à gauche, en continuant à grimacer un sourire très exagéré.

— J'ai du mal à y croire, mais me voilà rajeunie d'un coup. Oh, docteur, vous êtes fabuleux!

D'un mouvement spontané, elle se pendit au cou d'Alan et l'embrassa sur les deux joues avec une sorte de gloutonnerie pour lui prouver sa reconnaissance. Amusé par tant d'enthousiasme, il lui tapota l'épaule en l'écartant gentiment.

— Je suis content de mon travail. Il y a encore cinq ans, je n'aurais pas pu réussir car vous avez un sinus qui descend très bas et les implants de l'époque vous étaient interdits. Mais ils sont plus courts maintenant, c'est un progrès considérable.

Quatre mois plus tôt, lorsqu'il lui avait proposé un appareil complet, vu le mauvais état des racines sur lesquelles il ne pouvait plus compter pour réaliser un bridge, elle avait refusé catégoriquement. «Plutôt me jeter par la fenêtre!» s'était-elle mise à crier. Ils étaient donc convenus de la pose d'implants, un processus assez long car l'os devait se reformer autour. Mais le résultat était bluffant, sain et durable.

—Je vais parler de vous à tous mes amis, affirma-t-elle en sortant son chéquier. J'ai retrouvé les dents de ma jeunesse, mais de celles-ci je vais prendre grand soin, croyez-moi. Merci à ces petits morceaux de titane, et merci à vous, surtout. Quand je pense qu'on m'avait dit d'aller à l'hôpital, quelle horreur! On est très bien chez vous, docteur, et votre réputation est exacte: vous ne faites jamais mal.

Elle se leva, repassa devant le miroir pour un nouveau sourire, enfila son manteau et glissa une petite enveloppe dans la poche de la blouse de Christine.

—Vous m'avez rassurée quand j'avais peur et vous vous êtes bien occupée de moi.

—Madame, protesta Christine, je ne peux pas accepter quoi que ce soit, je…

—Oh que si! Et ne me raccompagnez pas, je connais le chemin par cœur!

Ils entendirent les talons de ses bottes marteler le couloir, puis la porte d'entrée claqua.

Alan échangea un regard avec Christine avant d'éclater de rire.

—C'est ce qui s'appelle rendre une patiente heureuse, non?

—Elle a un faible pour vous.

—Plutôt pour ses nouvelles dents.

—Vous lui avez changé la vie.

—Eh bien, je me réjouis pour elle! Ce sont les bons côtés de ce métier. Voir quelqu'un qui entre terrorisé et repart épanoui, que demander de mieux?

Christine avait ouvert l'enveloppe dont elle sortit un bon d'achat.

—Pas mal! s'exclama-t-elle. Cent cinquante euros à dépenser dans la parfumerie de la rue Villedeneu. Je trouve ça original et très délicat.

—Plus élégant qu'un pourboire. Vous allez pouvoir faire des folies de rouge à lèvres.

De nouveau, ils rirent ensemble, car Christine ne se maquillait jamais.

—J'ai cessé de me peindre le visage quand j'ai eu quarante ans, je ne vais pas recommencer maintenant. Mais une bonne eau de toilette, je ne dis pas...

—Cette fois, c'est moi qui fermerai, j'ai de la paperasserie en retard et je veux m'en débarrasser ce soir.

Il ne rapportait rien chez lui, estimant que sa maison était son espace privé, intime, et ne devait pas être envahie par ses soucis professionnels. De plus, Christine le soulageait d'une partie de son travail en gérant les dossiers des patients, l'agenda pour les rendez-vous, les commandes de matériel et parfois un peu de comptabilité.

Durant un long moment, il resta à son bureau pour liquider ses courriers à l'assurance maladie, recalculer l'amortissement des équipements lourds comme l'appareil de radio panoramique et le nouveau fauteuil qu'il voulait acheter. Vers neuf heures, il décida qu'il en avait assez. Les obligations administratives de son métier le rebutaient, il attendait toujours la dernière limite pour s'en occuper.

Sur la route du retour, il sentit son cabriolet bouger sous les bourrasques du vent. Un nordet glacial qui pourrissait le climat depuis plus de dix jours et qui semblait se renforcer encore. Au large des côtes, la mer était sûrement démontée et les pêcheurs devaient souffrir. Y songer ramena Alan à Mahé. Elle n'avait pas dû lui pardonner son attitude puisqu'elle n'avait même pas accusé réception du bouquet de fleurs. Vingt et une roses hors de prix qui auraient pu lui valoir l'absolution, mais cette adorable petite femme semblait rancunière. Dommage, il l'aurait revue avec plaisir. Depuis la nuit qu'elle avait passée avec lui à la malouinière, il s'était surpris à penser à elle un peu trop souvent. En général, il oubliait vite ses conquêtes, pour lesquelles il ne conservait qu'une vague sympathie.

En descendant de voiture, il fut surpris par la violence d'une rafale qui le plaqua contre le capot. Un vrai temps de chien! Le vent sifflait dans les arbres et des branches cassées jonchaient les graviers. Malgré le tumulte, Alan entendit une porte qui claquait au loin, du côté de l'écurie. Il s'y précipita et vit que le battant supérieur du box de Patouresse avait été mal attaché. Il le saisit alors qu'il allait se refermer brutalement. Le verrou pendait, à moitié arraché, et Alan se souvint qu'il aurait dû le réparer depuis longtemps. Pour y voir quelque chose, il chercha l'interrupteur le long du mur, mais il l'actionna sans résultat.

—Ah, ça manquait!

Lâchant le battant qui se remit à claquer, il fonça dans la sellerie. À tâtons, il trouva la torche pendue à un crochet et qui par bonheur fonctionnait. Il prit un rouleau de fil de fer avec une pince coupante, ressortit et reçut les premières gouttes de pluie.

—J'arrive, ma belle!

La jument était sans doute terrorisée par le bruit et il devait lui parler pour la rassurer.

—Tout va bien, tout va bien, répéta-t-il en s'escrimant sur le battant.

Il réussit à l'attacher à un anneau scellé qui le maintiendrait en position ouverte.

—Alors, les filles, on a peur de la tempête?

À la lumière de la torche, il vit que la jument et la chèvre se tenaient l'une contre l'autre, réfugiées au fond du box. Il retourna dans la sellerie, prit une brassée de foin.

—C'est le réveillon de Noël avant l'heure, vous allez vous régaler, mes jolies!

Il lança le foin par-dessus la porte qu'il ne tenait pas à ouvrir, de peur qu'elle lui échappe. Malgré le petit auvent qui bordait l'écurie, la pluie, qui tombait en biais, s'abattait sur lui et commençait à tremper son manteau.

—Si ça ne s'arrange pas, je reviendrai vous voir, mais je dois d'abord me changer, hein?

Pat avait baissé la tête et flairait le foin, c'était plutôt bon signe. Si elle se mettait à manger, la chèvre se calmerait et l'imiterait. Alan fonça vers la maison et, une fois à l'intérieur, il s'adossa à la porte en poussant un soupir. Résigné d'avance, il essaya en vain d'allumer. La malouinière se trouvait en bout de ligne, et à chaque orage l'électricité sautait. Sans sa torche, il se serait retrouvé dans le noir complet.

—Pas de machine à café, pas d'eau chaude, pas d'opéra, et tout va fondre dans le congélateur... EDF, je te maudis!

Il monta se changer, enfila un vieux jean et un gros pull irlandais, puis redescendit pour préparer une flambée. Quand le feu prit sous les bûches, il alluma les bougies de deux chandeliers ainsi que la mèche d'une lampe à pétrole qui lui servait dans ces cas-là. Dehors, le vent soufflait toujours, cernant la maison et forçant contre les portes qui grinçaient, tandis que la pluie giflait les vitres en rafales. Assis par terre devant la cheminée, Alan laissa errer son regard sur le décor fantomatique de la pièce. Ce genre de soirée ne lui déplaisait pas, il se sentait seul au bout du monde, à l'abri des murs épais de sa maison. Tout à l'heure, avant de se coucher, il sortirait un édredon de plumes du placard pour l'ajouter à sa couette car, si l'électricité n'était pas rétablie dans la nuit, la température allait vite chuter.

La lueur des bougies laissait les angles de la pièce dans l'obscurité et faisait danser les ombres. Le tumulte du dehors arrivait assourdi, mais restait menaçant. Alan possédait une radio fonctionnant avec des piles et il aurait pu chercher une station de musique classique, pourtant il préférait le bruit de la tempête. Muni de sa lampe à pétrole, il gagna la partie cuisine, trouva des chipolatas dans le congélateur et décida de les faire griller sur le feu. Avec des pommes de terre sous la cendre, ce serait un repas idéal.

Il s'affaira devant la cheminée puis décida de s'offrir un verre de sancerre. Dommage de n'avoir personne avec qui partager ce moment. Il pensa à son frère, à la façon dont ils aimaient se faire peur les soirs d'orage lorsqu'ils étaient enfants.

— Tu aurais été la bienvenue, mademoiselle Landrieux…

Une fois de plus, Mahé venait de lui traverser l'esprit. De quoi l'intriguer.

— Si elle a des bateaux en mer cette nuit, elle ne doit pas dormir !

Pouvait-il l'appeler ? Non, ce serait ridicule. La balle était dans son camp à elle si elle souhaitait lui faire signe. Et si, malgré les fleurs et le mot d'excuse qui les accompagnait, elle restait vexée, tant pis pour elle.

Tandis qu'il tournait les chipolatas sur le gril de la cheminée, un frôlement contre sa jambe l'avertit de la présence de la chatte. L'odeur l'avait fait sortir de l'endroit où elle devait se terrer, affolée.

— Toi aussi, tu as peur ?

Contrairement à sa jument, il pouvait prendre la petite chatte sur ses genoux, et même partager son dîner avec elle.

— Un bout de saucisse, ça te tente ?

Allait-il passer le reste de son existence comme un vieux garçon misanthrope ? Bon, il avait essayé à deux reprises de se construire un foyer, une famille, et le destin en avait décidé autrement. Les deux fois, il avait été sincère et déterminé, mais là, il se retrouvait à la case départ, plus vraiment motivé pour refaire une tentative. Quand il songeait à son frère et à sa belle-sœur, il éprouvait une certaine nostalgie et se demandait pourquoi il avait échoué là où Ludovic avait réussi. Pourquoi la vie l'avait contrarié et bousculé à ce point. Pourquoi, après le tragique accident de Louise, Mélanie s'était mise sur son chemin...

Mélanie! Quelle proposition malhonnête avait-elle cru pouvoir lui faire? Et comment avait-elle pu s'imaginer qu'il l'écouterait? Elle devait en être restée à l'idée d'un homme qui s'était laissé dépouiller sans rien dire, comme une bonne poire. À l'époque, il était fatigué d'elle et de ses manigances, prêt à tout abandonner pour pouvoir tirer plus vite un trait sur ce mariage raté, ce marché de dupes. Son avocat l'avait exhorté à se montrer plus offensif, mais il était pressé d'en finir et ne voulait pas se livrer à un combat de chiffonniers. De plus, il refusait de se poser en victime, elle l'avait berné alors qu'il était intelligent, il ne pouvait s'en prendre qu'à lui-même. Retourner à Rennes et travailler à l'hôpital dans un service de chirurgie maxillo-faciale lui avait été salutaire, il s'était enfin retrouvé. *Je me réveille groggy mais je revis*, avait-il écrit à son frère. Jusqu'à la découverte de Skype, qui leur permettait de se voir et se parler, ils avaient échangé bon nombre de lettres. Alan avait fini par se sentir mieux, puis tout à fait bien dans sa peau, et le goût des choses lui était revenu. Une maison au fond des bois, pas trop loin de la mer, un cabinet où il exercerait sereinement, comme il l'entendait. Des désirs qu'il avait pu réaliser. Et aujourd'hui il se demandait si, malgré tout, il ne manquait pas un élément dans ce programme choisi.

L'électricité revint d'un coup, lui faisant cligner les yeux. Il prêta l'oreille et réalisa que le vent avait faibli. Entre deux ronronnements de la chatte, il perçut celui du réfrigérateur se remettant en marche.

*

Le *Jabadao* était rentré à l'aube. Sur le port, Mahé attendait, emmitouflée dans une épaisse doudoune rouge, un bonnet de laine enfoncé jusqu'aux yeux. Elle avait tenu à voir arriver son bateau, pour lequel elle s'était fait un sang d'encre une bonne partie de la nuit.

Jean-Marie et ses matelots semblaient épuisés, mais avant de jeter les amarres ils annoncèrent que les cales réfrigérées du bateau étaient pleines.

—Deux jours d'enfer, dit laconiquement le marin pêcheur en mettant le pied sur le quai. C'est un bon navire, Mahé, pourtant j'ai bien cru que je ne m'en sortirais pas.

Il expliqua qu'il était resté sur zone le plus longtemps possible, malgré une météo exécrable, et qu'au retour il avait dû affronter un vent d'est d'une rare violence, avec des creux qui les avaient vraiment chahutés.

—J'ai supposé que beaucoup de pêcheurs renonceraient, et quand on est le seul à ramener des prises, ça se vend cher!

Les traits tirés, les yeux cernés et les joues couvertes d'une barbe naissante, il ne tenait plus debout, néanmoins il aida les autres à débarquer les casiers. Depuis que Mahé lui avait signifié qu'il ne serait pas question d'autre chose entre eux que d'amitié, il lui parlait froidement et la tenait à distance, comme si leur ancienne complicité n'existait plus.

—Je refuse que tu prennes autant de risques, Jean-Marie. Au besoin, on se serrera la ceinture.

—Toi, peut-être, mais eux? répliqua-t-il durement en désignant ses hommes. Tu crois qu'ils peuvent se permettre de gagner moins?

Choquée par le ton qu'il venait d'employer, elle se redressa de toute sa taille.

—Garde tes leçons de morale! Je sais exactement ce que chacun touche et ce qui lui manque à la fin du mois.

Ils s'affrontèrent du regard, puis Jean-Marie haussa les épaules et se détourna. Jamais il n'avait contesté son autorité ou ses décisions jusqu'ici, mais s'il devait le faire, comment réagirait-elle? Il possédait un ascendant certain sur les autres marins et pouvait semer le trouble, ce qu'elle ne permettrait pas. Ne l'avait-il respectée depuis des années que parce qu'il avait des vues sur elle? Cette idée la révulsa. Elle savait ce qu'elle faisait, elle était compétente, elle ne se laisserait pas prendre en défaut, ni par Jean-Marie ni par qui que ce soit d'autre. S'il n'était plus son allié, il demeurait son employé.

D'un pas décidé, elle se rendit à la halle à marée pour surveiller les ventes. Il y régnait l'agitation habituelle, augmentée d'une certaine fébrilité due au peu d'offre. La cargaison du *Jabadao* allait se liquider en un rien de temps et les cours étaient excellents. Informatisées, les ventes des lots de poissons s'effectuaient simultanément entre Erquy, Saint-Quay-Portrieux, Loquivy et le Légué. Mahé alla jeter un coup d'œil aux écrans des ordinateurs pour vérifier la demande sur Internet et s'estima satisfaite. Enfin une bonne journée, grâce à Jean-Marie malgré tout !

Au milieu de la matinée, Armelle la rejoignit, un panier au bout du bras et l'air tout émoustillé.

—Ton équipage est rentré, bravo, je viens de croiser le beau capitaine, glissa-t-elle à l'oreille de Mahé.

—Et alors ?

—Il a accepté mon invitation à dîner ce soir, mais il veut d'abord dormir toute la journée pour récupérer. Il m'a fait un effet ! On aurait dit qu'il revenait d'une bataille navale gagnée de haute lutte, façon héros fatigué mais vainqueur.

—C'est à peu près ça. Ils ont eu gros temps et ils ont dû lutter. Tu es venue exprès pour lui ?

—Évidemment. J'ai dit à la banque que j'avais un rendez-vous chez le médecin, pas que j'allais me balader dans la halle !

Le rire d'Armelle était toujours réconfortant et Mahé lui sourit.

— Vous passez la soirée ensemble pour la deuxième fois, c'est bon signe!

— Tu crois? Il est plutôt taciturne et pas… pas très entreprenant.

— Je te fais confiance pour arranger ça.

— Oui, mais je n'ai pas envie de le brusquer. J'aimerais assez entamer une vraie relation avec lui.

— Waouh! Mes vœux t'accompagnent.

— Pour que ça marche, il faudrait d'abord qu'il arrête de penser à toi et de te regarder comme s'il découvrait une perle dans une huître.

— Réjouis-toi, on s'est un peu accrochés ce matin et son regard n'était pas tendre.

De nouveau, Armelle eut un rire en cascade, ce qui acheva de mettre Mahé de bonne humeur.

— Alors, je te laisse, je file faire mes courses pour lui préparer un menu de gala!

Elle s'éloigna, remarquable au milieu de la foule avec son air conquérant, sa crinière blonde qui flottait sur ses épaules et ses bottes à très hauts talons. Pas sûr que Jean-Marie apprécie une femme aussi voyante, mais après tout…

— Bonjour, dit la voix grave d'Alan par-dessus son épaule.

Elle fit volte-face et le heurta.

— Salut, bredouilla-t-elle. Qu'est-ce que tu fais là?

— Je me promène.

— À cette heure-ci?

— Nous sommes samedi, je ne travaille pas.

— Et tu crois pouvoir acheter du poisson ici?

— Erquy est la criée la plus proche.

165

—Si tu veux remplir ton frigo, va sur le port et traite directement avec les pêcheurs. La halle à marée ne vend qu'aux professionnels. Et, à propos, on ne dit plus «criée».

—Oui, c'est vrai. Tout change tout le temps, ça me fatigue.

—Il faut s'adapter quel que soit son âge, railla-t-elle.

Sa plaisanterie tomba à plat car il n'eut pas l'ombre d'un sourire. Son regard clair, presque trop clair, et si lumineux restait posé sur elle.

—J'espérais que tu m'appellerais, finit-il par déclarer.

—Moi? Je m'en voudrais de te déranger!

Elle se détourna, nerveuse et indécise. La manière dont il l'avait reçue à son cabinet méritait un peu de rancune. Il aurait pu au moins s'en excuser, au lieu de lui reprocher son silence et d'attendre qu'elle fasse le premier pas.

—Bon week-end, marmonna-t-elle en s'éloignant.

Agacée de se sentir troublée, elle longea les étals de coquilles Saint-Jacques à grands pas. Il faisait très froid dans le bâtiment et elle avait hâte de rentrer chez elle, mais elle devait encore relever les comptes de la matinée. Ensuite, elle irait voir son père, qui avait été admis au centre hospitalier de Saint-Brieuc. Son état semblait satisfaisant, toutefois il restait en observation. Par chance, le petit malaise de l'autre jour n'avait pas donné lieu à un problème cardiaque, cependant Mahé regrettait d'avoir parlé de Rozenn et d'Arthur. Tout ce qui ramenait Erwan à la nuit tragique de la disparition d'Yvon le perturbait gravement. D'ailleurs, il avait fait son AVC à force de se culpabiliser, de se torturer avec le souvenir de cette manœuvre qui avait précipité le malheureux par-dessus bord.

Mahé s'arrêta net dans l'allée, frappée par une idée odieuse. La nuit de la tragédie, Erwan savait que son futur gendre n'était pas l'homme idéal, qu'il cachait un vilain secret. De là à le balancer délibérément à l'eau… Non, bien sûr que non, quelle pensée abominable! Toute sa vie, Erwan avait été un marin exemplaire, et pour lui la solidarité n'était pas un vain mot. Il avait assez souvent affronté les pires dangers de la mer pour ne jamais mettre personne en péril, fût-ce son pire ennemi. Et, de toute façon, cette nuit-là, les conditions étaient extrêmes, rien ne devait être discernable sur le pont du chalutier, à part les paquets de mer, un rideau de pluie, des silhouettes floues. Erwan avait fini par sauver son bateau et le reste de ses hommes, mais ce n'était pas suffisant pour lui faire oublier qu'il était responsable du drame et que cette tache le marquerait à jamais.

Un patron de pêche la bouscula, par jeu, et lui fit remarquer en riant qu'elle gênait la circulation dans l'allée.

—Va rêver plus loin, ma belle, ici, il y a du boulot!

—Ce n'est pas forcément grâce à toi, répliqua-t-elle en souriant. Moi, j'ai déchargé une belle cargaison ce matin…

— J'en ai entendu parler. Ton *Jabadao*, hein ? Jean-Marie a de l'estomac, mais fais gaffe qu'il ne devienne pas une tête brûlée.

— Jaloux, va !

Elle lui fit un clin d'œil et s'esquiva. Presque tous les anciens, à un moment ou à un autre, lui glissaient un conseil. Au début, elle avait apprécié leur bienveillance, mais aujourd'hui elle se sentait sur un pied d'égalité avec eux. Certes, elle était encore jeune, mais ce petit armement Landrieux, pris en charge depuis des années maintenant, elle l'avait dans la peau.

En quittant la halle à marée, elle repéra la silhouette d'Alan qui s'éloignait. Il avait les mains dans les poches, donc il n'était pas venu faire ses courses à Erquy. Ou alors, leur petite altercation lui avait ôté l'envie d'acheter quoi que ce soit. Peu importait, elle avait d'autres soucis en tête et d'autres centres d'intérêt.

*

Il était sept heures du matin quand Jean-Marie commença à se rhabiller, en faisant le moins de bruit possible. Armelle, profondément endormie, était étendue en travers du lit, les bras en croix. À la lueur de la lampe de chevet restée allumée, Jean-Marie retrouva sa montre sur le tapis. Il enfila son pull, éteignit et sortit de la chambre. Dans le séjour, il récupéra son caban, mais il hésita devant la table dévastée. Devait-il mettre un peu d'ordre avant de partir ? La veille, Armelle lui avait préparé un dîner d'amoureux, avec des bougies, du champagne, des petits plats sortant tout droit de chez le traiteur. Elle avait mis tant d'ardeur à le séduire qu'il aurait été le dernier des goujats de ne pas céder à ses avances. Il ne le regrettait pas, car elle était très sensuelle et faisait l'amour avec volupté. Mais, malgré tout, il ne ressentait rien pour elle. Pas plus que pour Émilie ou une autre. Son obsession pour Mahé l'avait donc rendu incapable d'éprouver des sentiments? Allait-il rester indifférent toute sa vie? Non, une fois qu'il aurait digéré la fin de non-recevoir infligée par Mahé, qu'il aurait accepté de ne plus fantasmer à son sujet, sans doute retrouverait-il sa capacité à aimer. En tout cas, il l'espérait.

Il rapporta la vaisselle à la cuisine, donna un coup de torchon sur la table basse, vida le cendrier, passa les bougeoirs sous l'eau bouillante pour en retirer la cire. C'était comme effacer les traces de son passage pour ne rien laisser derrière lui. Finalement, il se prépara un café, qu'il but debout avant de rincer la tasse. Lorsqu'il sortit dans l'air froid du matin, le jour était en train de se lever. Il fit quelques pas, le col relevé, humant le vent marin, et sursauta au bruit d'un klaxon, juste à côté de lui. Par la vitre baissée du break, Mahé le héla en riant.

— Jean-Marie! Eh bien, dis-moi, que fais-tu là?

Il esquissa un sourire gêné, eut un geste vague.

— Et toi?

— Oh, je... Je venais apporter des croissants à Armelle.

Aussi embarrassée que lui, elle désigna un paquet de la boulangerie posé sur le siège passager puis se dépêcha d'ajouter, consciente de sa maladresse :

—Bon, je crois que le moment est mal choisi. Prends les croissants, je repasserai dans la journée.

—Non, non, bougonna-t-il. Je partais, je rentre chez moi. Tu peux y aller, mais elle dort.

Il se sentait stupidement pris en faute alors qu'il n'avait rien à se reprocher. S'il ne s'était pas attardé à ranger, il n'aurait pas rencontré Mahé, ni su que les deux femmes allaient forcément parler de lui, se faire des confidences. L'idée d'Armelle racontant par le menu leur soirée et leur nuit le hérissa. Pourtant, c'était inéluctable, elles étaient amies depuis toujours et devaient commenter leurs rencontres respectives avec des détails croustillants et des fous rires. Il ne voulait pas en faire les frais mais n'avait aucun moyen de l'empêcher. Qu'allait penser Mahé de le voir si vite consolé de son échec auprès d'elle ? Après le rôle de l'amoureux transi, il avait endossé sans attendre celui du tombeur de sa meilleure copine !

—Allez, Jean-Marie, remonte avec moi, on lui fera une surprise.

—Je rentre chez moi, répéta-t-il.

Il devait avoir l'air buté, stupide.

—Comment va ton père ? ajouta-t-il plus gentiment.

—Bien. Il reviendra à la maison en début de semaine, c'était une fausse alerte.

Pour rendre visite à Armelle, qu'elle pensait seule, elle ne s'était pas maquillée et il la trouvait fraîche, jolie, toujours aussi irrésistible.

— À plus tard, Mahé, réussit-il à dire d'un ton crispé.

Il s'éloigna à grandes enjambées furieuses, la laissant médusée.

— Oh ! là, là ! ça promet… ronchonna-t-elle en se garant.

Jean-Marie paraissait difficile à gérer ces temps-ci, or il était son meilleur capitaine, sa dernière sortie périlleuse le prouvait, et Mahé ne pouvait pas se passer de lui. Qu'aurait fait Erwan à sa place ? Une mise au point virile, « entre hommes », ainsi qu'il aimait à le répéter. Sauf qu'elle n'avait pas ce pouvoir. Avec elle, Jean-Marie était forcément plus susceptible, peut-être même un peu à vif.

Elle monta chez Armelle, sonna joyeusement trois coups brefs et eut la surprise de voir la porte s'ouvrir aussitôt.

— Tu étais juste derrière ?

— Je vous regardais parler tous les deux par la fenêtre, soupira Armelle.

En peignoir, son mascara de la veille étalé sous les yeux, elle avait l'air triste.

— Je lui ai proposé de remonter, expliqua Mahé. Avec les croissants et sans moi ! Je suis désolée…

— Tu n'y es pour rien, il était déjà parti sur la pointe des pieds. Quand ils ne veulent pas prendre au moins un café avec toi, c'est mauvais signe. En revanche, il a trouvé le temps de faire le ménage. Consternant!

— Il est maniaque, plaida Mahé.

— Et dénué de tout romantisme.

Elle tendit la main, prit un croissant dans le sac.

— On avait pourtant passé une bonne soirée, qui s'était bien terminée, expliqua-t-elle, la bouche pleine. J'ai fait la morte ce matin mais je ne dormais pas. Quand je l'ai entendu remuer la vaisselle, j'ai cru qu'il préparait un plateau de petit déjeuner. Je suis naïve, hein?

— Midinette.

— Mais toi, ton dentiste, il te l'a fait.

— Avec du pain rassis, oui. Et puis je ne veux plus entendre parler de cet ours mal léché.

— Ah bon? Alors, nous revoilà à la case départ, toi et moi! Viens, je vais te faire goûter un merveilleux thé, et continuer à me bourrer de tes croissants.

— Ne te venge pas sur la nourriture ou tu ne rentreras plus dans tes robes.

Hormis à bord de son bateau, Armelle ne portait pas de pantalons, encore moins des jeans, leur préférant des vêtements plus féminins.

— Toi, au contraire, tu as l'air d'avoir maigri. Mange! Tu as des soucis? Ton compte en banque n'est pas florissant, d'accord, mais tu n'es pas en péril, que je sache? De toute façon, tu as une autorisation de découvert, tu...

— Je voudrais cesser d'être tout le temps sur la corde raide, Armelle. Avoir un peu de visibilité, prévoir quelques investissements indispensables.

On est toujours ric-rac, à la merci des événements. Et ce temps pourri n'arrange rien. Nous sommes à l'équilibre grâce à Jean-Marie, qui n'a pas froid aux yeux. Il va là où les autres n'osent pas aller, il est très fort, même si ça lui monte un peu à la tête en ce moment.

— Tu trouves ?

— Oui.

— Tu crois que je devrais le laisser tranquille ?

— Ça n'a aucun rapport.

Mahé savoura quelques gorgées de thé puis, voyant Armelle reprendre un croissant, elle le lui ôta des doigts.

— Trois, c'est trop. Celui-là est pour moi.

Son amie esquissa un sourire complice puis, le menton dans les mains, elle avoua :

— Au lit, en tout cas, il est sympa.

— Une bonne surprise ?

— J'avais un a priori favorable à son sujet, et il a tenu le parcours.

Mahé éclata de rire tandis qu'Armelle poursuivait, songeuse :

— Mais apparemment nous ne sommes pas dans la romance, juste dans un joli petit coup en passant. Pour surmonter cette déception, je me demandais si nous ne devrions pas intervertir nos essais, toi et moi. Tu testes Jean-Marie, qui est *déjà* sous ton charme, tandis que j'essaye notre dentiste dont tu ne veux plus. Il est assez séduisant malgré ses dix ans de trop, et peut-être qu'il tombera amoureux de moi ?

173

— Je pense qu'il ne veut tomber amoureux de personne et qu'il est le roi du «joli petit coup en passant».

— Le problème, c'est que nous avons épuisé tout le lot de célibataires possibles. Or je refuse de poser les yeux sur un homme marié.

— Moi aussi!

— Donc, la question est : qu'allons-nous devenir, chérie?

Elles échangèrent un regard et se remirent à rire avec insouciance. Elles n'avaient qu'une trentaine d'années, leurs vies étaient encore devant elles, même si elles se sentaient parfois dans l'urgence.

— Je ne vais pas consacrer toute mon existence à la banque, ni toi à la pêche. On doit se trouver des maris et faire des bébés.

— On ne *doit* rien du tout, Armelle. On aura ce que le destin nous prépare.

— Mais tu es d'accord pour lui donner un coup de pouce?

— Un coup de pouce, oui, pas un coup de pied. Allez, ne deviens pas cynique... Les sorties en mer te manquent, au printemps tout ira mieux.

— C'est loin!

— À propos, que fais-tu pour Noël? Tu viens à la maison?

— Bien sûr. Qui comptes-tu inviter d'autre?

— Pas Jean-Marie, désolée, il passe toujours le réveillon avec ses parents.

— Dommage.

— Je vois que tu n'as pas dit ton dernier mot avec lui!

174

Mahé sourit à Armelle avant de lâcher, sur un ton qu'elle espérait désinvolte :

— Ah, il y aura aussi le petit garçon, Arthur. J'ai cédé à sa mère, qui ne savait pas quoi faire de lui ces jours-là.

— Mahé, tu deviens folle ?

— C'est Rozenn qui est folle. Et le petit me fait de la peine.

Redevenue sérieuse, Armelle la scruta un instant puis secoua la tête.

— En faisant ça, tu mets le doigt dans un sacré engrenage. Les demandes de cette femme n'auront pas de fin. Et, entre-temps, qui sait si tu ne te seras pas attachée à ce gosse !

Sans répondre, Mahé se leva, alla se poster devant la fenêtre. Au bout d'un moment, elle murmura :

— Le vent est tombé.

Elle ne voulait pas discuter d'Arthur avec Armelle, ni avec personne, d'ailleurs. Elle ne comprenait toujours pas ce qui l'avait poussée à accepter, mais elle commençait à penser aux décorations, au sapin, à un menu pouvant plaire à un petit garçon, peut-être même à un cadeau.

— On ne regrette jamais une bonne action, non ?

Derrière elle, Armelle soupira bruyamment.

6

Pendant trois jours, Christophe avait dû remplacer un marin sur l'un des coquilliers, et il ne rejoignit le *Jabadao* que le jeudi, tout heureux de retrouver Jean-Marie et les grands fonds. Les longues sorties lui plaisaient bien davantage que ces trois quarts d'heure quotidiens à ramasser les saint-jacques dans la baie. Pour lui, la pêche était au loin, il aimait voir remonter le chalut, s'emparer des poissons déversés en vrac sur la table de tri, les placer dans la glace une fois vidés. Et, surtout, il aimait la mer, il aimait naviguer. Cette passion l'avait saisi tout jeune et, au lycée maritime de Cherbourg, il avait enchaîné un CAP de matelot puis un BEP de pêche. Il rêvait de passer un jour son brevet de capitaine 200, mais il manquait encore d'expérience et allait devoir patienter avant d'attaquer sa formation. Les balisages et signaux lui posaient des problèmes, les cartes marines aussi, en revanche il devenait un as des manœuvres et Jean-Marie lui confiait régulièrement la barre.

Ce matin-là, alors qu'ils avaient doublé le cap d'Erquy et s'éloignaient de la côte de Penthièvre, ils eurent le plaisir d'avoir un ciel dégagé.

— Pas trop tôt! lança Jean-Marie, les yeux rivés sur la ligne d'horizon.

Le moteur du *Jabadao* ronronnait et, malgré le froid, les quatre hommes à bord se sentaient joyeux à la perspective d'une mer plus calme que ces dernières semaines, qui permettrait sans doute de meilleures prises. Jean-Marie entra dans la cabine des commandes pour établir équitablement la liste des quarts. Ensuite, il prit la météo par radio, refit sa route sur la carte, puis appela Christophe.

— C'est toi que je mets à la popote, annonça-t-il.

— Oh, non!

— Tu ne t'y colles jamais et il faut bien que quelqu'un s'en charge. D'ailleurs, tu es le plus jeune sur cet équipage.

— Mais je ne sais pas faire la tambouille!

— On ne te demande que des casse-croûte comestibles et des pâtes quand on veut manger chaud. Maintenant, si tu n'es pas content, tu peux rentrer à la nage.

Jean-Marie le congédia d'un geste. Il savait que Christophe ne bouderait pas, ce n'était pas son genre, mais qu'il était déçu de ne pas pouvoir être en permanence sur le pont. Ce garçon irait loin et, si Mahé le gardait dans son armement, elle aurait une excellente recrue. Mais elle devait en avoir conscience, elle jugeait vite et bien les qualités d'un marin pêcheur.

Mahé… Leurs rapports s'étaient refroidis ces derniers jours, leur habituelle complicité avait disparu. Il regrettait amèrement de lui avoir parlé, avouant ses sentiments comme un collégien. Qu'avait-il espéré? Il savait bien qu'il courait après une chimère! Pour conserver ses illusions et continuer à fantasmer, il aurait mieux fait de se taire. À présent, il savait, et il lui en voulait confusément d'avoir détruit son vieux rêve. Il y avait désormais un grand vide dans sa tête, dans son cœur. Une autre femme ne pouvait pas la remplacer, pas tout de suite en tout cas.

Il retourna sur le pont, où il fut saisi par le froid très vif. À la traîne, quelques goélands accompagnaient encore le chalutier, se détachant sur le ciel bleu. Sourire aux lèvres, Jean-Marie les regarda voler un moment. Dans quelques heures, il ne penserait plus à rien d'autre qu'à la pêche, à ses hommes et à son bateau.

*

—Monsieur Landrieux, vous allez bien, répéta le médecin. Les résultats des examens sont bons, rien ne s'oppose à ce que vous rentriez chez vous.

Erwan ferma les yeux pour masquer sa contrariété. Il aurait aimé rester quelques jours de plus, continuer à être dorloté par les infirmières et avoir son plateau-repas servi au lit trois fois par jour. Par-dessus tout, il aurait voulu échapper à ce Noël en compagnie du gosse.

— Je vais prévenir votre fille, elle pourra venir vous chercher demain matin, conclut le médecin d'un ton calme mais sans réplique.

Le gamin, en plus de cette peste aguicheuse d'Armelle! Des cadeaux à ouvrir en faisant semblant d'être content alors qu'il s'en fichait pas mal. Une nouvelle écharpe ne lui procurerait aucun plaisir, il mettait toujours la même. Et pourquoi aurait-il dû porter une robe de chambre de ministre quand sa vieille polaire lui convenait parfaitement? Il ne fumait plus, sinon Mahé lui aurait sans doute acheté une pipe alors qu'il fallait des mois, voire des années pour en culotter une convenablement. Ensuite, il faudrait manger ces marrons fades qui accompagneraient la dinde. Certes, il n'avait jamais avoué qu'il ne les aimait pas, et sa fille se croyait obligée de toujours lui servir le même menu de réveillon. Allait-elle choisir un plus grand sapin à cause du petit? Un de ces arbres déjà mort qui laisserait des épines partout et dont les branches cacheraient l'écran de la télé? Merci bien!

En entendant la porte se refermer, il rouvrit les yeux. Quand son épouse était encore de ce monde, les fins d'année lui semblaient plus gaies. Peut-être à cause de Mahé, qui ouvrait de grands yeux émerveillés en déballant ses jouets. Par la suite, il n'avait pas su recréer ces moments-là.

Il essaya de prendre son pouls mais fut incapable de le trouver. Allait-il vraiment bien ou le renvoyait-on chez lui par mesure d'économie? L'époque était assez cynique pour priver les gens de leurs droits les plus élémentaires au nom de la crise. D'une pseudo-répartition des biens qui finissaient toujours dans les mêmes poches. Au prix de sacrifices constants, les pêcheurs travaillaient pour des salaires de misère en risquant leur vie. Le métier était dur, la retraite indécente, et tous les quatre matins on leur changeait les règles du jeu en modifiant les lois. Comment cette profession sinistrée pouvait-elle encore faire rêver des jeunes ? Par amour pour la mer ?

Erwan s'était battu tout au long de son existence. Jamais de vacances, jamais de luxe. De vieilles voitures d'occasion et, plus tard, quand il était enfin devenu un petit patron, des bateaux d'occasion aussi, quasiment d'antiques rafiots qu'il avait fait durer. Des temps de chien, des retours au port les cales à moitié vides, des drames... Et Yvon.

Il s'agita dans son lit, retomba sur son oreiller. Mahé lui reprochait souvent d'avoir des idées noires, mais comment leur échapper ? Il était vieux et il était *malade*, quoi qu'en disent ces foutus toubibs. Mahé, elle, était jeune, jolie, entreprenante. Ne lui avait-il pas tout servi sur un plateau ? D'accord, elle était capable, elle aimait ça, mais il avait fait le plus dur et elle en récoltait les fruits. Qu'arriverait-il le jour où elle se marierait ? Quelle serait la place d'Erwan dans cette nouvelle donne ? En aurait-il seulement une ? Il n'avait pas envie de subir un gendre inconnu chez lui et ne voulait pas non plus rester seul. Yvon aurait été la solution idéale, dix ans plus tôt. Sauf qu'Yvon était un salopard. Un faible, un lâche, le contraire du gentil garçon courageux dont il se donnait l'apparence. Néanmoins, sa mort était cruelle, et le châtiment trop lourd. Erwan savait qu'il l'avait vu, cette nuit-là, occupé à rattacher quelque chose et luttant contre la gîte du bateau. Malgré le rideau de flotte qui s'abattait sur le pont et malgré l'obscurité à peine trouée par les projecteurs, il l'avait *vu*.

— Infirmière! cria-t-il.

Cette fois, il sentait une vraie douleur sous son bras droit.

— Infirmière…, gémit-il en appuyant désespérément sur le bouton d'alarme qui déclencha une sirène.

*

— La formation consiste en des techniques de réanimation, que je connais de toute façon puisque j'ai fait médecine avant ma spécialité de stomato, rappela Alan. J'ai donc eu l'autorisation sans problème.

Il aida Christine à transporter les bouteilles de gaz que venait de leur livrer la société Air Liquide.

— Pour l'instant, nous ne sommes que quelques centaines à l'utiliser, mais ça va se généraliser dans tous les cabinets dentaires, ce sera une traînée de poudre, vous verrez!

Elle semblait sceptique, ce qui le fit sourire.

— Je vais vous apprendre à tenir le masque, ne vous inquiétez pas.

— Quand ça? Votre agenda est plein comme un œuf!

—En cours du soir. On restera une demi-heure de plus.

—Autant coucher là, persifla-t-elle.

—Vous détestez les nouveautés, je sais. Moi, j'adore!

—Penser qu'on va faire respirer du gaz hilarant, ça me navre.

—Pourquoi?

—On s'en servait dans les foires, quand les gens payaient pour s'offrir une tranche de rire!

—Il y a au moins un siècle de ça. Après, on l'a utilisé dans tous les blocs opératoires. Écoutez, le terme exact est *sédation consciente*. Et le gaz en question s'appelle Méopa. Il ne contient d'ailleurs que cinquante pour cent de protoxyde d'azote. Les patients ne vont pas se tordre de rire ou se mettre à faire les clowns. Ça enlève la peur, ainsi que la douleur de la piqûre d'anesthésie. Ceux qui voudront en profiter ne seront plus cramponnés aux bras du fauteuil.

—Ceux qui voudront ou ceux qui pourront? Ce truc-là n'est pas remboursé.

—C'est le prix de la tranquillité.

Voyant qu'il n'avait pas convaincu Christine, Alan ajouta:

—De toute façon, je vais le tester gratuitement... sur vous.

—Vous plaisantez?

—Bien sûr que non. Il faut qu'on essaye. Vous n'êtes ni cardiaque ni asthmatique, vous n'avez pas de sinusite en ce moment, vous serez un parfait cobaye.

Christine leva les yeux au ciel et acheva de ranger les cartons de masques. Travailler avec Alan était vraiment un plaisir pour elle. Elle aurait pu se passer de son salaire, étant assez à l'aise, mais pas de la fantaisie qu'elle trouvait au cabinet. Certes, Alan était un praticien sérieux, cependant il mettait un humour certain dans leurs rapports. De la courtoisie, aussi, et une complicité affectueuse qui la comblait. Comme il avait l'âge d'être son fils, il n'existait pas la moindre ambiguïté entre eux, et elle se demandait ce qu'il faisait tout seul, pourquoi il n'avait pas encore remplacé cette garce de Mélanie. Remplacé autrement que par une chatte, une jument et une chèvre! Elle savait qu'il avait perdu sa première femme dans des conditions atroces, mais il n'y faisait jamais allusion. D'ailleurs, il ne parlait pas de sa vie privée.

—Vous avez déjà deux patients dans la salle d'attente, signala-t-elle.

—Pourquoi deux?

—Parce que nous avons pris du retard avec cette fichue livraison. Mettez votre blouse, je vais chercher le premier.

—Qui est-ce?

—M. Martin. Extraction de dent de sagesse.

—J'ai programmé ça en début de matinée? Eh bien, on commence fort! Si mes souvenirs sont bons, il est très douillet et sa dent est très mal placée.

Il affichait un petit sourire, toujours ravi d'affronter les difficultés.

184

— Quand nous serons au point, il sera le client idéal pour notre gaz. En attendant, il va devoir se contenter de l'anesthésie habituelle.

Penché sur le clavier de l'ordinateur, Alan sélectionna le dossier du patient et afficha sa dernière radio sur l'écran. Il ne souriait plus, concentré sur la manière dont il allait s'y prendre.

*

Mahé récupéra le courrier des mains du facteur. Elle passa rapidement en revue les enveloppes et décida qu'il n'y avait rien d'urgent. Ses marins devaient déjà l'attendre dans son bureau pour la réunion hebdomadaire qui déterminait le planning, mais elle avait fait un saut à Saint-Brieuc, à l'hôpital. Son père avait eu une autre alerte, pas plus sérieuse que la précédente, néanmoins les médecins préféraient le garder vingt-quatre heures de plus en observation alors qu'il aurait dû sortir aujourd'hui.

— Salut, Mahé! Elles ont bien tenu, les roses?

Au volant de sa camionnette, la fleuriste avait ralenti et venait de s'arrêter à côté d'elle en baissant sa vitre.

— Tu en as de la chance! Un admirateur qui te fait porter un si beau bouquet…

Intriguée, Mahé s'approcha, serra la main de la jeune femme et demanda:

— Un admirateur, dis-tu?

— Ben oui! Le petit mot était charmant, je le sais parce qu'il me l'a dicté par téléphone.

— Quel mot? Il n'y avait pas de carte.

— Impossible, je l'ai épinglée moi-même.

— Elle n'y était pas. Ou alors, je ne l'ai pas vue. Je...

Mahé songea au bouquet qu'elle avait supposé offert par Rozenn.

— Bon, c'est un peu compliqué, il y a eu une méprise.

— Mais tu as bien reçu les fleurs ? Je les ai confiées à ton amie parce qu'il n'y avait personne chez toi et qu'elle t'attendait devant la grille. J'ai eu tort ?

— Non, ne t'inquiète pas.

— Elles étaient magnifiques. Des roses d'hiver comme on en voit peu. Le monsieur n'avait pas lésiné.

— Tu te souviens de son nom ?

— Évidemment ! C'est le docteur Kerguélen, mon dentiste !

— Pour le petit mot, tu te rappelles ?

— Pas par cœur. Il disait qu'il t'avait mal reçue ou un truc de ce genre, mais c'était joliment tourné. Tu te fais soigner chez lui ?

— Oui.

— Eh bien, je suis désolée. À l'avenir, je remettrai les bouquets en main propre ! En tout cas, interroge ta copine. Peut-être qu'elle t'a fait un coup de jalousie ?

Mahé se força à sourire et s'écarta de la portière.

— Pour répondre à ta première question, elles ont tenu huit jours. Elles étaient sublimes. Bonne journée !

186

Suivant du regard la camionnette qui s'éloignait, elle se sentit stupide. Comment avait-elle pu imaginer que Rozenn, sans le sou, s'était ruinée pour des fleurs? Toutefois la carte manquait, Mahé en était certaine, elle l'aurait vue sur le papier cristal, et elle avait déballé les roses avec soin. Avait-elle pu tomber, s'égarer? Rozenn s'en était-elle emparée sans scrupules? De son côté, Alan avait dû s'étonner de ne pas recevoir un appel de remerciement, ou au moins un texto. Sans doute la croyait-il rancunière, mal élevée, ou totalement indifférente.

L'était-elle? Lorsqu'elle s'était arrêtée chez lui, en rentrant de Rennes, elle avait eu envie de le voir, de prendre un verre, de bavarder. Sa froideur l'avait vexée, déstabilisée. Leur relation, qui se limitait à une – excellente – nuit passée ensemble, aurait pu se poursuivre, voire se développer. Puisque l'attirance éprouvée par Mahé ne s'était pas éteinte après la première soirée, elle avait cru commencer quelque chose. Elle l'avait même espéré. Mais l'attitude décevante d'Alan avait tout effacé d'un coup et, depuis, elle essayait de ne plus y penser. Ce malentendu à propos des fleurs remettait-il les choses en question? Elle se souvint de n'avoir pas été très aimable elle non plus lorsqu'elle l'avait rencontré sous la halle à marée. Devait-elle tenter un rapprochement, accorder une nouvelle chance à ce début d'histoire un peu chaotique?

—Tu vas rester plantée sur le trottoir? lui lança Jean-Marie depuis le jardin. On t'attend!

Elle le suivit jusqu'au bureau, toujours contrariée, mais salua chaleureusement ses marins.

— On a récupéré du beau temps, dit-elle, une météo stable. On va faire le forcing jusqu'au 31 décembre. Ensuite, on prendra un peu de repos. En attendant de calculer les primes au mois de janvier, je vous propose une petite avance pour vos cadeaux de Noël.

Quelques sourires saluèrent sa déclaration. Elle faisait la même chose chaque fin d'année, mais celle-ci avait été particulièrement difficile, avec la hausse folle du gasoil, et Mahé aurait pu s'abriter derrière cette dure réalité économique.

— Quand est-ce qu'on indexera enfin le prix du poisson sur celui des carburants ? soupira Jean-Marie.

— À ce compte-là, la sardine deviendra une denrée de luxe ! répliqua Mahé. Déjà, le cours des coquilles s'est envolé, ne nous plaignons pas trop. Et profitons au mieux de l'accalmie météo.

— Y a du temps clair, d'accord, bougonna l'un des hommes, mais aussi un froid de loup. Bon Dieu, on gèle en mer, et quand on pense que l'hiver va tout juste commencer…

— Bien, éluda-t-elle, des avaries à signaler ?

— Le chalut du *Korrigan* est en bout de course.

— Ah, non ! Pas maintenant. Réparez-le encore.

— Il n'en peut plus.

— On finira l'année avec. Autre chose ?

— Christophe doit utiliser ses jours de repos pour prendre des cours de cuisine, plaisanta Jean-Marie. Sinon, il nous empoisonnera tous !

Il détendait toujours l'atmosphère avec une ou deux blagues pendant les réunions, et Mahé lui sut gré de conserver ce rôle. Elle distribua des copies du planning qu'elle avait préparé, avec la composition des équipages sur les bateaux, les jours de pêche pour chacun, les horaires et quotas à respecter.

— Si vous voulez faire des changements, soyez gentils de me prévenir. Est-ce que la radio du *Tam bara* fonctionne enfin correctement ?

— Je m'en suis occupé, répondit Bertrand, son plus vieux marin.

Elle le gratifia d'un grand sourire. Ce pêcheur d'expérience travaillait pour l'armement Landrieux depuis plus de vingt ans. Il avait été le premier à approuver la succession d'Erwan par Mahé, lui accordant sa confiance sans se soucier de son âge, de sa relative inexpérience et du fait qu'elle soit une fille. Cette attitude sereine avait rassuré tous les autres marins et facilité la tâche de Mahé.

— Tu es un sacré bricoleur, lui dit-elle, sans toi le *Tam bara* serait une épave.

— Non, penses-tu ! Ce rafiot en a encore dans le ventre, il n'a pas fait son temps.

Les hommes étaient en train de se lever, pliant les plannings pour les glisser dans leurs poches. Chacun remit sa grosse veste et sa casquette avant de sortir, mais Jean-Marie s'attarda.

— Tu vas vraiment y arriver, pour les primes ? demanda-t-il dès qu'ils furent seuls.

— Il le faut bien. Les hommes ne se contenteraient plus d'un salaire de crève-la-faim, tu le sais.

Et on a de plus en plus de mal à recruter! Ce métier est trop dur, il a mauvaise réputation et rebute les jeunes. Un jour, on devra faire un pont d'or aux derniers volontaires pour la pêche artisanale.

— Moi, j'aime mon travail, j'aime naviguer, et je ne souhaite pas m'enrichir.

— Tu es un oiseau rare.

Il semblait plus détendu que lorsqu'elle l'avait croisé le dimanche précédent, devant chez Armelle. Sans doute y pensait-il aussi car il lâcha, à contrecœur :

— Je voulais te dire, pour ton amie…

— Tu n'as pas à te justifier! Vous êtes majeurs, vous faites ce que vous voulez.

— Mais vous êtes proches, vous avez dû en parler, n'est-ce pas?

— Et alors? Tu veux savoir quelque chose?

— Non. J'ai seulement peur que tu me trouves un peu… Tu m'as croisé avec Émilie, et puis je t'avoue que c'est toi qui me plais, ensuite je passe la nuit chez Armelle, tu dois me prendre pour une girouette!

— Comme tous les hommes.

— Tu le penses vraiment?

— Je n'ai pas eu de bonnes expériences.

— Personne n'a pu te faire oublier Yvon, hein?

Mahé se crispa et retint la réponse cinglante qu'elle était sur le point de lancer. Jean-Marie n'avait pas à savoir la vérité, concernant Yvon. S'il la croyait inconsolable, peut-être cesserait-il de l'embarrasser avec ses déclarations? Elle avait trop de soucis en tête pour s'occuper de ses états d'âme.

— Si ça marche entre Armelle et toi, je serai très contente pour vous deux. Ne te fie pas à son allure extravertie, c'est une femme formidable. Elle déborde d'amour et elle attend qu'on l'aime en retour, non pas pour ce qu'elle affiche comme une joyeuse provocation, mais pour ce qu'elle est vraiment. Tu devrais prendre le temps de mieux la connaître, elle en vaut la peine.

— Toi aussi, tu en vaux la peine, répondit-il tristement.

Il sortit sans se retourner, les épaules voûtées et la tête basse. Après avoir été désagréable, allait-il adopter une attitude de chien battu ? Où donc était passé le Jean-Marie qu'elle avait cru bien connaître et qui était son ami ? Elle n'éprouvait aucun sentiment amoureux envers lui, ne l'avait-il pas compris ? Découragée, elle s'assit à sa table, ferma le fichier de l'ordinateur. Les deux semaines à venir seraient cruciales pour les comptes de l'armement. Il *fallait* que la pêche soit bonne et que le temps reste stable. Mais, là-dessus, Mahé n'avait aucune prise, elle ne pouvait qu'espérer, comme tous les pêcheurs d'Erquy. Elle prit un stylo et dressa la liste de ce qu'elle avait à faire et à acheter d'ici Noël. Avant tout, un sapin, et un cadeau pour Arthur. Le pauvre petit n'avait sans doute pas beaucoup de jouets, mais de quoi rêvait-il à son âge ? Mahé n'avait pas envie de poser la question à Rozenn, car elle ne voulait pas discuter avec elle, lui laisser croire qu'elles allaient devenir des copines. Était-il possible que cette femme soit assez perverse pour avoir subti-lisé la carte sur le bouquet de fleurs ? La réponse, évidente, s'imposa. «Oui, parce qu'elle ne m'aime pas. Comment le pourrait-elle? J'étais sa rivale, je représente à la fois tout ce qu'elle déteste et tout ce qu'elle n'a pas. Elle me confie son fils parce qu'elle croit que je ne peux pas refuser et qu'elle va me manipuler à sa guise. Je devrais l'envoyer au diable au lieu de jouer les âmes nobles. Sauf que le petit garçon m'émeut, je n'y peux rien. Malgré sa trahison et nos souvenirs salis, Yvon a beaucoup compté pour moi. Un premier amour ne s'oublie pas.»

Elle s'aperçut qu'elle voyait trouble parce qu'elle avait les larmes aux yeux. Yvon, elle n'avait pas eu le temps de le pleurer, obligée de le haïr après les révélations de Rozenn. Le deuil ne s'était pas fait. Le chagrin, muselé trop tôt et enfoui trop vite, était toujours tapi quelque part.

Relevant la tête, elle constata que le ciel s'était couvert. Elle alla vérifier le baromètre, il était en chute libre.

—Ah, non! s'écria-t-elle en donnant un coup de poing contre le mur.

*

Dès qu'il se réveilla, Alan constata que l'obscurité avait quelque chose d'inhabituel. Le silence aussi. Avant même d'allumer, il comprit qu'il neigeait. Il repoussa doucement la chatte, qui avait dormi sur ses jambes, et se précipita vers la fenêtre. La nuit était sans étoiles mais on distinguait du blanc partout. Il eut envie de rire en devinant les gros flocons passant comme au ralenti devant les carreaux. La neige lui procurait toujours une sorte de gaieté enfantine. Elle était si rare aux abords du littoral…

Il fila sous la douche, s'habilla chaudement puis descendit préparer son petit déjeuner en attendant le lever du jour. Son premier rendez-vous étant à neuf heures seulement, il pourrait profiter du paysage avant de partir. Avec sa première tasse de café lui revint le souvenir de ses rêves agités. Il avait mis longtemps à trouver le sommeil, et ensuite il avait mal dormi. Dans les moments de veille, il s'était surpris à penser plusieurs fois à Mahé telle qu'il l'avait vue sous la halle à marée, vêtue d'une doudoune rouge et d'un bonnet de laine d'où dépassait sa frange. Avec ce regard bleu-vert qu'il n'avait pas oublié depuis la nuit passée ensemble. Elle était ravissante, séduisante, intéressante. Et boudeuse, puisqu'elle semblait ne pas pouvoir lui pardonner son refus d'aller boire un verre. À part lui envoyer des fleurs, ce qu'il avait fait en vain, que pouvait-il tenter pour la convaincre d'accepter un autre rendez-vous ? Non, c'était idiot. Jusqu'ici, il avait bien résisté à ce genre d'emballement pour une femme. Depuis Mélanie, son objectif était de ne pas retomber stupidement et aveuglément amoureux. De ne pas laisser détruire ce qu'il bâtissait. De se satisfaire de rencontres éphémères, d'aventures sans lendemain, et de poursuivre seul son chemin.

Certes, il se l'était promis. Mais de temps en temps, par exemple ce matin, il aurait bien aimé partager la joie de cette neige avec quelqu'un.

À seulement quarante ans, pouvait-il se condamner à vivre en ermite sous prétexte qu'il s'était brûlé les ailes ?

Autour de lui, la maison était entourée d'un silence ouaté. Dehors, pas un seul cri d'oiseau, juste ces gros flocons qui se posaient sans bruit sur les branches des arbres, les appuis des fenêtres, le toit de la voiture. La voiture ? Alan essaya de se souvenir où il avait rangé ses chaînes, qui ne servaient jamais. Il n'avait qu'une douzaine de kilomètres à faire pour gagner Lamballe, mais sur des petites routes sinueuses qui ne seraient pas salées. Et son cabriolet n'étant pas adapté aux promenades sur le verglas ou la neige damée, il allait déraper dans les moindres tournants. Il se demanda si son frère avait le même temps à New York où, en général, les hivers étaient très rigoureux. Ludovic lui manquait, sa mère aussi. Une seconde, il envisagea de prendre un billet d'avion et de les rejoindre pour les fêtes, hélas il avait trop de rendez-vous au cabinet, jamais il ne parviendrait à dégager huit ou dix jours. Il aurait dû prévoir son escapade plus tôt et organiser son agenda en fonction, à présent il ne pouvait pas interrompre les travaux en cours et laisser ses patients avec des problèmes en suspens ou des appareils provisoires. Ou alors, juste un voyage éclair ? Non, il décida qu'il irait là-bas en février, de toute façon il avait besoin de vacances. Du temps où il vivait avec Mélanie, elle ne le laissait jamais souffler. Quand il n'en pouvait plus, elle programmait de mauvaise grâce un week-end dans un palace hors de prix où elle

194

était censée trouver quelques idées de décoration pour son grand projet de centre marin. Pourquoi s'était-il laissé faire? Pour éviter les disputes? Elle régentait leur vie à sa guise et il ne protestait pas, atteint de cette lâcheté propre aux hommes devant leurs femmes. Et puis, Mélanie était habile, elle n'hésitait pas à lui faire un vrai numéro de charme quand elle le sentait exaspéré. Ils avaient connu des nuits torrides, il s'en souvenait très bien. Elle savait se faire désirer, céder ou au contraire se refuser, bref elle l'avait manipulé sans le moindre scrupule, et probablement sans aucun sentiment sincère. Plus jamais ça!

Il téléphona à l'agriculteur qui nourrissait sa jument pour savoir s'il pourrait venir jusqu'à la malouinière pour s'occuper d'elle. Il eut droit à un grand rire, et l'autre lui rappela qu'il avait à sa disposition deux tracteurs et un gros 4 × 4.

— Vous auriez mieux fait de vous acheter ça, docteur, votre petite chose décapotable va valser sur la glace! Voulez-vous que je vous prête la voiture de ma fille? Un Free Lander noir très discret, mais qui peut affronter n'importe quel temps.

— Je ne veux pas vous déranger.

— Pensez-vous! On va venir vous l'amener tout de suite. Je préfère ça qu'aller vous dépanner tout à l'heure ou ce soir, quand vous aurez échoué dans une congère du côté de Saint-Aubin.

Alan le remercia, touché d'avoir de si gentils voisins. «Voisins» n'était pas très exact, car leur ferme se trouvait à trois kilomètres. Il but un autre café en les attendant debout près de la fenêtre, pour voir tomber la neige. Quand son téléphone sonna, il décrocha sans regarder, persuadé qu'il s'agissait de Christine. Elle devait s'inquiéter de l'état des routes.

—Bonjour Alan, c'est Mahé. Euh... Je te dérange?

—Non.

Pris de court, il ne savait absolument pas quoi lui dire. Une heure plus tôt, cet appel lui aurait fait très plaisir, mais sa réflexion sur les femmes l'avait refroidi.

—Je ne t'ai pas remercié pour les fleurs, dit-elle très vite.

—De rien. Mieux vaut tard que jamais.

—En fait, ta carte s'était égarée. Sans doute dans la camionnette de la fleuriste, et au début je n'ai pas su à qui je devais ces très belles roses.

Il ne chercha pas à comprendre ce qu'elle racontait, persuadé qu'il s'agissait d'un prétexte pour n'avoir pas appelé plus tôt.

—Toujours trop débordé pour prendre un verre?

Tandis qu'elle posait la question, un Range Rover et un Free Lander arrivèrent devant le perron et se signalèrent à grands coups de klaxon.

—Ça paraît très animé, chez toi! ironisa Mahé.

—Eh bien, les voisins me...

—Une bataille de boules de neige? claironna la jeune femme qui venait d'entrer. Quelle féerie, dehors! Bon, je pose les clefs là.

Elle se tut brusquement en constatant qu'il téléphonait, mais il lui adressa un sourire reconnaissant.

—Tu ne quittes pas une seconde, Mahé?

Le temps de remercier la jeune femme et d'aller saluer son père, lorsqu'il voulut reprendre sa conversation avec Mahé, elle avait raccroché.

—Mais quel caractère de cochon! pesta-t-il.

Au lieu de la rappeler, il coupa son portable.

*

Erwan ne semblait pas particulièrement heureux d'être rentré chez lui. Pourtant, Mahé lui avait mis des draps propres, une revue de mots fléchés sur sa table de nuit, et elle avait bien chauffé sa chambre. La veille, lorsqu'ils étaient revenus de Saint-Brieuc, il ne neigeait pas encore, mais ce matin tout était blanc. Égayée par le tourbillon des flocons, Mahé avait préparé le petit déjeuner de son père puis, avant de partir pour le port, avait appelé Alan. Une mauvaise idée, elle s'en rendait compte à présent. D'abord elle ne l'avait pas trouvé très aimable, ensuite elle avait compris qu'elle le dérangeait. Des coups de klaxon, la voix joyeuse d'une femme et une histoire de clefs lui avaient fait deviner la situation: il se trouvait avec une de ses conquêtes. Grand bien lui fasse! Encore une dont il se débarrasserait dès qu'il en aurait assez, et à qui il enverrait des fleurs pour solde de tout compte afin de ne pas passer pour le dernier des mufles.

197

Quelle façon arrogante de traiter les femmes... Décidément, elle ne voulait plus penser à lui.

Elle enfila sa doudoune, choisit une casquette plus imperméable que son bonnet de laine, remplaça ses mocassins par des bottes fourrées. Dehors, la neige tombait toujours et elle eut envie de se balader avant de gagner le port. Elle commença par aller commander un sapin chez la fleuriste de la rue Foch, puis gagna la rue Clemenceau où elle s'arrêta devant la vitrine du traiteur pour chercher des idées de réveillon. Le foie gras ne plairait sans doute pas à un petit garçon. Quoi, alors ? Elle ne pouvait pas servir des frites un soir de Noël, son père ne comprendrait pas. Elle hésita un moment et repartit vers le port. La neige crissait sous ses bottes, tombant toujours à gros flocons. En arrivant boulevard de la Mer, elle constata que le ciel restait plombé jusqu'à la ligne d'horizon. Aucun de ses bateaux n'était en vue, mais le *Korrigan* ne devrait pas tarder à rentrer. À n'importe quel moment, elle savait où se trouvaient ses navires, à quelques milles près. Erwan l'avait bien formée, et surtout, comme pour tous les marins, c'étaient les années d'expérience qui comptaient. Elle avait adoré la pêche, l'ambiance des chalutiers, la recherche de la meilleure zone, les nuits en mer. Durant des années, sans se soucier de faire des études, elle avait navigué. Aujourd'hui elle restait à terre, son rôle l'y contraignait, et quelque chose lui manquait. Après l'AVC de son père, elle n'avait pas eu un instant d'hésitation, ne s'était posé aucune question : elle avait repris l'affaire, tout simplement. Elle ne savait rien faire d'autre et ne le désirait pas. Le monde de la mer était assez riche, ardu, varié et exaltant pour la combler.

—Mahé!

Elle fit volte-face en entendant la voix d'Armelle, et reçut aussitôt une boule de neige dans le cou.

—Je suis déjà tombée deux fois tellement ça glisse, maintenant je suis prête à me rouler dedans!

Armelle riait, son manteau plein de neige.

—Tu as vu les talons de tes bottes? persifla Mahé. Tu te crois équipée pour ce temps?

—Je ne peux pas aller à la banque en après-skis!

—Alors accroche-toi à mon bras, je t'emmène manger une crêpe.

—Volontiers, parce qu'il faut qu'on parle.

—De l'autorisation de découvert que je t'ai demandée? Écoute, j'en ai vraiment besoin, je veux pouvoir donner ces primes à mes marins. Ils les attendent! Pour garder mes équipages, je dois faire cet effort.

—Tu crois qu'ils te quitteraient si tu les payais moins bien?

—Moins bien? Armelle! Si c'est pour toucher à peine le Smic, ils se mettront en grève, ils resteront à terre ou iront se faire embaucher sur ces foutus bateaux-usines. N'oublie jamais qu'ils risquent leur vie. Il y a des accidents chaque année.

—Je sais. Et arrête de me faire la morale, je t'ai obtenu ton autorisation par le directeur ce matin.

— C'est vrai ?

— Je suis venue te le dire moi-même.

— Génial !

— Mais ça te donne seulement le droit de creuser ton déficit.

— Peu importe, ça va aller, les prises sont plutôt bonnes en ce moment. Sincèrement, tu m'enlèves un gros souci. Tiens, tu auras droit à une deuxième crêpe.

— Hors de question avant les fêtes. D'autant plus que Jean-Marie m'a appelée ce matin. Un petit coup de fil tout gentil avant d'embarquer, pour me proposer un dîner quand il sera de repos. Je n'en suis pas encore revenue ! Et je me demande déjà comment je vais m'habiller.

— Avec lui, choisis quelque chose de simple.

À petits pas prudents elles gagnèrent *Le Vieux Port*, leur crêperie favorite, et une fois installées au chaud commandèrent des galettes et du cidre.

— Je crois que je suis en train de tomber amoureuse, déclara Armelle.

Son ton grave, très inhabituel, surprit Mahé.

— Je suis distraite au boulot, je pense à Jean-Marie vingt fois par jour. Pourtant je m'étais presque résignée à ne plus avoir de ses nouvelles, et son coup de téléphone de ce matin m'a complètement retournée.

La plupart du temps, Armelle n'était pas tendre envers ses amants, au mieux elle en parlait avec une certaine dérision, et voilà qu'elle faisait une exception pour évoquer Jean-Marie, prononçant son prénom avec douceur.

—Qu'est-ce qui te fait rêver chez lui? voulut savoir Mahé.

—Sa virilité, son côté bourru au cœur tendre, son genre risque-tout. Physiquement, c'est le beau ténébreux farouche qui me fait craquer. Je ne comprends pas comment tu as pu l'ignorer.

—Je le connais depuis trop longtemps.

—Et c'est ton employé, ça change tout.

—Tu crois?

—Si tu penses à Yvon, c'était l'employé de ton père, pas le tien. Vis-à-vis de Jean-Marie, tu as dû t'affirmer quand tu as pris les rênes, il n'y avait aucune place pour la séduction.

—Peut-être. Mais toi aussi tu connaissais Jean-Marie depuis longtemps, et tu ne l'avais jamais regardé.

—J'étais occupée ailleurs. Dan, les autres… Et puis, un marin pêcheur, ça ne me disait rien.

—Pourquoi?

—Je l'ignore. Disons que de façon idiote, irrationnelle, la mer est *mon* domaine. Je ne veux pas qu'on m'attaque sur la voile, encore moins qu'on me donne des leçons. Les professionnels de la pêche voient les plaisanciers comme des amateurs, des gêneurs, des oisifs!

Elle balaya sa propre argumentation d'un geste insouciant en précisant:

—Quand on en a parlé, tous les deux, j'ai constaté qu'il n'était pas méprisant. Au contraire, il a manifesté de l'intérêt.

—Quel homme habile! plaisanta Mahé.

—Non, il ne calcule pas, il est bien trop direct pour ça. Tiens, regarde donc dans la rue, là-devant… Il n'avait pas un coupé, lui? Qu'est-ce qu'il vient faire à Erquy?

Mahé leva les yeux et vit Alan descendre d'un gros 4 × 4 noir.

—En tout cas, ce n'est pas sa voiture, répondit-elle. J'espère qu'il ne compte pas déjeuner ici!

Mais il venait dans leur direction, et il poussa la porte de la crêperie.

—La barbe, marmonna Mahé. Je n'ai aucune envie de le voir.

Malheureusement, il les avait remarquées en entrant et alla vers leur table sans hésiter.

—Vous aussi, vous êtes venues regarder tomber la neige sur la mer? C'est un beau spectacle!

Il serra la main d'Armelle et se pencha pour effleurer la joue de Mahé.

—À moins que tu ne guettes le retour de tes bateaux?

—Non, répondit-elle sèchement, je déjeune simplement avec une amie.

Il se redressa et la dévisagea.

—Désolé de vous avoir dérangées. Bon appétit!

Il se dirigea vers la table la plus éloignée de la leur et s'assit en leur tournant le dos.

—Eh bien, souffla Armelle, c'est ce qui s'appelle se faire envoyer sur les roses…

—Ça fait deux fois que je lui propose de boire un verre, et deux fois qu'il me laisse en plan. Je l'ai appelé ce matin mais je suis mal tombée, il n'était pas seul.

Mahé en profita pour lui raconter l'histoire du bouquet de fleurs, ce qui provoqua un éclat de rire d'Armelle.

— Ah, cette Rozenn! Elle t'a ensorcelée ou quoi? Non seulement elle te gâche Noël avec son mouflet, mais en plus elle a pourri ta relation avec Kerguélen. Regarde-le, il a tout pour te plaire.

— Il m'a plu, il me plaît, reconnut Mahé.

— Alors, donne-toi encore une chance.

— C'est un séducteur, je n'ai rien à en espérer.

— Tu as tort. Quand il est entré et qu'il t'a vue, il a eu un sourire désarmant.

Mahé leva les yeux et observa Alan. Toujours de dos, il avait tourné la tête pour observer la mer, et elle voyait son profil. À qui appartenait le gros 4 × 4 noir avec lequel il était arrivé? À sa maîtresse du moment? Elle s'amusa d'éprouver une pointe de jalousie, moins indifférente qu'elle ne l'affichait.

— Va lui parler, souffla Armelle.

— J'aurais l'air de quoi?

— Il n'attend que ça, crois-moi.

Après une hésitation, Mahé se leva et traversa la salle. Se plantant devant la table d'Alan, elle laissa tomber:

— Tu ne nous dérangeais pas, et je n'ai pas été très aimable.

Il l'enveloppa d'un regard indéchiffrable et prit son temps pour répondre.

— Ce soir, demain, après-demain, quand es-tu libre pour dîner?

— Eh bien…

— Si tu veux, je connais une papy-sitter.

203

L'allusion à son père lui donna envie de rire, d'autant plus qu'il l'avait dit très gentiment.

—Non, ça ira. Demain.

—Tu choisis un restaurant ou tu préfères chez moi? De toute façon, si la neige se maintient, je passe te prendre et je te raccompagne.

—Avec le char d'assaut noir?

—Un voisin compatissant me l'a prêté.

—Pas une voisine?

—Quelle importance? En réalité, c'est toute une famille d'agriculteurs.

—Très bien. Alors, dînons chez toi. Je serai prête à sept heures. À demain...

Elle lui adressa un petit signe de tête et rejoignit Armelle.

—Ton air réjoui parle pour toi, chérie! C'est arrangé?

—J'ai fait comme tu avais dit, je lui laisse une autre chance.

—À lui, ou à toi?

—On verra. Après tout, je n'ai rien à perdre, ce sera sans doute un bon moment.

—Et tu ne te demandes pas déjà...

—Ce que je vais mettre?

—Ou plutôt ce qu'il va enlever!

Elles échangèrent un sourire complice, contentes l'une de l'autre. Se sentant d'humeur joyeuse, Mahé commanda deux autres bolées de cidre.

*

Aidé de Christophe, Jean-Marie déchargea les derniers casiers. Il ne neigeait plus mais la température avait chuté et le quai était verglacé. Épuisés, les doigts gelés malgré leurs gros gants, lui et ses hommes rêvaient d'un jour de repos.

—Il faut qu'on répare le chalut, annonça-t-il à Christophe. J'ai repéré deux ou trois endroits abîmés.

—Je m'en occupe!

Infatigable et toujours disponible, le jeune homme gardait sa bonne humeur quelles que soient les corvées.

—Parfait. Tu t'y mets quand tu veux, on n'embarque qu'après-demain à l'aube.

Pour sa part, il monterait à bord bien avant le lever du jour car il ne déléguait à personne la vérification de l'état du bateau et des instruments avant le départ. La prochaine campagne de pêche durerait trois jours, avec le même équipage, et rien ne devait être laissé au hasard.

De loin, il aperçut Mahé qui arrivait, emmitouflée dans sa doudoune et marchant à petits pas prudents pour une fois.

—V'là la patronne! claironna Christophe.

—Ça glisse, hein? lui lança gaiement Jean-Marie. Viens voir par ici, la pêche a été bonne.

Il le lui avait déjà annoncé par radio, néanmoins il était content de pouvoir lui montrer les caisses qui s'empilaient.

—Tu es le roi de la mer, dit-elle en lui adressant un sourire radieux.

Dieu qu'elle était mignonne avec les joues et le bout du nez rouges! Pourtant, il avait éprouvé une pointe de déception en ne la voyant pas flanquée d'Armelle. Celle-ci devait être à la banque, et de toute façon il avait rendez-vous avec elle le lendemain. L'ayant conviée chez lui, il faudrait qu'il prépare un dîner original et qu'il range sa maison. En l'invitant, il avait cru qu'il se bornait à lui rendre la politesse, pourtant il avait pensé à elle plusieurs fois pendant le retour au port. Une gentille fille, plus douce que ses airs conquérants ne le laissaient présager. Elle aimait rire, manger, faire l'amour, avec elle tout devenait joyeux, et Jean-Marie se réjouissait à l'idée de passer une autre soirée en sa compagnie. D'ici là, il aurait le temps de se reposer, car il ne tenait plus debout. Heureusement, les fêtes approchaient et le mois de janvier serait moins intense, comme chaque année. Tout en se dirigeant vers la halle à marée, il songea qu'Armelle serait sans doute sensible à un petit cadeau de Noël. Mais il n'avait aucune idée de ce qu'il pouvait lui offrir. En parler à Mahé était hors de question. Lui avouer qu'il commençait à éprouver de l'intérêt pour Armelle serait comme un sacrilège. Tant pis, il trouverait seul. Et, tant qu'il y était, il offrirait *aussi* quelque chose à Mahé.

*

—Tu sors encore ? s'indigna Erwan en voyant sa fille disposer un seul couvert sur la table.

—Je te l'ai dit à midi, papa. Et ne m'attends pas pour aller dormir, je rentrerai tard ou pas du tout.

—Ah bon ? Tu as un… un fiancé ?

—Pas tant que ça. Juste un amant.

—Mahé !

— Tu te souviens que j'ai trente ans?

— Oui, et alors? Reste une fille sérieuse, ne commence pas à coucher à droite et à gauche.

Mahé soupira, résolue à éviter une discussion. Son père savait très bien qu'elle avait parfois des aventures, ce qui ne le choquait pas vraiment, mais il détestait rester seul et trouvait ainsi le moyen de manifester son mécontentement.

— Tout est au chaud dans le four, tu pourras manger quand tu voudras. Je monte me changer.

— Tu es très bien comme ça, ricana-t-il. D'ailleurs, il gèle, autant garder ton col roulé.

— Je ne compte pas passer la soirée sur la plage! répliqua-t-elle.

Elle monta jusqu'à sa chambre et hésita devant sa penderie. Dans la maison d'Alan, il faisait bon si on restait près de la cheminée, mais ailleurs c'était le palais des courants d'air. Elle choisit un pull en cachemire bleu-gris décolleté en V qu'elle gardait pour une occasion. Elle troqua son jean pour un pantalon de velours noir bien ajusté, et ses grosses bottes pour des boots à talons plus élégantes. Après avoir ajouté un foulard de soie aux couleurs chatoyantes, elle fouilla dans sa boîte à bijoux et décida de porter sa seule paire de boucles d'oreilles, héritée de sa mère. Puis elle s'examina sans indulgence devant la glace, se demandant ce qu'Armelle trouverait à redire à sa tenue. Finalement, elle maquilla ses cils d'un peu de mascara et mit une goutte d'eau de toilette au creux de ses poignets.

Lorsqu'elle redescendit, Erwan était en train de chipoter sur sa quiche.

—Elle est trop cuite, se plaignit-il. Et il y a une voiture gaie comme un corbillard qui t'attend dans la rue.

—Comment sais-tu que c'est pour moi?

—Parce que le monsieur s'est arrêté pile devant la grille du jardin.

Erwan avait dû rester aux aguets près de la fenêtre pendant que Mahé se préparait.

—Bon, j'y vais. Tu as ta série préférée sur la Une.

Elle se pencha pour l'embrasser et remarqua que le col de sa chemise en flanelle était sale. Il ne prenait pas soin de lui depuis son retour de l'hôpital et il faudrait qu'elle ait une conversation avec lui à ce sujet. Mais le materner davantage lui faisait horreur. Elle n'était ni sa femme ni son infirmière, elle voulait rester sa fille, ne pas inverser les rôles, et qu'il ne dépende pas d'elle pour tous les gestes du quotidien.

Dehors, les trottoirs étaient gelés et la rue déserte. Elle s'engouffra dans la voiture d'Alan, qui avait laissé tourner le moteur.

—Tu sors sans manteau? s'étonna-t-il.

C'était si ridicule qu'elle se sentit rougir.

—J'arrive, marmonna-t-elle en rouvrant la portière.

Mais son père était déjà sorti, le manteau à la main. Il se pencha pour saluer Alan, ou plutôt pour l'examiner.

—Bonne soirée! lança-t-il d'un ton à peine aimable.

Alan lui adressa un sourire poli avant de démarrer en douceur.

—Papa veille sur toi, on dirait!

—Oh, s'il te plaît… J'avais la tête ailleurs en partant. Il m'inquiète, il vieillit.

Elle ne savait pas de quelle façon justifier cet oubli qui la faisait ressembler à une collégienne le soir de son premier rendez-vous.

—Boucle ta ceinture ou tu vas déclencher une sirène. Cette voiture est suréquipée et je ne maîtrise pas tous ses gadgets.

Elle s'exécuta en silence, le manteau sur les genoux.

—Il m'arrive aussi d'être distrait, quelle importance?

Comme elle continuait à se taire, il ajouta, très gentiment:

—Ton père semble être un sujet sensible pour toi, je suis désolé d'avoir trop plaisanté avec ça. Quand même, une dernière chose, il a dû me trouver un peu vieux pour sortir sa fille, il t'en parlera sûrement.

—Tu es si vieux que ça? persifla-t-elle.

—Mon permis de conduire est dans le vide-poches si tu veux vérifier ma date de naissance.

Le prenant au mot, elle trouva le document et éclata de rire devant la photo.

—Je sais, j'ai l'air abruti, j'avais dix-huit ans.

—Et les cheveux vraiment très courts!

—Période baroudeur. Première année de médecine, trekking en Thaïlande avec les copains, régates à Cancale contre les Granvillais… Quand j'ai rencontré Louise, ma première femme, j'ai abandonné le look para.

—Tu aimes toujours la voile?

— Non, je n'étais d'ailleurs pas un très bon marin. Et je me suis pris de passion pour les chevaux, ça m'a tenu pendant toutes mes études. Pour moi, rien ne surpasse le plaisir d'une balade sur ma jument. La forêt alentour est magnifique en toute saison.

— Même en ce moment ?

— La terre est gelée, il faudrait que je mette des crampons sous les fers de Pat et j'ai la flemme !

Il conduisait en souplesse, se tournant de temps en temps vers elle pour lui sourire. Mahé se sentait bien dans la chaleur de l'habitacle et elle se laissa aller contre l'appui-tête.

— Je n'ai pas eu le temps de repasser à la maison, s'excusa-t-il, mais ne t'inquiète pas, en principe un bon dîner devrait nous attendre.

En arrivant, ils furent accueillis par la lumière de deux lanternes au-dessus du perron, qui faisaient scintiller la neige et rendaient les abords féeriques.

— Allumage automatique dès que la nuit tombe, expliqua-t-il. C'est réjouissant quand je rentre les soirs d'hiver, mais ça se dérègle tout le temps !

Une fois à l'intérieur, Alan alla droit à la cheminée pour mettre en route une flambée, puis il demanda à Mahé de patienter cinq minutes pendant qu'il jetait un coup d'œil à l'écurie. Comme la première fois, elle se retrouva seule dans l'immense pièce. La femme de ménage avait sans doute reçu des consignes pour ranger un peu car il y avait moins de fouillis sur les étagères. Un couvert pour deux était dressé sur la table, un plateau prêt pour l'apéritif se trouvait posé près de la cheminée. Elle se dirigea vers la chaîne hi-fi, prit un CD au hasard. La musique qui éclata dans les enceintes était classique, plutôt agréable. Alors qu'elle réglait le son, elle sentit la petite chatte blanche se frotter contre sa jambe. Elle se pencha pour la caresser, constatant que le bas de son pantalon en velours était déjà couvert de poils.

— Tu aimes la musique ? s'exclama Alan en revenant.

— Je n'y connais pas grand-chose, mais celle-ci me plaît.

— Mahler. Très bon choix.

Il vint vers elle, la prit dans ses bras.

— Nous n'avons pas beaucoup de points communs, chuchota-t-il à son oreille. Mais on peut en chercher. Faire l'amour devant la cheminée, ça te dirait ?

Il avait glissé ses mains sous son pull, la faisant tressaillir.

— Oh, j'ai les mains froides, je suis désolé…

Du bout des doigts, il effleura sa peau, puis il la serra contre lui pour l'embrasser.

— J'ai très envie de toi, chuchota-t-il. Si tu préfères dîner d'abord…

Elle se souvenait très bien de son corps mince et musclé, qu'elle avait aimé toucher, de la sensualité de ses caresses dans l'amour, du plaisir qu'il lui avait donné. Elle le désirait, elle était bien dans ses bras, pourquoi attendre ? S'écartant de lui, elle défit son foulard.

— Non, protesta-t-il, c'est moi qui te déshabille!
Viens près du feu.

Il l'entraîna vers la cheminée et lui enleva
lentement son pull, son soutien-gorge.

— Tu es magnifique, dit-il en caressant ses
épaules.

Pour baisser le pantalon de velours, il s'agenouilla devant elle sur le tapis. La lueur des
flammes éclairait ses cheveux blond cendré où
se mêlaient déjà quelques fils blancs qui émurent
Mahé. Quand elle fut entièrement nue, il se releva,
la prit par la taille et plaqua une main dans son
dos. De l'autre, il saisit une bûche qu'il jeta au
jugé dans la flambée, provoquant une gerbe
d'étincelles. Puis il se déshabilla à son tour en
quelques gestes rapides et la reprit dans ses bras.

*

Erwan avait fini par manger sa quiche tout
en sirotant un verre de gros-plant. Dix fois, son
regard était venu se poser sur le sapin de Noël
décoré par Mahé. Trop grand, trop encombrant,
trop chamarré à son goût. Ces dernières années,
sa fille s'était contentée d'un petit sapin blanc,
couvert de neige artificielle et sans odeur. Là,
ça sentait la résine, et il y aurait bientôt un tapis
d'épines tout autour. Que de simagrées pour ce
gosse! Le petit d'Yvon, d'Yvon et d'une autre,
qu'ils allaient recevoir chez eux. Le monde à
l'envers. Erwan aurait donné n'importe quoi pour
passer Noël ailleurs. Regarder le petit garçon,
c'était voir son père. Se souvenir de cette nuit
de cauchemar et se reposer la même question

212

lancinante : l'avait-il voulu ? Avait-il crié assez fort, assez tôt ? Ses souvenirs étaient troubles, déformés. Il se rappelait seulement qu'après les confidences d'Yvon, il avait eu envie de le balancer par-dessus bord. Mais, bien sûr, il ne serait pas passé à l'acte. D'abord, il n'était pas seul sur le bateau, et puis il était marin avant tout. Il n'avait jamais fait de tort à personne, encore moins du mal. Il l'avait seulement traité de lâche, de menteur, de salaud, avait prétendu casser le mariage à venir, menacé de ne plus jamais lui adresser la parole. Des mots dictés par la colère, la déception. Toute la matinée, il avait fusillé Yvon du regard, ensuite il l'avait ignoré, jusqu'à ce que la tempête se lève, que la mer se creuse et qu'ils soient pris dans la tourmente. Après, il n'avait pensé qu'à maintenir son bateau à flots. Rien d'autre n'existait plus que ces vagues hautes comme des maisons qui venaient se fracasser sur le pont. Pas assez crié ? Nul ne pouvait l'entendre ! Cramponné à la barre, de l'eau dans les yeux, il avait cru sa dernière heure arrivée. Mais ce n'était pas la sienne. Le chalutier avait tenu ; Yvon avait disparu. À force de volonté, oui, de volonté, Erwan avait scellé le souvenir de cette horrible nuit tout au fond de sa mémoire. Il n'y avait presque plus accès consciemment, seuls ses mauvais rêves se le rappelaient. Et voilà qu'on lui mettait le fils d'Yvon sous le nez, dans sa maison ! Mahé devait être folle pour lui imposer, ainsi qu'à elle-même, une pareille punition.

D'ailleurs, que faisait-elle avec ce dentiste ? Il savait très bien qui était Alan, le docteur Alan Kerguélen, parfois aperçu sur le port. Erwan n'avait plus que ça à faire, regarder les gens, écouter les bavardages. Ce type avait une bonne quarantaine, il avait exercé à Saint-Brieuc bien des années auparavant. Comment pouvait-il se permettre de sortir avec ses patientes ? Certes, Mahé faisait ce qu'elle voulait, mais ce n'était pas en se laissant séduire par un homme à femmes qu'elle allait trouver un mari. Peut-être resterait-elle vieille fille ? Erwan n'était pas sûr de vouloir être grand-père un jour. En fait, il voulait surtout ne pas être seul, comme ce soir, seul devant son yaourt et son verre de gros-plant. À son âge, il aurait dû pouvoir raconter ses anciennes campagnes de pêche à une épouse qui l'aurait écouté en ouvrant de grands yeux. Donner des détails sur tous les gros temps qu'il avait rencontrés dans sa carrière, et les prises miraculeuses certains jours bénis. De tout ça il ne parlait plus, d'ailleurs personne ne faisait plus attention à lui. Mahé vivait dans le présent, les vieux pêcheurs et leurs vieilles méthodes la faisaient rire.

Il se leva, alla machinalement jeter un coup d'œil dans la rue puis ferma la porte à clef. Sa fille ne rentrerait sans doute pas cette nuit, néanmoins il allait l'attendre sur le canapé. Tournant le dos au sapin de Noël, il alluma la télévision.

*

Mahé fut réveillée par l'odeur du café. Debout à côté du lit, un plateau à la main, Alan lui souriait gaiement.

—Petit déjeuner, mademoiselle !

Ravie, elle se redressa, remonta la couette sur elle.

—Je sais, il fait froid, cette maison est impossible à chauffer!

Il portait un pull et un jean et devait sortir de sa douche car il avait les cheveux mouillés.

—J'ai des rendez-vous ce matin, s'excusa-t-il.

—Ne t'inquiète pas, je ne peux pas me permettre de faire la grasse matinée non plus!

—Prends le temps de manger un ou deux toasts, ensuite tu verras, il fait bon dans la salle de bains.

Après avoir servi le café, il lui adressa un nouveau sourire, totalement craquant. Ils avaient peu dormi, faisant l'amour à nouveau au milieu de la nuit. Puis elle s'était blottie contre lui avant de sombrer dans un sommeil sans rêves. Le dîner de la veille, consommé très tard, avait été arrosé de champagne, ce qui semblait la boisson favorite d'Alan quand il recevait une femme. Elle l'observa une seconde tandis qu'il vidait sa tasse et sentit une onde de tendresse la submerger. Il était vraiment un partenaire agréable, gentil, drôle, doué au lit. L'amant idéal, mais sans doute éphémère parce que célibataire endurci et farouchement indépendant, ainsi qu'il le lui avait expliqué. Elle ne devait rien attendre de lui, et surtout éviter de s'attacher.

—Peux-tu être prête dans un quart d'heure? Je te ramène à Erquy et je file au cabinet.

—Est-ce qu'il neige encore?

—Non, mais rien n'a fondu, il fait moins cinq sous abri!

À sa manière d'enlever le plateau, elle comprit qu'il s'impatientait et fila sous la douche. Quand elle sortit de la salle de bains, il n'était plus là. Elle récupéra sa montre et ses boucles d'oreilles sur la table de nuit puis descendit. Dans l'entrée où il patientait, il lui tendit son manteau, l'aida à l'enfiler. Tout en sachant qu'il avait du travail, elle eut la désagréable impression qu'il était pressé de se débarrasser d'elle.

Durant le trajet, il se montra peu loquace, se bornant à des commentaires élogieux sur la tenue de route du 4 × 4. Une fois devant sa grille, il se tourna vers elle et l'interrogea du regard.

— On se voit bientôt ? Je t'appellerai.

Comme façon de se dire au revoir, elle avait connu plus romantique.

— Entendu, marmonna-t-elle en descendant.

Elle claqua la portière et entra chez elle sans se retourner.

— Ah, tout de même ! lui lança son père. Jean-Marie t'attend sur le port, le *Jabadao* a une avarie.

— Quoi ?

— Ne te voyant pas arriver, je m'apprêtais à y aller moi-même.

— Tu plaisantes ? Pourquoi ne m'a-t-il pas appelée ?

— Tu ne répondais pas !

Drapé dans sa dignité, Erwan la toisait d'un regard accusateur. Elle se souvint d'avoir laissé son sac, et donc son portable, au rez-de-chaussée de la maison d'Alan. Si Jean-Marie avait essayé de la joindre avant l'aube, elle était endormie ailleurs que dans son lit, ou sous une douche qui n'était pas la sienne. Son père, déjà vêtu de son caban, noua son écharpe et empoigna sa casquette. Mahé ressentit son attitude comme une véritable ingérence, non seulement dans sa vie privée, mais aussi dans la conduite de l'armement.

—Papa, tu ne peux rien faire pour eux. Je m'en occupe.

—Il serait temps! Je suis désolé de te le dire, ma petite fille, mais tu diriges drôlement nos affaires. À cette saison et avec cette météo, il faut être disponible.

—Je le suis! explosa-t-elle. De toute façon, si Jean-Marie n'a pas pu réparer, je ne ferai pas mieux. Déshabille-toi et reste au chaud, j'y vais.

—Comme ça?

D'un doigt accusateur, il désignait ses fines boots à talons.

—Je me change, j'en ai pour une minute. Tu as fait du café? J'en veux bien une tasse!

Elle s'élança dans l'escalier, une main sur la rampe et une dans son sac pour y prendre son téléphone. Tout en enlevant ses vêtements, qu'elle troqua pour un jean, ses grosses bottes fourrées et sa doudoune, elle essaya en vain de joindre Jean-Marie. En désespoir de cause, elle appela Christophe. Il lui apprit qu'il ne s'agissait pas d'une avarie de moteur mais d'un dysfonctionnement de la radio, et que Jean-Marie était parti chercher un technicien. Évidemment, ça allait prendre un certain temps et le départ serait retardé. Contrariée, elle annonça qu'elle arrivait et coupa la communication. Jean-Marie était un capitaine sérieux, il révisait régulièrement ses instruments de bord, que pouvait-il se passer avec cette foutue radio ?

Lorsqu'elle arriva au port, son cœur se serra en voyant le *Jabadao* à quai. Tous les chalutiers d'Erquy se trouvaient déjà dans la baie ou au large, les derniers jours avant les fêtes étant cruciaux pour les pêcheurs. Négligeant la main que lui tendait Christophe, elle sauta sur le pont. Elle s'en voulait de n'avoir pas répondu aux appels alors qu'elle s'était promis d'être toujours présente et réactive avec tous ses marins. Certes, Jean-Marie pouvait gérer seul les problèmes, mais elle était le patron, pas lui, c'était à elle de prendre les décisions.

Elle le trouva dans la cabine, en compagnie du technicien qui s'affairait. Au premier regard, elle vit qu'il était fatigué. Sa nuit avec Armelle ? Cela dit, elle ne devait pas paraître beaucoup plus en forme que lui, ayant très peu dormi.

— Ça va aller, dit-il d'un ton apaisant. Claude a trouvé la panne.

L'homme en question leva la tête un instant et maugréa quelque chose à propos d'un équipement hors d'âge. Mahé soupira et se sentit soudain découragée. Elle s'installa dans le fauteuil du capitaine, devant la console des instruments. Il y avait *toujours* un truc à réparer ou à changer sur chacune des unités de son petit armement, or elle ne disposait d'aucune marge de manœuvre.

— Pour la marée, ça ira ? s'enquit-elle d'un ton inquiet.

— J'ai fini ! annonça triomphalement Claude.

Jean-Marie lança un regard anxieux à Mahé et décida:

— On largue les amarres immédiatement.

Elle lui fit signe qu'elle croisait les doigts pour eux, puis prit le technicien par le bras pour le faire sortir plus vite de la cabine.

7

—Ce n'est pas ton heure habituelle, fit remarquer Alan à son frère.

Sur l'écran, Ludovic eut un sourire amusé.

—Je ne pouvais plus attendre! Figure-toi que je viens de trouver dans ma boîte une lettre qui te concerne. Une longue lettre manuscrite…

—C'est une devinette?

—Cent dollars si tu trouves.

—Personne n'écrit plus à la main de nos jours, je ne vois pas.

—Ton ex-femme!

—Mélanie?

—Oui. Mais comme je t'ai donné la réponse, tu as perdu tes cent dollars.

—Et pourquoi t'écrit-elle à *toi*?

—On les remet en jeu?

—Allez, ne te fais pas prier, raconte puisque tu en meurs d'envie.

—Il y a quatre pages dont je t'épargne la lecture.

—Quatre? En général, elle va droit au but.

—Là, elle prend son temps pour envelopper sa proposition dans du papier de soie. Je te résume le tout : elle ne comprend pas que tu refuses l'excellent placement qu'elle t'offre. Elle s'accuse de t'avoir piqué pas mal de fric, et elle estime qu'elle te dédommage en te proposant une affaire aussi juteuse. Elle pense que tu te méfies d'elle et que tu as tort, donc elle compte sur moi pour te convaincre de sa bonne foi et de l'excellence de son projet. D'ailleurs, elle joint une plaquette publicitaire du futur centre de bienfaits marins ! Dans la foulée, elle me signale que si je suis intéressé, elle étendra sa générosité jusqu'à moi.

Après un instant de silence stupéfait, Alan éclata de rire.

— Elle passe par toi pour me plumer davantage, c'est fou !

— Non, elle y croit.

— À la rentabilité de son centre ? Sûrement. Mais je ne veux rien avoir en commun avec elle, pas même un timbre-poste !

— Je m'en doute.

— Et toi ? Tu es tenté d'investir ?

Ludovic se mit à rire à son tour.

— Jamais ! Jamais dans une affaire dirigée par ton ex-femme, et jamais en France, de toute façon.

— Tu t'es mis à détester ton pays ?

— Pour le business, oui. Je continue d'apprécier nos verts pâturages et notre bon vin, mais je n'oublie pas que le Français a la réussite en horreur. Si on a de l'ambition, ce n'est pas là qu'on peut s'épanouir. Pour en revenir à Mélanie, je lui réponds ou pas ?

— Laisse tomber. Ou bien envoie-lui un dollar symbolique.

— En chocolat, d'accord. Bon, maman n'est pas dans le champ de la caméra, mais elle est juste à côté et elle veut te parler. Avant ça, dis-moi ce que tu fais ce soir, pour le réveillon.

— Je suis invité chez des amis.

— Alors ne bois pas trop, ou dors chez eux! Tu me manques, petit frère. Tu devrais venir faire un tour ici, tu serais reçu comme un prince.

Ludovic lui adressa un signe de la main plutôt mélancolique, et disparut pour laisser la place à leur mère.

— Joyeux Noël, mon chéri!

— À toi aussi, maman.

— Les enfants vont devenir fous en déballant leurs paquets, je me suis lâchée sur les jouets!

— Et à moi, tu m'en as envoyé un?

— Naturellement. Un camion de pompiers. En tout cas, je voulais te féliciter: si Mélanie a préféré écrire à Ludo plutôt que de continuer à te harceler directement, c'est que tu as dû l'envoyer promener pour le compte!

— Elle est assez têtue pour revenir à la charge, mais ça ne changera rien.

— Très bien. Ne sois pas faible. À propos, où en es-tu avec ton patron de pêche?

Alan fut surpris qu'elle se souvienne de son allusion lors de leur dernière conversation.

— J'en ai parlé à mon frère, pas à toi, fit-il remarquer.

— J'ai tout entendu. Mahé, c'est ça? Joli prénom.

— Et jolie femme.

— Ne t'emballe pas, hein?

— Aucun risque. Elle a un caractère de cochon.

— Pourquoi n'en cherches-tu pas une gentille ?

— Tu as raison. En plus, elle est trop jeune.

— De combien ?

— J'ai dix ans de plus qu'elle.

Sa mère se contenta de sourire et de lui faire un clin d'œil, apparemment sans inquiétude quant à cette décennie d'écart.

— N'y pense plus et passe un bon Noël. Il n'y a pas qu'à Ludovic que tu manques, chéri, moi aussi je me languis de toi.

— Tu n'avais qu'à rester.

— Tu aurais détesté m'avoir sur le dos. Ludovic et Linda sont bien plus sociables que toi.

Il savait que sous cette plaisanterie se cachait beaucoup de tendresse pour lui. Elle mit sa main devant sa bouche pour lui envoyer un baiser, puis l'écran devint noir. La possibilité de se voir en bavardant rendait les absents plus proches, mais une fois l'image éteinte, c'était presque pire. Alan resta un moment immobile devant son ordinateur, pris d'une terrible envie de rejoindre sa famille. La soirée de réveillon qui s'annonçait ne l'enthousiasmait pas. Ses amis trouvaient toujours le moyen de lui présenter «la» célibataire censée le subjuguer, ce qui n'arrivait jamais. Mais peut-être y aurait-il une exception ce soir ? Il n'y croyait pas, d'autant moins qu'il pensait à Mahé plusieurs fois par jour. Sa farouche indépendance était en train de se fissurer devant ce petit bout de femme qu'il avait envie de revoir. Évidemment, trois fois de suite, ça s'appellerait une relation suivie.

Pris d'une idée soudaine, il cliqua sur la souris pour rallumer son écran.

*

—Bon, ben, comme prévu…, dit Rozenn en poussant Arthur devant elle.

Le petit garçon semblait renfrogné, apparemment il était venu à contrecœur. Pauvre gamin, on le confiait malgré lui à une étrangère pour Noël! Mahé lui adressa son plus chaleureux sourire et le prit par la main.

—Vous n'entrez pas? proposa-t-elle à Rozenn.

—Inutile qu'il se mette à pleurer. Voilà son sac, il y a un cadeau pour lui dedans, je voulais qu'il ait un truc à Noël.

Elle se pencha vers l'enfant, lui déposa un rapide baiser sur la joue.

—Tiens-toi bien et sois poli avec Mahé. Je reviendrai te chercher le 1er janvier, dans l'après-midi.

Le menton d'Arthur se mit à trembler, mais il ravala ses larmes.

—Je veux savoir où vous joindre s'il y a un problème, exigea Mahé.

La situation étrange dans laquelle elle s'était mise commençait à la dépasser. Rozenn lui donna le nom de l'hôtel-restaurant de Dimard où elle travaillait, prétendant qu'elle n'avait pas de téléphone portable. Soit elle ne voulait pas être dérangée, soit elle n'avait vraiment pas les moyens.

225

Mahé la suivit des yeux tandis qu'elle s'éloignait sur le trottoir, se demandant comment elle était venue. Mais elle ne voulait pas en apprendre davantage sur son compte, elle était déjà bien trop impliquée.

—Viens, on va se mettre au chaud, dit-elle à Arthur. J'ai fait un beau sapin auquel il ne manque plus que quelques boules. Tu voudras les accrocher?

Elle eut droit à un hochement de tête dénué d'enthousiasme. Néanmoins, dès qu'ils entrèrent dans le séjour, le petit alla aussitôt vers l'arbre et son regard s'illumina. Mahé en déduisit qu'il ne devait pas avoir connu beaucoup de Noëls traditionnels, ou simplement joyeux. Elle prit le carton de boules multicolores qu'elle lui avait réservé et le déposa à ses pieds.

—Tu glisses une attache dans le petit rond, comme ça, et tu n'as plus qu'à la suspendre sur la branche de ton choix.

Il hésita, leva les yeux vers elle et murmura:

—Je veux faire pipi d'abord.

—Oh oui, bien sûr! Viens, je te montre où sont les toilettes.

Elle supposa qu'à son âge il n'avait pas besoin d'aide, mais plutôt d'intimité. En fait, elle ne connaissait rien aux enfants et, comme entrée en matière, garder Arthur pendant huit jours n'allait pas se révéler une initiation facile. Une fois de plus, elle se demanda pourquoi elle avait accepté. Par compassion pour le gamin, par défi ou par curiosité, en tout cas pas pour aider Rozenn, qui continuait de lui être violemment antipathique.

Lorsqu'il revint, en traînant un peu les pieds, Arthur s'approcha du carton, prit une boule puis examina longuement le sapin afin de choisir sa place. Erwan n'était toujours pas descendu, il boudait là-haut dans sa chambre et ne se montrerait sans doute pas de tout l'après-midi. Mahé s'assit à même le vieux tapis pour tenir compagnie au petit garçon. Elle était fatiguée d'avoir passé la matinée dans la halle à marée, surveillant le cours des poissons et des coquilles sur les écrans des ordinateurs. L'intégralité de sa pêche avait été liquidée en deux heures, ensuite elle avait offert une tournée à ses marins dans un bistrot du port. Ils s'étaient séparés en se souhaitant un joyeux Noël, contents les uns des autres et prêts à fournir le dernier effort de l'année dans les jours à venir.

Se haussant sur la pointe des pieds, Arthur avait accroché sa première boule, ce qui l'enhardit pour la suivante. À cet instant, le portable de Mahé vibra et elle l'extirpa de sa poche de jean. Voyant qu'il s'agissait d'Alan, son cœur battit un peu plus vite. Il ne l'avait pas appelée depuis leur dernière soirée, et elle n'avait pas voulu être la première à le faire.

— Je ne te dérange pas ? Tu ne donnes pas souvent de tes nouvelles…

— Toi non plus !

— Tu t'apprêtes à passer un réveillon en famille ?

— Oui. Et toi ?

— Chez des amis.

La conversation était laborieuse, Alan semblait très hésitant. Après un silence, il enchaîna :

—Écoute, j'ai eu une idée, mais je ne sais pas si elle te plaira…

—Dis toujours.

—J'ai décidé de faire un saut à New York pour aller voir mon frère et ma mère. J'ai dû bouleverser tout mon agenda et remettre des rendez-vous mais j'y suis arrivé. Départ le vingt-sept et retour le deux janvier. Quatre jours sur place, c'est mieux que rien, j'en avais vraiment envie. Alors je voulais savoir si… Eh bien, je t'invite à venir avec moi, voilà.

—Tu plaisantes ?

—Bien sûr que non. Naturellement, je me charge des billets d'avion.

Trop surprise pour répondre, elle eut d'abord un petit rire embarrassé, puis elle se racla la gorge.

—Tu es très gentil, Alan, mais c'est tout à fait impossible.

—Pourquoi ?

—Parce que, comme tu le sais, il y a mon père, et puis je garde un petit garçon, le fils d'une amie, pendant les fêtes. De toute façon, je dois être là pour la pêche, il y a de grosses ventes avant la Saint-Sylvestre.

—On peut toujours s'arranger, ne me donne pas de faux prétextes.

—De *faux prétextes* ? s'indigna Mahé. J'ai du travail, des responsabilités, une famille, je…

—Inutile de crier. Dis que tu n'en as pas envie, c'est plus simple. Bon, écoute, j'aurai essayé. En tout cas, je te souhaite un joyeux Noël.

Il coupa la communication, sans doute très vexé, et elle se sentit furieuse. Pour qui la prenait-il ? S'il avait la chance de faire ce qu'il voulait de son temps et de son argent, tant mieux pour lui, elle ne pouvait pas en dire autant. D'ailleurs, elle n'était pas à sa disposition. Comment s'organiser pour partir à New York dans deux jours ? Bien sûr, elle aurait aimé y aller, adoré même, mais c'était impossible. Cette offre avait quelque chose de disproportionné et de frustrant. Alan était-il seulement sérieux ? Il devait bien savoir qu'elle n'avait aucun moyen de se libérer ! S'il s'amusait à ses dépens, elle ne trouvait pas ça drôle.

De nouveau, elle regarda le petit Arthur et lui découvrit un visage consterné. À ses pieds gisaient les morceaux d'une boule cassée.

—Ce n'est pas grave, s'empressa-t-elle de lui dire.

—Mais ça en fait une de moins !

—Il en reste suffisamment, il faut bien qu'on voie un peu les branches. Ne t'en fais pas. Si tu as fini, je vais nous préparer un bon chocolat chaud.

Elle souhaitait le mettre à l'aise, mais aussi qu'il lui parle un peu de sa mère et des conditions de leur existence. Persuadée que Rozenn était capable de toutes les affabulations, elle voulait en avoir le cœur net. Elle le précéda jusqu'à la cuisine, essayant d'oublier l'appel d'Alan qui la laissait très désemparée. Et dépitée.

—Ta maman aura beaucoup de travail, ce soir, commença-t-elle d'un ton léger.

—Elle a toujours des trucs à faire. L'hôtel, les clients, son copain…

Il s'interrompit pour plonger son nez dans le bol de chocolat fumant. Elle le laissa boire avant de reprendre :

—Son copain ? C'est bien agréable d'avoir des amis. Tu en as, à l'école ?

—Non.

—Ah… Et le copain de ta maman, il est gentil avec toi ?

—Je sais pas. Je le vois pas. Je peux avoir encore du chocolat ?

—D'accord, mais garde une place pour ce soir, nous allons bien manger !

—Avec des glaces ?

—Euh… Des gâteaux. Des petits gâteaux de toutes sortes. Mini-bûches, mini-éclairs, tartelettes aux fruits.

—Mon cadeau que maman a mis dans le sac, j'ai le droit de l'avoir maintenant ?

—Non ! On mettra le paquet sous le sapin, et il y en aura un autre parce que moi aussi je t'ai fait un cadeau. Comme tu ne crois plus au père Noël, tu pourras les ouvrir quand nous aurons fini de dîner.

—On sera que toi et moi ?

—Il y aura aussi mon papa, qui s'appelle Erwan. Un vieux monsieur très gentil, même s'il ronchonne un peu. Et puis une de mes amies, Armelle.

—Elle me fera un cadeau aussi ?

— Je l'ignore. Elle ne te connaît pas, mais peut-être y aura-t-elle pensé.

Elle débarrassa les bols en se demandant comment l'occuper pendant le reste de l'après-midi.

— Veux-tu faire une promenade au bord de la mer ? On peut aller sur la plage, ou sur le port si tu veux voir les bateaux.

— J'aime pas les bateaux. Maman dit que c'est dangereux.

Rozenn avait tort d'entretenir cette peur chez son fils, mais ce n'était manifestement pas la seule faute qu'elle commettait avec lui.

— Eh bien, si tu préfères, on n'a qu'à marcher boulevard de la Mer, on la regardera de loin sans s'en approcher.

— On s'arrêtera chez le marchand de glaces ?

— Il n'y en a pas à cette saison.

— Le marchand de crêpes, alors ?

— Tu ne penses qu'à manger, ma parole ! dit-elle en riant.

À l'évidence, il n'était pas très gâté. Ni bien élevé, le pauvre gamin.

— On verra ce qu'on trouvera sur notre chemin.

Elle comptait lui montrer les décorations de Noël qui égayaient les rues et les vitrines, mais surtout elle avait besoin de marcher pour oublier le coup de téléphone d'Alan. Dehors, la neige avait fondu, la gadoue s'étalait sur les trottoirs, et très vite Mahé prit conscience qu'il n'y avait pas beaucoup de distractions à Erquy pour un petit garçon de l'âge d'Arthur. L'hiver, la ville vivait au rythme de la pêche, sa principale activité, et loin de la halle à marée il y avait peu d'animation.

— Tu étais amie avec mon papa?

La soudaine question du gamin déstabilisa Mahé. Que lui avait raconté sa mère au sujet de ce père qu'il n'avait pas connu?

— Oui…, finit-elle par admettre.

— Il était méchant, non? Maman dit qu'il s'est noyé parce qu'il était méchant.

Horrifiée, elle chercha une réponse appropriée. Parler d'un accident lié à une tempête ne réconcilierait pas le petit garçon avec la mer. Mais Rozenn, par bêtise, lui avait mis de vilaines idées en tête. Elle sentit qu'il ralentissait le pas, cherchant à dégager sa main. La tête levée vers elle, son regard d'enfant semblait à la fois perdu et plein d'espoir.

— Hein? Dis? insista-t-il.

Pas moyen d'y échapper, elle devait lui fournir une explication.

— Méchant? Non… C'était un bon marin, très courageux, et aussi un bel homme.

S'entendre faire l'éloge d'Yvon lui parut insensé, néanmoins elle poursuivit:

— Il aurait été fier d'avoir un petit garçon mignon comme toi.

— S'il était méchant, s'entêta Arthur, il n'a pas pu aller au ciel.

Rozenn devait être carrément folle. Avait-elle fait la leçon à son fils pour qu'il questionne Mahé? Elle ne pouvait pas être aussi perverse…

— Qui t'a raconté ça?

—Maman.

—Peut-être était-elle en colère ? Parfois, on dit des choses qu'on ne pense pas. Ton père est sûrement au ciel.

—Non ! Il est au fond de l'eau !

Le gamin avait crié et, brusquement, il détala droit devant lui. Mahé se lança à sa poursuite, mais il courait vite et elle dut forcer l'allure pour le rattraper.

—Je ne veux pas que tu lâches ma main, lui dit-elle d'un ton ferme. Il y a des voitures, c'est dangereux.

Durant quelques secondes elle s'était affolée, et cette peur l'incita à parler franchement.

—Écoute-moi, Arthur. Il y a des choses que tu comprendras quand tu seras plus grand. Les accidents, ça arrive à n'importe qui, bon ou méchant. Le hasard est injuste, c'est comme ça, il faut l'accepter. Quand tu penses à ton père, pense à quelqu'un de gentil.

Le mot lui écorcha la bouche mais elle n'avait pas le choix devant la détresse de l'enfant.

—Je l'ai bien connu, alors tu peux me croire. D'accord ?

Après une hésitation, il hocha la tête et eut même l'ombre d'un sourire.

*

À regret, Alan avait mis un costume et une cravate, sachant que ses amis seraient habillés pour le réveillon. Aller à cette soirée

233

ne l'enthousiasmait pas, mais de toute façon il était de mauvaise humeur depuis son coup de téléphone à Mahé. Pour qui se prenait-elle? Nul n'est irremplaçable; elle aurait pu se libérer si elle l'avait voulu. D'ailleurs, il l'avait sentie hésiter. Tentée par New York mais rebutée par la compagnie d'Alan? Il ne prétendait pas être un expert, toutefois il connaissait suffisamment les femmes pour avoir eu l'impression que Mahé était bien avec lui. Elle s'était endormie blottie dans ses bras après une nuit d'amour qu'il pensait réussie. Lorsqu'il s'était réveillé, il l'avait regardée dormir, plus ému qu'il ne l'avait été depuis longtemps. Elle le touchait, le troublait. À cause de cette sensation déstabilisante, il était resté sur la réserve avec elle, essayant de garder ses distances. Il ne voulait pas tomber amoureux, hélas c'était en train d'arriver, son idée de l'emmener avec lui à New York le prouvait assez. Et il s'était fait renvoyer dans ses buts, comme un idiot qu'il était! Est-ce qu'aucune leçon ne lui serait jamais profitable?

Il descendit et alla prendre dans le réfrigérateur le magnum de champagne qu'il destinait à ses amis. Il en profita pour déposer des croquettes dans l'écuelle de la chatte et remplir son bol d'eau. En colère contre lui-même, contre Mahé et contre la terre entière, il eut envie de se décommander, mais il était trop tard pour inventer un prétexte plausible. Résigné, il enfila son manteau, éteignit toutes les lumières, sauf une petite lampe qui tiendrait compagnie à la chatte. Ce qui était risible car elle y voyait très bien dans le noir.

*

Le restaurant commençait à se remplir, et déjà Rozenn ne savait plus où donner de la tête. Ce soir, elle tenait à se montrer sous son meilleur jour pour parfaire son entreprise de séduction sur Yann. Dans les projets qu'elle s'était fixés, elle ne perdait de vue ni le mariage, dans un premier temps, ni par la suite l'ouverture d'un petit restaurant rien qu'à eux. Elle devait donc lui prouver son efficacité et son savoir-faire, tout en restant très désirable. Pour l'occasion, elle avait raccourci sa jupe noire, acheté un collant fin, ciré ses vieux escarpins à très hauts talons. Elle aurait mal aux pieds en fin de soirée, ou peut-être même avant, mais ses jambes étaient mises en valeur, elle le constatait chaque fois qu'elle apercevait son reflet dans l'une des baies vitrées.

Elle poussa la porte battante des cuisines, prit le premier des plateaux préparés et repartit en salle avec des apéritifs. Au moins, le menu du réveillon étant imposé, elle n'aurait pas à poireauter trop longtemps devant les clients avec son carnet de commandes.

— Kir royal! annonça-t-elle.

Maquillée, bien coiffée, elle se savait jolie. Elle attirait les regards des hommes et, pour que les femmes n'en prennent pas ombrage, elle leur réservait ses plus modestes sourires.

En repartant vers les cuisines, elle vit que Yann l'observait d'un air ravi. Il paraissait sous le charme, tant mieux, elle allait pouvoir se consacrer à lui dans les jours et les nuits à venir. Une semaine sans Arthur, elle s'était vraiment bien débrouillée!

Elle repartit chercher un autre plateau tandis que Yann accueillait de nouveaux clients. Toutes les tables étant réservées, il allait y avoir un sacré coup de feu d'ici minuit, mais ça lui plaisait, elle aimait le monde, l'agitation, l'impression d'être indispensable.

— Vous n'aviez rien de plus discret à mettre? lui glissa le patron du restaurant d'un ton sec.

Son doigt accusateur désignait la jupe courte et les escarpins vertigineux.

— Vous seriez plus à l'aise dans des chaussures plates. On fait de la restauration, Rozenn, pas une revue de music-hall!

Content de sa remarque bien sentie, il s'éloigna pour parcourir la salle. Rozenn leva les yeux au ciel. Cet idiot ne comprenait donc pas que les serveuses faisaient partie du décor de l'établissement? Avoir de jolies filles plutôt que des grosses moches et mal fagotées était forcément un atout. Quand elle aurait *son* restaurant, elle s'habillerait comme elle voudrait et porterait un mini short avec des cuissardes si ça lui chantait.

Comme pour donner raison au patron, elle se tordit la cheville alors qu'elle passait à côté de Yann. Il la rattrapa par le coude et lui sourit.

— Ton gamin est tout seul là-haut? demanda-t-il à voix basse.

Un peu surprise qu'il s'en soucie, elle secoua la tête.

—Non, il est chez une amie pour la semaine.

—Ah, tant mieux! Un soir de Noël, le pauvre…

Décidément, cet homme était gentil. D'une manière ou d'une autre – elle n'en connaissait qu'une – elle devait se l'attacher pour de bon. D'autres serveuses lui tournaient autour parce qu'il était célibataire et maître d'hôtel, mais Rozenn avait l'avantage d'être la plus déterminée. La plus séduisante, aussi, elle le voyait dans ses yeux. Et, cette fois, elle ne se ferait pas avoir comme avec Yvon, elle exigerait la bague au doigt dès qu'il ne pourrait plus se passer d'elle.

Elle alla débarrasser des verres vides, revint vers les portes battantes qu'elle ouvrit d'un coup de hanche plutôt sexy, le regard de Yann toujours sur elle.

Dans les cuisines régnait une activité fébrile, et bien sûr il y avait des huîtres et des coquilles Saint-Jacques au menu. Voir cet étalage de fruits de mer lui fit penser à Yvon, à la façon dont il parlait de la pêche, ce métier qu'il aimait tant. Tout ça pour se noyer, quelle mauvaise blague du sort!

Elle sentit sa bouche se crisper dans un rictus amer et se recomposa aussitôt un visage affable. Ce n'était pas un soir à se laisser envahir par les souvenirs, elle avait autre chose à faire. Fugitivement, elle se demanda si Arthur était bien chez les Landrieux, mais il devait l'être. En tout cas mieux que seul dans la petite chambre, sous les toits de l'hôtel. Et, avec un peu de chance, tout s'arrangerait très bientôt.

*

Armelle était arrivée les bras chargés de cadeaux qu'elle avait déposés sous le sapin. Ensuite, elle était allée embrasser Erwan, assis à un bout du canapé, puis Arthur, réfugié à l'autre. Ils regardaient la télévision sans se parler et avaient l'air de s'ennuyer. Armelle rejoignit Mahé dans la cuisine, dont elle ferma la porte avant de s'indigner.

—Ah, tu es bien lotie avec ton père qui boude et le gamin qui se demande où il est! Tu portes ta croix, ma chérie…

—Bien obligée.

—Pour le petit, je te rappelle que rien ne t'y forçait. Mais heureusement, je suis là, je vais mettre de l'ambiance car je me sens très joyeuse!

Mahé la dévisagea et eut un sourire amusé.

—J'en déduis que tout va pour le mieux avec Jean-Marie.

—Gagné! Il est de moins en moins sauvage, de plus en plus gentil.

—Et toi, tu es amoureuse.

—Absolument.

Elle virevolta, faisant tourner sa robe plissée autour d'elle.

—Si on m'avait dit qu'un jour je m'enticherais d'un pêcheur…

—Pourquoi donc?

238

—C'est un métier trop prenant, trop risqué. En plus, ils ne sont jamais là!

Mahé sortit un foie gras de son bocal et commença à le couper en tranches.

—Le petit n'aimera pas ça, constata Armelle.

—Je sais. Il veut un steak haché et des frites, c'est prévu. Mais papa ne m'aurait jamais pardonné de lui servir le même menu.

—Moi non plus.

Elles rirent ensemble, puis Armelle ouvrit la porte du four dont s'échappa une bonne odeur de volaille rôtie.

—Pintade à la crème et aux morilles, annonça Mahé.

—Je t'adore! On prend quelque chose en attendant que ce soit vraiment l'heure de boire?

Dans le réfrigérateur, elle attrapa une bouteille de vin blanc entamée et servit deux verres.

—À nos amours, dit-elle en levant le sien. Où en es-tu avec Alan?

—Point mort. Tu sais quoi? Il voulait m'emmener passer quatre jours à New York pour finir l'année!

—Veinarde! New York? Et tu n'es pas en train de faire ta valise?

—Je ne peux pas, Armelle.

—Pourquoi? Tu n'as qu'à confier l'armement à Jean-Marie, et je passerai voir Erwan tous les soirs, promis.

—Tu es gentille, mais il y a le petit.

—Rends-le à sa mère, bon sang! Elle te l'a collé de force, débarrasse-toi de lui.

—Ce n'est pas un paquet. Et je n'ai pas l'habitude de revenir sur ma parole. J'ai accepté à la légère, d'accord, mais j'ai accepté. De toute façon, je ne sais pas si Alan était sérieux. Son invitation était un peu... abrupte.

—Mais tu n'aurais pas aimé y aller? Sois franche avec moi...

—Bien sûr que si.

—Pour la destination de rêve ou pour sa compagnie?

—Les deux.

—Je le savais!

—Ne t'emballe pas. Alan est un homme étrange, qui souffle le chaud et le froid. Quand je suis avec lui, il y a des moments où je suis très bien, d'autres où il me glace. Chaque fois qu'on se téléphone, on se quitte plus ou moins fâchés.

—Tu as un caractère entier, Mahé. Ça peut faire peur.

—Lui aussi! De toute façon, à New York, il va voir son frère et sa mère. Tu m'imagines au milieu de leur petite réunion familiale? Ce n'était pas un week-end en amoureux qu'il me proposait, il voulait juste m'emmener dans ses bagages.

—Dans ce cas... mais c'est dommage!

Armelle vida son verre et annonça qu'elle avait apporté une surprise pour Mahé, une écharpe pour Erwan ainsi qu'une peluche pour Arthur.

—Tu y as pensé?

—Je ne voulais pas que tu me traites de monstre. Et puis, on n'allait pas ouvrir nos cadeaux sous le nez du gamin en faisant comme s'il n'était pas là.

—Papa ne s'est pas donné cette peine.

—Erwan est un vieil égoïste, je te l'ai toujours dit.

Mahé acquiesça en silence. Avec l'âge, son père s'était renfermé, et il devenait difficile de discuter avec lui. Elle baissa le thermostat du four, mit une bouteille de champagne dans un seau plein de glace.

—Allons lui offrir une coupe pour démarrer la soirée, ça le mettra peut-être de bonne humeur. Tu peux prendre le Coca pour Arthur ?

Armelle la suivit dans le séjour, où le petit garçon était maintenant tout seul sur le canapé, les yeux rivés à l'écran.

—On va éteindre la télé, d'accord ? suggéra Mahé en saisissant la télécommande.

—Oh, non !

Furieux, il essaya de la lui arracher des mains et elle se pencha vers lui.

—Arthur, le film est fini. Nous allons passer un bon moment, tous les quatre, on va bavarder, dîner, ouvrir les cadeaux, et tu pourras veiller tard. Mais sans télé. Ce soir, c'est Noël.

Elle vit qu'il luttait pour ne pas répliquer. Il se rassit et croisa les bras, l'air buté. Au bout de quelques instants, il marmonna :

—Y a pas la télé dans notre chambre. Je la vois jamais ! Les autres, ils en parlent à l'école, et moi, j'ai rien à dire.

Leur chambre ? Sa mère et lui vivaient dans une chambre de l'hôtel ?

—Tu pourras la regarder demain, et aussi les autres jours.

Incrédule, il la scruta, puis parut se détendre. Mahé en profita pour lui tendre la canette de Coca et lui présenter le pain-surprise.

—Tu veux goûter?

Occupée par le petit garçon, elle n'avait pas entendu Erwan revenir. Elle le vit traverser le séjour pour aller déposer un paquet sous le sapin. Un seul. Puis il vint se planter devant Mahé. Il avait changé de chemise, sans doute vexé par la conversation qu'ils avaient eue à ce sujet quelques jours plus tôt.

—Je me suis fait beau pour te faire plaisir et parce que c'est Noël, mais ça ne m'amuse pas.

—Dommage, tu es beaucoup mieux comme ça!

—Je suis *vieux*, Mahé, ricana-t-il. Je ne veux plus plaire à personne.

—À nous, déjà, c'est bien.

Elle se forçait à être patiente mais avait envie d'exploser. Jamais il ne prononçait une seule phrase positive ou enthousiaste, systématiquement il était d'humeur sombre.

—T'as une tache, là, fit remarquer Arthur en montrant la poche de la veste en velours d'Erwan.

—Toi, occupe-toi de tes fesses!

—Papa! s'insurgea Mahé.

—Eh bien quoi? On ne peut rien lui dire? Ce petit garçon est très mal élevé!

Arthur parut s'enfoncer dans les coussins du canapé, dardant sur Erwan un regard furieux. Découragée, Mahé posa brutalement le pain-surprise sur la table basse. La soirée s'annonçait mal, ce qui n'avait rien de surprenant. Son père était ulcéré par la présence de l'enfant, parce que celui-ci le ramenait au drame qu'il cherchait désespérément à oublier. Il s'en voudrait toute sa vie, mais il en voulait aussi à Yvon, et il pouvait cristalliser toute sa rancune sur Arthur.

—Champagne? proposa gaiement Armelle. Allez, Erwan, trinquez donc avec moi, il faut se réjouir d'être réunis! Quand je pense que Mahé aurait pu nous laisser tomber pour aller passer les fêtes à New York, je suis bien contente qu'elle nous ait préférés...

Interloquée, Mahé croisa le regard d'Armelle qui pétillait de malice. Sans doute voulait-elle faire comprendre à Erwan qu'il avait tort de se plaindre en permanence, et que sa fille ne serait pas toujours à sa disposition.

—Qu'irais-tu faire à New York? demanda-t-il sans agressivité.

—Oh! là, là! s'interposa Armelle, secrets de femme! De toute façon, elle n'y va pas. Ce pain-surprise est un délice, Mahé. Tu l'as fait toi-même?

—Non, je n'avais pas le temps, je l'ai pris chez le traiteur.

Erwan semblait perplexe mais avait abandonné son air bougon. Il parut se souvenir de la proposition d'Armelle et il trinqua avec elle avant de vider sa coupe d'un trait.

*

Comme il le redoutait, Alan avait été placé à table entre la maîtresse de maison et une célibataire de trente-cinq ans nommée Alice. Depuis le début du dîner, elle n'arrêtait pas de rire et de parler, cherchant à attirer son attention par tous les moyens. Jolie, élégante et finalement assez drôle, il aurait pu s'intéresser à elle s'il n'avait pas pensé toutes les cinq minutes à Mahé. Aurait-il dû lui présenter les choses autrement? Avait-elle été choquée par la désinvolture de son invitation? Il était déçu, vexé, anxieux quant à l'avenir de leur relation. Un avenir qu'il espérait au moins autant qu'il le redoutait.

À côté de lui, Alice venait de lui poser une question qu'il n'avait pas entendue, perdu dans ses pensées, et il dut la lui faire répéter.

— Pourquoi avez-vous choisi la stomato comme spécialité?

On le lui avait souvent demandé, c'était l'entrée en matière préférée des femmes qui voulaient bavarder avec lui.

— Au début, pour la chirurgie maxillo-faciale. Par la suite, j'ai beaucoup aimé avoir des relations plus suivies et plus personnelles avec mes patients, alors j'ai opté définitivement pour un cabinet en ville plutôt que l'hôpital. Aujourd'hui, la maîtrise des implants est un espoir formidable qui concerne beaucoup de gens, ça me passionne.

Une réponse toute faite, qu'il venait de fournir distraitement mais qui ne découragea pas sa voisine.

— Lâcher l'Assistance publique et exercer dans son coin, c'est un peu se couper des avancées techniques et scientifiques, non?

— Pas forcément. Il faut rester vigilant, lire toutes les publications, s'intéresser aux progrès.

—Vous en avez le temps? Dans un cabinet dentaire qui marche bien, on est vite happé par un planning de folie. Mon père était dentiste, j'en sais quelque chose!

Elle était charmante quand elle souriait. En début de soirée, elle avait dit ce qu'elle faisait dans la vie, mais Alan ne s'en souvenait pas. En tout cas, aux regards qu'elle lui lançait, il comprit qu'il lui plaisait. Peut-être tenait-il là l'occasion d'oublier un peu Mahé. Et, pour une fois, il devait l'admettre, l'inévitable célibataire était très séduisante, ses amis ne l'avaient pas piégé. Se tournant vers elle, il lui adressa un vrai sourire.

*

Armelle s'était montrée à la hauteur de la situation, rendant le dîner agréable grâce à son inépuisable entrain. La pintade aux morilles avait beaucoup plu à Erwan qui, le champagne aidant, s'était radouci. Il avait cessé de considérer Arthur avec hargne, le traitant comme n'importe quel enfant.

Au moment des cadeaux, il avait paru un peu gêné de n'avoir acheté qu'une seule grosse boîte de chocolats pour sa fille. Usant de diplomatie, Mahé considéra que la boîte était destinée à tout le monde, et que c'était la contribution de son père à la fête. De son côté, Arthur fut ébloui par la voiture radiocommandée offerte par Mahé, et par le gros chien en peluche d'Armelle. En revanche, le coffret de jeux de société choisi par sa mère le laissa indifférent. Mahé songea que Rozenn manquait de jugeote pour donner à un enfant si solitaire des jeux nécessitant plusieurs partenaires. Mais, par extraordinaire, Erwan annonça qu'il accepterait de faire quelques parties dans les prochains jours.

À minuit et demi, Armelle prit congé, chaleureusement remerciée par Mahé. Puis celle-ci conduisit Arthur dans la petite chambre qu'il allait occuper pendant une semaine. En principe, la pièce servait de lingerie et de débarras, mais Mahé l'avait bien rangée, faisant disparaître les cartons et la planche à repasser pour installer un lit de camp. Elle avait retrouvé des draps qui dataient de son adolescence, imprimés d'animaux, et quelques vieux livres pouvant convenir à un enfant de dix ans. Elle se sentait mal à l'aise avec Arthur, cependant elle commençait à oublier sa ressemblance avec Yvon pour ne plus voir en lui qu'un petit garçon.

—Si tu as peur, tu peux laisser cette lumière allumée. Et moi, je dors de l'autre côté du couloir, juste en face de toi.

Dans son pyjama usé dont les manches étaient trop courtes, le chien en peluche serré contre lui, il lui parut très vulnérable.

—Bonne nuit, Arthur, dit-elle en l'embrassant sur le front.

Elle ferma doucement la porte et gagna sa chambre. La fatigue lui donna envie de se jeter tout habillée sur son lit. Depuis sa matinée passée dans la halle à marée, elle n'avait pas cessé de s'activer. Et elle éprouvait une tristesse diffuse liée à ce petit garçon qu'elle gardait sans comprendre pourquoi, à son propre père qui vieillissait beaucoup d'un Noël à l'autre, à la gentillesse d'Armelle qui la bouleversait, et surtout à l'appel d'Alan, à son invitation qu'elle avait déclinée à regret.

Posant son portable sur la table de chevet, elle constata qu'elle n'avait aucun message. En revanche, elle remarqua un petit paquet sur son oreiller. Intriguée, elle s'empressa de l'ouvrir et découvrit une chaîne avec un pendentif en forme de cœur. Dessous, il y avait un mot de son père, rédigé de son écriture désormais tremblante : *Je l'avais offert à ta maman pour nos dix ans de mariage, maintenant il est à toi.*

Aussitôt, elle eut les larmes aux yeux. Erwan n'avait pas voulu mettre son cadeau sous le sapin, peut-être à cause de la présence d'Arthur et d'Armelle. Mahé savait que sa mère, hormis la paire de boucles d'oreilles dont elle avait hérité, ne possédait pas de bijoux. Elle reconnaissait le pendentif pour le lui avoir souvent vu dans l'échancrure d'un chemisier, mais elle ne s'était jamais demandé ce qu'il était devenu. Inconsciemment, elle avait dû supposer que sa mère avait été enterrée avec. Pourtant, son père l'avait conservé depuis toutes ces années, et il le lui offrait aujourd'hui. Pourquoi ? Se croyait-il proche de la fin de sa vie ? À moins qu'il ait souhaité faire un beau cadeau à sa fille, pour une fois, mais sans en avoir les moyens ? Sa retraite de patron de pêche était dérisoire, il n'avait pas d'argent et ne touchait rien de l'armement. Pour sa part, Mahé se salariait modestement, ayant peu de besoins personnels, et elle réinvestissait tous les bénéfices dans l'affaire. Jusqu'ici, elle ne s'était pas posé de question sur les finances de son père car il n'en parlait jamais. Devait-elle aborder le sujet avec lui? Ne serait-ce pas l'infantiliser davantage? Elle pensa à la somme qu'elle avait prêtée à Rozenn et qu'elle ne reverrait pas. Cela dit, Rozenn et son fils se trouvaient dans un extrême dénuement et, même si on lui avait forcé la main, Mahé n'avait pas à regretter une bonne action.

Pour accrocher le pendentif à son cou, elle alla se poster devant un miroir. Le bijou lui allait bien, elle décida de le porter en souvenir de sa mère. Puis elle se mit à examiner avec attention son visage, sa silhouette. Elle se déshabilla entièrement et s'observa sans indulgence. Alan avait prétendu qu'il la trouvait très belle, ce qu'elle n'était pas. Jolie, bien faite, mais pas « magnifique », terme qu'il avait employé. Usait-il de ce genre de compliment avec toutes ses conquêtes?

Elle enfila un peignoir puis décida d'aller prendre une douche malgré sa fatigue. L'eau chaude la détendrait et chasserait peut-être ses idées noires. Elle n'aurait pas dû se sentir triste un soir de Noël. Malgré une météo exécrable, la pêche avait été bonne au mois de décembre, ses marins étaient à peu près satisfaits, ses bateaux en état de marche, tout allait bien. Et elle avait l'avenir devant elle. Trente ans était un âge formidable, celui de tous les possibles!

Lorsqu'elle se glissa enfin sous sa couette, elle jeta un dernier coup d'œil à son portable.

Toujours aucun message... mais qu'avait-elle espéré ? Alan passait le réveillon chez des amis, il lui avait souhaité – du bout des lèvres – un joyeux Noël, et avait aussi lâché d'un ton amer : « Bon, j'aurai essayé. » Qu'il soit réellement déçu ou seulement vexé n'y changeait rien, il ne donnerait pas de nouvelles avant son retour. Et peut-être jamais plus. Trouver une femme pour l'accompagner à New York ne devait pas être un problème pour lui.

En fermant les yeux, elle songea à la musique de Mahler, à la petite chatte blanche se frottant contre elle, au feu ronflant dans la haute cheminée et au tapis douillet sur lequel ils avaient fait l'amour. Ramènerait-il une conquête chez lui cette nuit ? Homme d'expérience, seul et séduisant, il avait tout pour plaire et ne s'en privait pas. Il n'avait rien promis à Mahé, ne s'était pas risqué à une déclaration ; il était libre.

La pointe de jalousie qu'elle éprouvait la ramena presque dix ans en arrière. Cette horrible sortie de l'église au son du bagad déchirant, avec cette femme inconnue qui surgissait soudain pour lui cracher à la figure la double vie d'Yvon. Elle les avait haïs, elle et son bébé. Un enfant qui, ce soir, dormait de l'autre côté du couloir...

Pour trouver le sommeil, elle referma ses doigts sur le pendentif. Ce cœur n'avait pas spécialement porté bonheur à sa mère, néanmoins elle décida que ce serait désormais son talisman. Elle lui raconta son désir de faire une rencontre, de découvrir celui qui la ferait vibrer, la rendrait enfin heureuse. Pas un homme blasé de quarante ans, pas quelqu'un qui prendrait tout à la légère et lui dirait : « On s'appelle ! » en la quittant. Un véritable amour, plein et lumineux, qui changerait sa vie. Même si c'était un rêve de petite fille, elle avait envie d'y croire.

Un bruit incongru la fit se redresser et elle prêta l'oreille. Après un instant, elle comprit qu'Arthur parlait en dormant. Pauvre gosse relégué chez des inconnus ! Est-ce que sa mère lui manquait ? À quelques mois près, Mahé aurait pu, elle aussi, avoir un enfant d'Yvon. Sans cet accident, que seraient-ils tous devenus ?

Elle s'enfonça un peu plus sous sa couette, résignée à l'idée d'affronter une nuit d'insomnie, mais deux minutes plus tard elle sombra dans le sommeil.

8

Le 1ᵉʳ janvier, il y eut une nouvelle vague de froid. Rarement début d'hiver avait été aussi rigoureux sur la côte de Penthièvre. Balayé par un vent glacial, le port d'Erquy semblait désaffecté. Tous les marins pêcheurs étaient de repos après l'activité fébrile des fêtes, et le mois à venir s'annonçait calme.

Comme promis, Rozenn était venue chercher Arthur en début d'après-midi. Un homme l'accompagnait, toutefois il n'était pas descendu de sa voiture. D'après Arthur, il s'agissait du « copain » de sa mère, ce qui n'avait pas semblé le réjouir. En une semaine, il était devenu moins sauvage, multipliant les parties de cartes ou de dames avec Erwan, acceptant d'accompagner Mahé jusqu'à la halle à marée. Au moment de s'en aller, il eut même un élan vers elle, qui la toucha. Mais Rozenn semblait pressée, elle avait écourté les adieux et s'était contentée de remercier du bout des lèvres. Mahé les avait regardés partir avec des sentiments contradictoires. Elle ignorait si elle reverrait Arthur un jour, et ne savait pas non plus si elle le souhaitait. Bien entendu,

Rozenn n'avait pas reparlé d'argent, et elle ne le ferait sans doute pas tant qu'elle n'aurait pas besoin d'un nouveau service.

Délivrée de la responsabilité du petit garçon — et de son horreur des bateaux —, Mahé s'offrit une longue promenade sur le port malgré le froid. Elle n'avait reçu aucun message d'Alan et n'en attendait plus. Il avait dû se trouver une autre compagne de voyage, plus disponible.

De loin, elle reconnut les deux silhouettes d'Armelle et de Jean-Marie. Ils se tenaient par la main et venaient dans sa direction, le long du quai. Eux aussi avaient eu envie d'une balade, mais en amoureux.

—Bonne année! lui lança Jean-Marie.

Lâchant la main d'Armelle, il se précipita vers elle et la prit dans ses bras.

—Une belle, une formidable année, répéta-t-il en l'embrassant dans le cou.

Il la garda un peu trop longtemps contre lui.

—À toi aussi, dit-elle en reculant d'un pas. Je te souhaite des pêches miraculeuses et de belles amours!

Elle sourit à Armelle, avec qui elle avait déjà échangé ses vœux par téléphone. Jean-Marie semblait mal à l'aise entre elles deux, soudain conscient d'avoir eu un élan trop marqué envers Mahé.

—Le gel a découragé tout le monde sauf nous, constata-t-elle. Et pas moyen de se réchauffer, rien n'est ouvert.

—Tu es libérée de ta garde d'enfant? s'enquit Jean-Marie.

— Sa mère l'a récupéré tout à l'heure.

— Est-ce que l'expérience t'a plu et donné envie d'en avoir ?

— Je ne sais pas… Mais c'est un gentil petit garçon.

Impossible de lui avouer qu'il s'agissait du fils d'Yvon. Armelle avait promis de garder le secret, ce qui dispensait Mahé d'explications confuses. Il aurait fallu remuer le passé et justifier la présence de petit sous son toit, or elle n'y tenait décidément pas.

— Tu nous offres une tasse de thé ? demanda Armelle à Jean-Marie.

Il accepta volontiers, sa petite maison de la rue Foch étant toute proche. Avec Armelle, ils avaient fêté la Saint-Sylvestre dans un bistrot de Saint-Cast en compagnie d'une bande d'amis, et à voir leurs traits tirés ils avaient dû se coucher tard. Mahé supposa qu'ils avaient fini la nuit ensemble, comme souvent ces derniers temps. Jean-Marie était sérieux, s'il prolongeait l'aventure c'était forcément parce qu'il commençait à s'attacher. Quant à Armelle, elle semblait très amoureuse, très épanouie, et Mahé l'envia.

— Tu aurais dû venir, hier soir, lui reprocha Jean-Marie. On s'est vraiment bien amusés, on a mis de l'ambiance au *Newport Café* !

— Je ne pouvais pas laisser papa et le gamin en tête à tête…

— En tout cas, tu nous as manqué toute la soirée, déplora-t-il. Sans toi, ce n'était pas pareil.

Sa sincérité, évidente, embarrassa Mahé. Elle ne voulait pas qu'Armelle en prenne ombrage ou se sente en danger. Elle s'écarta prudemment de Jean-Marie et passa son bras sous celui d'Armelle.

— La nouvelle année va t'apporter tous les bonheurs, je le sens, lui glissa-t-elle.

*

Patraque, Erwan avait fini par couper le son de la télévision. Maintenant que le gamin était parti, la maison était silencieuse. Quel calvaire d'avoir eu à le regarder chaque jour pendant une semaine ! Sa ressemblance avec Yvon était hallucinante. Comme un fantôme ou un reproche vivant. D'autant plus qu'Erwan avait connu Yvon très jeune, petit mousse à bord de son bateau, et que son fils allait devenir sa copie conforme.

Erwan avait accompli des efforts considérables pour faire bonne figure et ne pas gâcher les fêtes, ce qu'il avait payé par de longues insomnies entrecoupées de cauchemars. Il se réveillait en sueur, rallumait, se demandait s'il ne devait pas appeler Mahé à l'aide. Pourquoi les avait-elle mis dans cette situation absurde ? Qu'avait-elle besoin de se torturer, et lui avec ? Elle était bien trop gentille, et surtout pas assez rancunière. Elle aurait dû en vouloir à cette Rozenn de malheur, et aussi lui en vouloir à lui, son père, qui ne savait pas pardonner. Ah, cette fureur qui l'avait secoué, submergé, aveuglé lorsque Yvon s'était confié ! Un type comme ça pour gendre ? Pour successeur dans l'affaire ? Jamais ! Il n'avait pas travaillé toute sa vie pour voir un voyou s'immiscer dans sa famille et s'approprier ses bateaux. Il s'était imaginé conduisant sa fille à l'autel pour l'offrir à un fieffé menteur, un lâche, un traître. Jamais, au grand jamais ! Sur le pont du chalutier, il avait regardé Yvon avec haine, l'avait maudit. Et puis le vent s'était levé, la houle s'était transformée, creusée, la tempête était arrivée sur eux. Ce coup de barre, était-ce la main de Dieu ou celle d'Erwan Landrieux, seul responsable ?

Il se renversa sur le canapé, oppressé par ce souvenir brûlant qui ne le lâchait plus. Jusqu'à l'irruption du gamin, il avait muselé sa culpabilité, tenu en respect les images insupportables, mais il n'y parvenait plus. S'il refusait de monter à bord d'un bateau, c'est parce qu'il se savait un marin indigne, déchu. Malgré toute sa volonté, il n'avait pas pu devenir amnésique. D'un coup de barre brutal, délibéré, il avait décidé du sort d'un autre.

Un homme à la mer ! Forfait accompli. Dans le tumulte des éléments déchaînés, il n'y avait rien à tenter. Yvon avait disparu, et avec lui tous les problèmes de mensonge, de mariage et de succession. Erwan s'était libéré de la menace pour s'enfermer dans l'expiation.

Une douleur aiguë et bien réelle le transperça, lui coupa le souffle. Il porta la main à son cœur puis fut incapable de bouger.

*

—Je ne veux pas qu'il ait l'impression d'étouffer, déclara Armelle. Nous ne nous sommes pas quittés depuis vingt-quatre heures, une petite pause va lui permettre de respirer.

—Des pauses, vous en aurez! ironisa Mahé. Il reprend la mer demain matin, et toi tu retournes à la banque.

Après une heure de joyeuse discussion et quelques tasses de thé, quand Mahé s'était levée pour partir, Armelle avait décidé de rentrer chez elle aussi. Jean-Marie, qui manquait de sommeil, n'avait pas protesté.

—Je te raccompagne jusqu'à ta porte, suggéra Armelle à Mahé.

Le jour déclinait déjà alors qu'il était à peine cinq heures, et le froid se faisait de plus en plus mordant.

—Je n'aime pas les jours fériés, ajouta-t-elle, tout paraît tellement mort… As-tu eu des nouvelles d'Alan?

—Aucune. Je crois qu'il devait rentrer aujourd'hui, mais au fond je m'en moque. À mon avis, nous n'irons pas plus loin, lui et moi.

—Ça me navre. J'aurais trouvé formidable que nous soyons amoureuses et heureuses en même temps! Et puis, c'est un bel homme, vous alliez plutôt bien ensemble.

—Tu le trouves beau?

—Il a des yeux gris magnifiques, tellement clairs! Je l'avais remarqué à l'époque où il me soignait pour une carie. Je t'avoue lui avoir fait du charme, mais il m'a ignorée. Sur le coup, j'ai cru qu'il ne pouvait se permettre aucune familiarité vis-à-vis de ses patientes…

Avec un rire joyeux, elle prit le bras de Mahé et se serra contre elle.

—On gèle pour de bon!

Comme elles arrivaient devant la maison, Mahé lui proposa d'entrer.

—Viens finir l'après-midi chez moi, après on se fera une omelette si tu veux. Et tu me raconteras tout sur Jean-Marie… Mais loin des oreilles de papa, tu le connais…

—À propos…, commença Armelle en retenant sa compagne par la manche. Je sais que Jean-Marie a longtemps fantasmé sur toi.

—C'est du passé.

—Il a encore du mal à t'oublier, je le vois bien. Tu ne peux rien y faire, mais j'espère que ça lui passera.

—Évidemment! Si tu préfères, je peux me mettre un peu en retrait, je…

—Ne sois pas stupide. Tu as affaire à lui tous les jours, il faudra bien qu'il guérisse tout seul.

—C'est toi qui vas le guérir, Armelle. Pour la première fois il s'attache à quelqu'un, et bientôt je ne serai plus qu'un vieux souvenir pour lui.

—Pourvu que tu dises vrai…

En entrant dans le séjour, Mahé comprit tout de suite que quelque chose n'allait pas. La télévision fonctionnait sans le son, puis elle aperçut son père affalé sur le canapé. Sa tête pendait vers le sol.

*

À l'hôpital de Saint-Brieuc, Erwan se trouvait en réanimation, dans un état critique. Pris en charge par le Samu, il avait été rapidement transporté sans reprendre connaissance. Armelle n'avait pas voulu quitter Mahé, elles avaient suivi l'ambulance en voiture. La salle d'attente où on leur avait demandé de patienter était presque vide. Ici comme ailleurs, le 1er janvier était un jour calme.

— Y a-t-il de vrais cardiologues dans le service, chuchota Armelle, ou seulement des internes de garde? Être admis en urgence un jour férié, c'est la tuile!

Mahé, la tête dans les mains, se sentait accablée. Erwan était sa seule famille et elle avait très peur de le perdre. S'était-elle bien occupée de lui, ces dernières années? L'armement lui prenait tout son temps, peut-être l'avait-elle un peu négligé… Néanmoins, il n'avait jamais été seul, ainsi qu'il le redoutait. Il était resté dans sa maison, avait pu continuer à ronchonner et à se faire servir ses repas. En ne quittant pas le toit familial et en refusant l'idée même d'une maison de retraite, Mahé avait essayé de lui rendre tout ce qu'il lui avait donné durant son adolescence et sa jeunesse, du moins l'espérait-elle.

— Ne te fais aucun reproche, ajouta Armelle, qui l'observait. Même hier soir, tu ne l'as pas laissé. Depuis son premier AVC, ton attitude a été exemplaire.

— Si je n'étais pas sortie me promener aujourd'hui…

— Arrête! J'étais sûre que tu dirais ça! C'est idiot et tu le sais.

— Il n'a pas eu la force d'appeler les secours.

—Tu ne pouvais pas lui tenir la main vingt-quatre heures sur vingt-quatre. C'est la vie, Mahé, tu dois l'accepter.

—Et s'il ne se réveille pas ? S'il s'en va comme ça ?

—Nous n'aurons pas tous le temps de faire nos adieux. Ton père est en paix, c'est un emmerdeur mais il n'a jamais fait de tort à personne.

Le téléphone portable de Mahé vibra au fond de son sac, et elle l'éteignit sans même regarder qui cherchait à la joindre.

—Mademoiselle Landrieux ? appela un médecin depuis le seuil. Suivez-moi, s'il vous plaît.

Elle adressa un regard éperdu à Armelle, qui lui sourit bravement, puis se leva et rejoignit le médecin. Ils longèrent des couloirs en silence, accompagnés du seul crissement de leurs semelles sur le linoléum. Devant le hublot d'une porte, ils s'arrêtèrent enfin.

—Votre père a repris connaissance, mais je ne peux pas vous laisser d'espoir. Il a fait un infarctus massif, et l'évolution est défavorable. Son système cardiovasculaire était déjà en très mauvais état, nos efforts n'ont servi à rien. Je dois aussi vous avertir qu'il est très… confus. Il faut vous dépêcher de lui dire au revoir. Je suis vraiment désolé.

D'une main, il poussa la porte pour laisser entrer Mahé. Terrifiée, elle s'approcha du lit où Erwan était étendu, bardé d'électrodes et de tuyaux. Son teint était terreux et ses

yeux semblaient enfoncés. Il répétait obstiné-
ment le même mot, remuant la tête de façon
spasmodique.

—Autant… autant… autant…

—Papa?

Il cessa de bouger une seconde, regarda Mahé
sans la voir, comme s'il était aveugle.

—Papa, répéta-t-elle plus fermement.

La blouse fournie par l'hôpital dévoilait une
des épaules de son père, et elle posa la main
dessus.

—Ma… Autant, autant!

Il l'avait reconnue mais n'arrivait pas à parler,
seul ce mot se formait dans sa bouche. Une veine
gonfla près de sa tempe et ses mains se refer-
mèrent sur le drap comme des serres. Il voulait
dire quelque chose et s'étouffait de ne pas y
parvenir.

—Je suis là, papa, dit-elle en se penchant vers
son oreille.

Il finit par émettre une sorte de gargouillis où
elle crut reconnaître le prénom d'Yvon. Jamais
il ne s'était pardonné cet accident, elle le savait.
Pourquoi y pensait-il avant de mourir? Ce n'était
pas sa faute, il avait fait de son mieux!

—On va bien te soigner ici, réussit-elle à
murmurer.

Mentir lui était aussi difficile que se retenir
de pleurer. Son père était-il dupe? L'entendait-il
seulement? Il lâcha un très long soupir puis resta
immobile. Après une ou deux minutes, elle se
redressa. Elle regarda la cage thoracique qui ne

se soulevait plus, les yeux devenus fixes et sans expression.

— C'est fini, déclara doucement le médecin qui était resté derrière elle.

*

À Erquy, tout le monde connaissait Erwan Landrieux. La nouvelle de son décès se répandit en une journée, et les messages de sympathie adressés à Mahé se mirent à affluer. Enterrer son père la ramenait au deuil de sa mère et à la disparition d'Yvon, les deux drames qui l'avaient profondément marquée.

Le premier à se présenter chez elle le 2 janvier fut Jean-Marie. Si son aventure avec Armelle avait atténué son obsession pour Mahé, il n'était pas guéri pour autant, et la savoir dans un profond chagrin raviva ses sentiments. Il avait envie de la consoler, de la protéger, de lui faire comprendre qu'il serait toujours là pour elle. De plus, il devinait le problème auquel elle allait devoir faire face : jusqu'ici, même s'il était diminué, Erwan avait été une sorte de caution pour elle. Les marins la voyaient comme la fille d'Erwan, la petite Landrieux, et ils croyaient tous, à tort, que le père gardait un œil sur l'armement et participait aux décisions. Qu'il se soit mis en retrait depuis son AVC ne changeait rien à la certitude de chacun. Certes, Mahé parlait leur langage et s'y connaissait en matière de pêche ou de chalutiers, mais elle restait une gamine dans leur esprit.

—Tous les gars seront présents à l'enterrement, affirma-t-il. Profites-en pour leur annoncer que tu feras une réunion exceptionnelle dès le lendemain. Ce n'est pas le moment de te montrer faible ou perdue. Si tu veux, je te soutiendrai, je sais comment leur parler.

Malgré la peine qu'elle éprouvait, les propos de Jean-Marie parurent choquer Mahé.

—Je te remercie, mais ne t'en fais pas pour ça. Je les connais aussi bien que toi, je...

—Non. Désolé, mais non. Tu n'as pas idée de ce qu'on peut se dire, entre hommes, sur un bateau.

—Peu importe! L'essentiel pour vous est d'avoir un salaire correct à la fin du mois, des bâtiments en bon état, et aucun souci avec l'administration. C'est mon rôle, et je crois bien le tenir.

—Il va falloir que tu le leur prouves pour garder leur confiance. Ils sont tous persuadés qu'Erwan te guidait.

—Papa? Mon Dieu, le pauvre, il ne s'occupait plus de rien!

Elle était pâle, avait les yeux gonflés et semblait amaigrie. Il s'aperçut qu'il aurait donné n'importe quoi pour avoir le droit de la prendre dans ses bras. Être encore aussi touché par elle le fit se sentir malhonnête vis-à-vis d'Armelle, une impression qu'il détesta.

—Puis-je faire quoi que ce soit? ajouta-t-il.

—Non, je me débrouille. Armelle va venir dîner avec moi. Veux-tu te joindre à nous? Ça lui ferait plaisir... Elle m'apporte toute son aide et toute son amitié, mais je ne suis pas de très bonne compagnie en ce moment.

—Restez entre femmes, moi, je me lève tôt demain matin.

Mahé eut besoin de deux secondes de réflexion pour se souvenir de ce qui était inscrit sur le planning. Le *Jabadao* devait partir pour quarante-huit heures, mais il serait de retour au port pour l'enterrement.

Une fois seule, elle resta songeuse un moment, distraite de son deuil par les propos qu'ils venaient d'échanger. Même s'il était son meilleur capitaine, Jean-Marie ne devait pas s'octroyer trop d'importance. Il restait son employé, comme les autres marins, et elle n'avait aucune envie qu'il la prenne sous son aile ou lui suggère ses décisions. Et puis, il était aussi devenu le petit ami d'Armelle, ce qui empêchait Mahé de le tenir à distance. Plus grave, elle devinait qu'il éprouvait toujours une attirance pour elle, ce qui compliquait encore la situation. Se voir à trois, ne plus se voir, l'exclure quand elle voyait Armelle ?

Un coup bref fut frappé à la porte du bureau, et Bertrand, son marin le plus âgé, entra, sa casquette à la main.

—Je viens te faire une bise, Mahé. Et te dire que nous pensons tous à toi. Te voilà orpheline, c'est bien triste. Erwan a eu un autre problème cardiaque ?

—Oui, un infarctus massif. Les médecins n'ont rien pu faire.

—Faut croire que c'était son heure.

Il paraissait plus ému pour elle que pour son père. Pourtant, il était de la même génération qu'Erwan et avait beaucoup navigué avec lui.

— Tu continues la pêche ?

— Évidemment ! répliqua-t-elle, abasourdie par la question.

— Je te le demandais pour la forme, je connaissais la réponse. Tu aimes ça, on le sait, et tu t'en es bien sortie jusqu'ici. On s'en fait souvent la remarque entre nous, on n'est pas malheureux chez toi, petite !

De lui, qui l'avait connue enfant, elle voulut bien accepter ce terme et elle lui sourit.

— Alors d'après toi, Bertrand, personne ne va vouloir partir ?

— Pour aller où ? Il n'y a même pas une centaine de bateaux dans toute la flotte d'Erquy !

— Nous ne sommes pas le seul port de Bretagne, rappela-t-elle doucement.

— Mais la coquille, elle est ici, dans la baie. Elle a remplacé la praire et personne ne s'en plaint, hein ?

— En tout cas, pas moi. Une fois l'enterrement passé, je pense qu'il faudra nous réunir.

— On se voit une fois par semaine, rappela-t-il. Si tu veux prononcer un petit discours, fais-le à ce moment-là.

Elle comprit ce qu'il essayait de lui dire. Nul besoin d'une rencontre exceptionnelle, la vie de l'armement continuait sans heurt et n'était pas handicapée par la disparition d'Erwan. Devait-elle suivre le conseil de Jean-Marie ou celui de Bertrand ? Elle opta pour ce dernier, en raison de son expérience et de l'influence qu'il avait sur les autres marins.

Après son départ, elle reçut encore quelques appels de condoléances, et soudain elle vit le nom d'Alan s'afficher sur son écran. Elle hésita puis décrocha.

—Bonjour, belle Mahé! J'essaie de te joindre depuis hier, et je n'y arrivais pas. J'ai fini par croire que tu ne voulais pas me répondre. New York était magnifique sous la neige, j'ai regretté que tu ne sois pas venue avec moi. À chaque visite, j'ai le même éblouissement, c'est vraiment une ville fantastique, je suis sûr que tu l'adorerais!

Sa voix joyeuse correspondait si peu à l'état d'esprit de Mahé qu'elle ne sut que répondre.

—J'ai parlé de toi à mon frère, enchaîna-t-il. Il aurait aimé te connaître et il espère que ce sera pour une prochaine fois…

—Écoute, Alan, je ne pense pas…

—Tu n'accepteras *jamais* un petit voyage? Si c'est ton père qui te retient, on trouvera une solution. Il faut grandir un peu, tu sais!

Ulcérée, elle répliqua sèchement:

—Je me sens en pleine maturité, merci. Et si, au lieu de parler de toi, tu prenais d'abord de mes nouvelles, j'aurais l'occasion de t'apprendre que mon père est mort.

Il resta muet un moment avant de bredouiller:

—Je suis désolé, Mahé. Quand est-ce arrivé?

—Hier.

—Je ne sais pas quoi te dire. As-tu besoin de moi? Puis-je faire quelque chose?

La voix d'Alan débordait soudain de tendresse, mais elle refusa de se laisser émouvoir.

—Non, ça ira. Rappelle-moi dans quelques jours.

—Attends! Je vais venir à l'enterrement, je...

—Inutile, tu ne le connaissais pas.

Il y eut un nouveau silence avant qu'il reprenne, d'un ton mesuré cette fois:

—Comme tu voudras.

—À bientôt, murmura-t-elle en coupant la communication.

La gaieté d'Alan l'avait agacée, et cette façon péremptoire de lui suggérer de grandir l'avait profondément exaspérée. Néanmoins, elle se savait injuste. Pourquoi leurs échanges, au téléphone, se terminaient-ils toujours sur un malentendu? Certes, elle n'avait pas très envie de le voir pour l'instant, trop préoccupée et se sentant enlaidie par le chagrin, mais de façon contradictoire elle aurait aimé qu'il soit auprès d'elle. En ce qui concernait l'enterrement, elle n'avait pas menti, l'assemblée serait essentiellement constituée de pêcheurs, de gens simples qui pourraient s'étonner de la présence du docteur Kerguélen. Elle ne tenait pas à ce qu'on la voie s'appuyer sur l'épaule d'un homme, elle conduirait le cortège seule.

*

Après sa visite chez Mahé, Bertrand s'estimait rassuré. La *petite* était solide, il n'y aurait rien de changé. Pour sa part, il n'avait pas eu de craintes, il l'avait évaluée depuis longtemps, elle était d'une bonne trempe. Gamine, déjà, quand elle prenait la barre d'un chalutier, elle savait garder le cap, et même face à de fortes vagues elle riait aux éclats, les cheveux au vent. Elle avait la mer dans le sang, c'était de famille. Pendant longtemps, Erwan avait été un excellent marin, un homme fiable. Jusqu'à cette terrible nuit. Jamais Bertrand n'avait été totalement sûr de ce qu'il avait vu, ou cru voir, mais enfin... À travers la pluie diluvienne et les paquets de mer qui s'abattaient sur eux, troublant la vision, Bertrand avait pu se tromper. Ou pas. Pourtant, aujourd'hui encore, il aurait bien parié qu'Erwan regardait dans la direction d'Yvon à l'instant fatidique, juste avant que le chalutier ne vire si brutalement. Bertrand s'était retrouvé à plat ventre, accroché des deux mains au pied d'un des treuils. Jean-Marie était dans la cabine à ce moment-là, occupé avec la radio, lui n'avait assisté à rien.

Les heures suivantes, Bertrand s'était senti hagard, frappé de stupeur et déconnecté de la réalité. Ils tournaient en rond comme ils le pouvaient, tous les projecteurs allumés, mais qu'y avait-il à espérer ? Autour d'eux l'eau noire, l'écume, les vagues continuaient à se fracasser sur le pont. Une tempête de très sinistre mémoire. D'ailleurs, un autre accident avait eu lieu la même nuit, du côté de Saint-Malo, mais là, par miracle, le gars s'en était tiré.

L'orage de mer passé, Jean-Marie s'était mis à vomir comme un novice. Bertrand, lui, avait gardé les yeux rivés sur Erwan, et il avait compris. Jamais Erwan ne pourrait accuser la malchance ou les éléments déchaînés, sa tête ravagée était bien celle d'un coupable déjà bourrelé de remords tandis qu'il répétait : « Bon Dieu, ma fille… »

Bertrand avait gardé tout ça pour lui. Aux affaires maritimes, il avait donné la même version que les autres. De toute façon, il n'était pas certain à cent pour cent, même en ayant entendu Erwan et Yvon s'engueuler violemment avant que la mer ne commence à se creuser. L'histoire ne le concernait pas, et il n'était pas assez sûr de lui pour se prononcer. Pourtant, par la suite, il n'avait jamais plus regardé Erwan en face et, quand celui-ci avait fait son AVC, Bertrand s'était dit qu'il y avait une justice, divine ou pas. Hanté par le fantôme d'Yvon, rongé par l'expiation, le cœur d'Erwan l'avait puni.

Dix ans, déjà… Bertrand se demandait parfois s'il serait resté dans l'armement Landrieux sans l'accident de santé d'Erwan. Sans doute pas, car il ne voulait plus embarquer avec lui, et il lui aurait fallu expliquer pourquoi. Parachutée à la tête de l'affaire, Mahé lui avait paru une solution acceptable. Alors il avait fait la leçon à tous les gars : ne pas emmerder la petite, lui laisser le temps de faire ses preuves. Elle avait tenu le pari, et même fini par acheter de nouveaux bateaux ! Aujourd'hui, elle pleurait son père, et Bertrand ne chercherait pas à l'en empêcher. D'ailleurs, il n'avait pas de preuve, que des soupçons, et il ne mettrait pas ce poison dans la tête de Mahé. Qu'elle poursuive donc paisiblement son chemin, qu'elle continue d'aimer la mer et, au bénéfice du doute, la mémoire de son père.

*

Alan réprima un mouvement d'humeur et essaya de se concentrer. L'obturation des canaux d'une molaire demandait de la précision, une main sûre. Cependant, tout en travaillant, il ne pouvait s'empêcher de penser à la manière dont Mahé l'avait éconduit. Il n'était pas le bienvenu à l'enterrement et devrait attendre « quelques jours » avant de la rappeler ! Avait-elle pris la mouche à cause des plaisanteries – stupides, d'accord – qu'il faisait sur son père ? Il ne pouvait pas deviner ce décès brutal ! Décidément, elle avait trop mauvais caractère, jamais ils n'arriveraient à s'entendre. Dommage, car il avait beaucoup parlé d'elle à Ludovic, beaucoup trop, même, puisque son frère avait fini par se tordre de rire. D'accord, Alan était amoureux. Il ne pouvait plus ni le cacher ni se mentir à lui-même.

— Je prépare la pâte ? demanda Christine.

Elle avait parlé un peu fort, comme pour le tirer de ses pensées. Il acquiesça, raccrocha la turbine. Christine connaissait chacun de ses gestes, elle savait anticiper. Il la regarda mélanger la poudre sur une petite plaque de verre, puis il envoya de l'air dans la cavité de la dent pour la sécher. Travailler ne suffisait pas à le distraire, il revenait toujours à Mahé. Comme elle venait de perdre son père, il essaya de se souvenir de ce qu'il avait éprouvé à la mort du sien. Ludovic et

269

lui avaient surtout voulu préserver leur mère, mais à leur grande surprise elle s'était remise rapidement.

— J'ai presque fini, annonça-t-il à son patient.

Après avoir fait une radio de contrôle, qu'il jugea satisfaisante, il le libéra et, tandis que Christine le raccompagnait, il en profita pour entrer quelques données dans le dossier de l'ordinateur.

— Vous êtes bien distrait depuis votre retour ! lui lança-t-elle en revenant. C'est New York qui vous a rendu tout chose ?

— J'étais très bien là-bas. Vous devriez y aller, ça vaut la peine. Cela dit, je n'y vivrais pas.

— Vous êtes accroché à votre Bretagne, hein ? Eh bien, moi aussi ! Je ne m'imagine nulle part ailleurs.

Ludovic avait essayé, une fois de plus, de convaincre Alan de s'installer près de lui pour qu'il profite de sa famille et, pourquoi pas, pour qu'il fasse fortune. Mais, lorsqu'il avait compris que son frère avait enfin rencontré une femme qui comptait, il avait cessé d'insister.

— Madame Quentin s'est décommandée, annonça Christine. Elle trouve qu'il fait trop froid pour mettre le nez dehors.

— Les gens sont vraiment timorés, protesta-t-il.

— Facile à dire quand on roule dans un gros machin avec des pneus de camion !

— Il n'est pas à moi, vous le savez très bien. Je le rendrai à mes voisins dès qu'il ne gèlera plus. Et, pour les remercier, je vais leur faire une fleur sur la note des soins de la jeune fille.

Tous les membres de la famille étaient ses patients et, lorsqu'il parlait de rapporter le Free Lander, on lui répondait de le garder jusqu'au dégel.

—Quand j'ai acheté la maison, ces gens sont venus me souhaiter la bienvenue avec une gentillesse extraordinaire. Dès que j'ai besoin de quelque chose, ils sont là. Ils m'ont même ramené ma jument le jour où elle a sauté la clôture…

—Des Bretons pur jus, approuva Christine. Solidaires, butés, et fidèles en amitié. Pour la jeune fille, n'en faites pas trop, elle vous regarde déjà avec des yeux de merlan frit. L'image du père, sans doute?

Alan leva les yeux au ciel, mais Christine était observatrice et savait toujours le mettre en garde, surtout pour les dangers qu'il ne voyait pas venir.

—Je n'ai aucune attirance pour les minettes de cet âge-là, crut-il bon de préciser.

—Encore heureux!

—Mais j'aimerais vous poser une question: est-ce qu'une différence de dix ans représente un trop grand écart?

—Vous parlez d'une femme de trente ans, là, ou de cinquante?

—Christine…

—Oui, bon, une trentenaire, à la rigueur. Si vous voulez avoir des enfants un jour, ce serait même l'idéal. Mais pas davantage, hein? Au-delà, je vous traiterais de vieux cochon.

Il éclata de rire, peu soucieux qu'on l'entende depuis la salle d'attente.

—Je ne pourrais jamais travailler avec quelqu'un d'autre que vous, affirma-t-il en reprenant son sérieux. Vous allez me chercher le suivant? C'est une extraction de dent incluse. Et, comme elle se trouve tout près du nerf, il va falloir que nous soyons très attentifs.

Il gagna le lavabo pour se laver longuement les mains. Malgré les gants stériles, il veillait toujours à respecter une parfaite hygiène dans son cabinet. Accomplissant les gestes machinalement, ses pensées revinrent vers Mahé. À quel moment avait-il réalisé qu'il l'aimait? En la regardant dormir ou bien quelques jours plus tard, lors de ce réveillon de Noël chez ses amis? Ce soir-là, il avait renoncé à profiter de la conquête trop facile de sa voisine de table. Une belle femme, tout à fait charmante, qu'il aurait dû ramener chez lui car elle ne demandait que ça. Mais il ne l'avait pas fait, s'apercevant qu'il n'en avait pas envie. Dans son lit, il désirait Mahé, personne d'autre.

—Bonjour docteur, murmura son patient d'une voix faible.

Christine lui avait donné un médicament au moment de son arrivée, un sédatif léger mais nécessaire, car l'intervention serait longue et délicate. Alan lui adressa un sourire encourageant avant d'enfiler ses gants puis son masque.

*

Rozenn avait atteint son but : Yann était harponné. Il ne pouvait plus se passer d'elle la nuit, et à longueur de journée il lui jetait des regards gourmands. Le retour d'Arthur n'avait pas posé de problème car, à l'heure où Rozenn remontait, après son service, il était endormi depuis longtemps. Elle pouvait donc aller retrouver Yann dans sa chambre, un beau studio, en réalité, mis à sa disposition parce qu'il était maître d'hôtel. Rozenn s'y plaisait, elle disait en riant qu'elle s'y embourgeoisait.

Ayant pu éponger ses dettes grâce à l'argent de Mahé, elle se sentait plus insouciante. Elle n'avait pas l'intention de rembourser davantage que son premier versement symbolique, et elle estimait ne rien devoir à cette femme qui lui avait gâché la vie dix ans plus tôt. Malheureusement, Arthur parlait de Mahé avec un air béat tout à fait exaspérant. Il avait *adoré* son séjour là-bas, trouvé la maison *magnifique* alors qu'elle n'avait rien d'extraordinaire, prétendait avoir vécu un Noël *merveilleux*, avec un sapin *trop génial*... Bref, il avait découvert un autre monde, qui le séduisait beaucoup. Même le vieil Erwan avait obtenu grâce à ses yeux d'enfant! Pour Rozenn, cet enthousiasme était insupportable. Combien de fois avait-elle entendu, dans la bouche d'Yvon, des compliments au sujet de Mahé? Une femme qu'il voulait épouser à tout prix alors qu'Arthur venait de naître! Rozenn se souvenait d'avoir murmuré au-dessus du berceau: «Cette femme est une sorcière!» En toute logique, Arthur aurait dû la détester, au lieu de quoi il chantait ses louanges. Il racontait qu'elle l'avait emmené voir des bateaux! Bien sûr, il n'aimait pas ça, mais tout de même il y en avait de jolis, peints en rouge cerise et bleu canard. Rozenn l'avait grondé et Arthur s'était mis à pleurer, comme un idiot. Yann avait fini par intervenir en disant à Rozenn de foutre un peu la paix au gosse. Elle n'avait pas protesté, estimant qu'il s'agissait d'une preuve d'affection, ou au moins d'intérêt de la part de son compagnon. Toutefois, si le mouflet s'imaginait retourner passer des vacances chez Mahé, il se trompait. Rozenn était bien décidée à convaincre Yann de l'épouser sans tarder, quitte à lui faire un enfant dans la foulée, pour se l'attacher définitivement, mais cette fois elle attendrait d'avoir la bague au doigt. Pour Arthur, avoir un petit frère ou une petite sœur serait salutaire. S'il restait fils unique il allait devenir difficile. Rozenn se voyait déjà à la tête d'un petit hôtel-restaurant dont elle serait la patronne, et d'une famille recomposée par sa seule volonté. Si elle y parvenait, quelle réussite, quelle revanche sur le sort qui n'avait pas été tendre avec elle! En tout cas, elle ne laisserait pas Arthur et ses jérémiades se mettre en travers de son chemin. Il avait tout à y gagner, il comprendrait vite où était son intérêt.

— Tu veux pas jouer avec moi? demanda-t-il d'une voix pleine d'espoir.

Depuis une heure, il faisait tourner cette foutue voiture radiocommandée dans la chambre, et Rozenn enrageait. En avant, en arrière, à droite, à gauche, la mini-Porsche contournait les meubles, évitait les murs.

— Non, chéri, je voudrais plutôt que tu arrêtes ce truc.

—J'ai jamais eu un jouet aussi fantastique! hurla-t-il.

—Baisse d'un ton, Arthur, on n'est pas seuls au monde. Je te l'ai déjà dit, il y a des clients dans l'hôtel.

En réalité, les chambres de l'étage du dessous n'étaient pas occupées. La morte-saison laissait l'hôtel aux trois quarts vide et il n'y avait plus beaucoup de travail, presque pas de pourboires.

—Tu n'aimes pas ta boîte de jeux? demanda-t-elle d'une voix contrariée. Je l'avais choisie exprès pour toi!

Le petit garçon leva les yeux sur elle, hésita, puis hocha la tête.

—Si, si, je l'aime. Tu veux faire une partie de dames?

Et voilà, elle avait gagné, à la place de sa sieste elle allait devoir bouger des pions sur des carrés sans y prendre le moindre plaisir.

—Pas maintenant, plaida-t-elle. Je suis crevée.

Entre ses nuits passionnées avec Yann et son boulot, elle ne dormait pas assez et avait tout le temps sommeil. Vivement que l'école reprenne, qu'elle puisse avoir droit à de vraies pauses! Enjambant la voiture qui continuait à zigzaguer, elle alla chercher la boîte sur la commode. Qu'Arthur préfère le cadeau de Mahé la vexait, quant au chien en peluche offert par une inconnue, elle le trouvait laid.

—Allez, je sors le jeu, soupira-t-elle.

Elle s'occupait mal d'Arthur, elle en avait vaguement conscience, mais elle s'accordait des excuses. Dans la vie qu'elle se préparait, il aurait une meilleure place, un peu plus d'attention, et un vrai beau-père, dont il pourrait être fier. Levant les yeux vers le miroir de poche accroché à la poignée de la fenêtre, elle s'observa sans complaisance. Il était vraiment temps qu'elle se case, les rides commençaient à marquer ses traits.

— Tu l'aimes bien, Yann? demanda-t-elle en se retournant.

Absorbé par la conduite de sa Porsche, Arthur ne répondit pas.

*

L'église Saint-Pierre-et-Saint-Paul était comble. Tous ceux qui avaient connu Erwan de près ou de loin s'étaient libérés pour l'enterrement, la plupart des marins ayant même sacrifié une matinée de pêche. Mahé avait choisi un mardi, évitant le lundi et le mercredi, jours autorisés pour la coquille Saint-Jacques, car ces quarante-cinq minutes réglementées, deux fois par semaine, restaient sacrées.

Bien qu'ayant été éconduit par Mahé, Alan se glissa au dernier rang. Il avait lu l'avis dans la presse locale et s'était débrouillé pour se libérer. Garé rue de l'Horizon-Bleu, il avait parcouru le reste du chemin à pied, le long d'étroites ruelles pavées. L'église étant cernée de constructions, il s'était repéré grâce au clocher de grès rose, et en arrivant sur la place, il avait été frappé par l'affluence. Erwan Landrieux, juste aperçu un soir sur le trottoir, était-il un personnage si important?

276

La solidarité du monde de la mer n'était pas un vain mot, la multitude de visages graves en attestait, et les Landrieux étaient pêcheurs de père en fils depuis plusieurs générations.

Coincé contre un pilier, il apercevait Mahé de dos. Elle portait un manteau bleu marine, des bottes, et un foulard cachait ses cheveux. À la position un peu affaissée de ses épaules, il pouvait deviner son chagrin. N'ayant pas d'autre famille que son père, elle se retrouvait seule. Ému pour elle, Alan se demanda s'il devait l'approcher à la fin de la cérémonie. Il voulait l'embrasser, lui faire savoir qu'il était là pour elle, malgré tout, et s'il n'était pas le bienvenu il s'effacerait.

Comme il était entré parmi les derniers, lorsque vint le moment des condoléances il mit du temps à remonter la nef avant d'arriver près d'elle. Pour se distraire, il s'absorba dans la contemplation des vitraux, qui étaient magnifiques. Autour de lui, les gens se parlaient à voix basse, curieux de savoir pourquoi Erwan n'avait pas souhaité être incinéré afin que ses cendres soient dispersées en mer. D'après sa fille, sa volonté expresse avait toujours été de reposer au cimetière, auprès de son épouse. En tant que mari, c'était compréhensible, en tant que marin, cela semblait moins évident.

Mahé se tenait dos à l'autel pour recevoir les témoignages de sympathie et, en approchant, Alan découvrit son visage chiffonné de tristesse. Il eut envie de bousculer les gens pour aller la prendre dans ses bras, mais c'était évidemment hors de question. Au côté de la jeune femme se trouvait un homme brun qu'Alan reconnut pour l'avoir rencontré un soir sur le seuil du pub *La Belle Époque*, à Lamballe. Il se souvenait de son nom, Jean-Marie, un des capitaines de pêche qu'employait Mahé. Le meilleur, d'après elle, et qui était à l'évidence amoureux d'elle, Alan l'avait compris sur-le-champ. Leur relation avait dû évoluer ces derniers temps, car Jean-Marie se tenait tout près d'elle, semblant la protéger de sa haute taille et de son regard farouche. Son attitude n'était pas celle d'un grand frère, ni d'un ami, plutôt d'un amant. Alan éprouva une aversion immédiate à son égard. Était-ce lui, l'explication de la froideur de Mahé? Ce type avait le même âge qu'elle, il était viril, séduisant, devait savoir parler de mer et de bateaux.

Alan laissa passer deux ou trois personnes devant lui pour pouvoir continuer à observer sans se montrer. Mahé était toute pâle, elle semblait prête à se trouver mal, et Jean-Marie passa un bras autour de ses épaules. Penché vers elle, il la regardait avec une telle adoration qu'Alan en fut glacé. Quittant la file, il fit demi-tour afin de ne pas en voir davantage. Il remonta l'allée jusqu'à la sortie, émergea sur la place. Où et quand avait-il commis une erreur avec Mahé? Comment avait-il pu être assez maladroit pour laisser passer sa chance? Il n'avait pas rêvé, ensemble ils avaient eu de bons moments, qui auraient pu être les prémices d'une véritable histoire. C'est lui qui aurait dû être à la place de

278

ce Jean-Marie, au lieu d'occuper le rôle d'intrus dans cette église.

Il suivit la rue Clemenceau, puis la rue Notre-Dame, et se retrouva devant le Free Lander garé rue de l'Horizon-Bleu. Son horizon à lui était totalement bouché par le beau ténébreux détestable qui protégeait Mahé. L'idée que cet homme puisse poser ses mains sur elle le rendait fou. Depuis quand n'avait-il pas subi un tel accès de jalousie? Mais il n'avait pas d'autre choix que se taire, s'en aller. Mahé avait-elle un cœur d'artichaut? Il n'était parti que cinq jours, d'ailleurs c'était elle qui avait refusé de l'accompagner à New York, et pendant ce temps elle en avait profité pour jeter son dévolu sur Jean-Marie? Ou alors, désemparée par le décès brutal de son père, elle avait cédé à l'amoureux transi prêt à la consoler?

Sur le point de monter en voiture, il se ravisa. Il lui fallait une confirmation de ce qu'il avait vu. Ce petit monde allait se rendre au cimetière, il n'avait qu'à y aller aussi. Il demanda son chemin à un passant qui lui indiqua la direction puis ajouta, à sa grande surprise:

— C'est pour l'enterrement de Landrieux? Un brave homme courageux, hein?

Alan acquiesça et s'éloigna en hâte. Décidément, Erwan était populaire à Erquy! Et, vu le nombre de gens qui avaient envahi l'église, il pouvait espérer passer inaperçu au cimetière.

Au bout de la rue Castelnau, en effet, il y avait foule. Il franchit la grille et prit une autre allée pour s'écarter du cortège. De loin, il vit Mahé, toujours flanquée de Jean-Marie. Celui-ci se tenait à côté d'elle, à peine en retrait, avec la même expression protectrice exaspérante. Il y avait aussi une jeune femme près d'elle, sans doute une amie, qu'il crut reconnaître comme l'une de ses patientes, soignée quelques mois plus tôt.

L'ordonnateur des pompes funèbres tendit une rose rouge à Mahé, qui avança d'un pas, suivie de près par le très collant Jean-Marie. Elle jeta la rose sur le cercueil, se retourna et tomba dans les bras secourables de son capitaine. En même temps qu'une bouffée de rage, Alan éprouva un complet découragement. Il quitta son poste d'observation et longea les pierres tombales jusqu'à la grille. Quelle idée de venir espionner Mahé! Si quelqu'un avait remarqué sa présence et la lui signalait, il aurait l'air d'un idiot. Sa place n'était pas ici, il avait perdu son temps, et aussi tout espoir. Pourquoi s'était-il laissé prendre au piège, lui qui se méfiait tellement? Il avait juré de ne plus s'attacher et de ne plus se rendre malheureux pour une femme, néanmoins, c'était encore arrivé. Furieux contre lui-même, il s'éloigna du cimetière à grands pas.

*

Par respect des traditions, Mahé avait organisé une petite collation chez elle après l'enterrement. Elle offrit à boire, se laissa embrasser par chacun, remercia, mais elle s'arrangea pour écourter au mieux ce moment pénible.

—Le week-end prochain, je t'aiderai à trier les affaires de ton père, proposa Armelle. Donne tout au Secours populaire et fais repeindre sa chambre.

— Elle en a bien besoin, admit Mahé. Papa ne voulait toucher à rien, en souvenir de maman.

— Raison de plus pour te débarrasser de cette ambiance délétère.

Efficace, Jean-Marie était en train de ranger les verres sales dans le lave-vaisselle. Mahé aurait voulu lui parler, mais pas en présence d'Armelle. À l'église comme au cimetière, elle l'avait trouvé trop présent, trop proche d'elle. Elle s'était sentie mal à l'aise mais incapable de repousser sa gentillesse. Ce que les gens avaient pu en penser ne la préoccupait guère, cependant elle ne voulait pas que ses marins interprètent mal ce débordement d'affection. Et Armelle non plus! Pendant toute la messe, Jean-Marie avait délaissé, ignoré sa compagne, pour jouer les anges gardiens alors que personne ne le lui demandait.

— Tout à l'heure, à l'entrée du cimetière, sais-tu qui j'ai cru apercevoir? glissa Armelle à Mahé. Alan Kerguélen...

— Ça m'étonnerait, je lui avais conseillé de s'abstenir.

— Eh bien, il est passé outre! Tu sais que j'ai une vue d'aigle, en mer je me sers rarement de jumelles...

— Alors pourquoi n'est-il pas venu me voir?

— Mystère. La timidité, peut-être?

Mahé eut un petit rire tant le mot semblait peu adapté à Alan.

— Non, il est du genre à ne douter de rien. Je pencherais plutôt pour de la curiosité mal placée.

Armelle lui jeta un regard intrigué mais ne fit pas de commentaire.

—Si vous n'avez plus besoin de moi, les filles, je vais vous laisser, annonça Jean-Marie. J'embarque tout à l'heure et je dois faire mon sac.

—Va avec lui, suggéra Mahé à Armelle.

—J'ai très peu de temps, protesta-t-il, ne vous occupez pas de moi.

Il leur adressa un petit signe de la main et se dépêcha de sortir. Consternée, Mahé se tourna vers Armelle, qui faisait une drôle de tête.

—Il aimait bien papa, dit-elle pour l'excuser. L'enterrement l'a secoué.

—Tu crois? À mon avis, ce qui le perturbe, c'est qu'il a du mal à liquider ses sentiments pour toi. Je sais qu'il ne t'intéresse pas, que tu ne l'encourages pas, pourtant il va devoir régler son problème car il est... blessant pour moi.

—Oh, Armelle, je suis désolée!

—Tu n'y peux rien. Et ne me dis pas que tu vas l'éviter, ce ne serait pas une solution. Quand il est avec moi, il ne pense pas à toi, c'est déjà ça, mais je veux qu'il arrive à te regarder comme une amie et rien d'autre.

—Il y parviendra, j'en suis persuadée. Chaque jour il s'attache à toi davantage, mais avec son caractère entier il ne te le dira que lorsqu'il sera totalement sûr de lui. Il faut qu'il se débarrasse de ses vieux démons!

—Tu n'as pas l'allure d'un vieux démon, dit Armelle en souriant.

Elles échangèrent un regard chargé d'affection. Que leur amitié puisse résister à une situation aussi ambiguë prouvait sa réconfortante solidité.

—Sans toi, je me sentirais bien seule, murmura Mahé.

—Eh bien, tu ne l'es pas! Veux-tu que je reste avec toi ce soir? La maison va te sembler vide.

—Je dois m'y habituer, et le bruit de la télé ne me manquera pas!

Elle regarda autour d'elle, soupira.

—Si ton offre tient toujours pour ce week-end, il y aura du boulot... Je crois que je vais tout changer ici.

—Donc tu gardes la maison?

—Je ne sais pas encore. J'y suis née, mais je n'y ai pas que des souvenirs heureux. Si je décidais de bouger, il faudrait de toute façon que j'aie un bureau proche du port. J'y réfléchirai plus tard, en attendant il faut rendre le décor un peu plus gai.

Armelle jeta un coup d'œil à sa montre, puis elle s'assit pour retirer ses bottes à talons en déclarant:

—On n'a qu'à commencer maintenant.

Mahé n'hésita qu'une seconde avant d'enlever les siennes.

*

Jean-Marie boucla son sac, sûr de n'avoir rien oublié. Il l'avait si souvent fait et défait depuis dix ans qu'il savait exactement de quoi il avait besoin. La perspective de prendre la mer l'apaisait car il avait très mal vécu cette journée. Il s'en voulait d'avoir cédé à l'impulsion de veiller sur Mahé. La sentir près de lui, la consoler, être important pour elle, secourable et protecteur, lui était monté à la tête. C'était une sorte de revanche prise sur toutes ces années durant lesquelles il n'avait pas osé l'approcher, lui parler tant il était paralysé devant elle. Aujourd'hui, parce qu'elle était perdue, elle l'avait laissé agir comme il l'entendait, alors il n'avait pas pu s'empêcher d'en profiter. Quel crétin! Armelle n'avait fait aucune réflexion, pourtant elle devait avoir de la peine. En se comportant ainsi, il la mettait entre le marteau et l'enclume, la rendant jalouse de sa meilleure amie. Or Armelle était une femme merveilleuse, bien moins futile qu'il ne l'avait cru au début, il le découvrait peu à peu. Et ce n'était plus seulement du désir qu'il éprouvait pour elle, il commençait à être amoureux pour de bon. Contrairement à celles qui l'avaient précédée, il ne s'était pas lassé d'elle en deux fois et, quand il lui faisait l'amour, il ne pensait pas à Mahé. Armelle était en train de le *guérir* de Mahé, il aurait mieux fait de s'occuper d'elle au lieu de se prendre pour le chevalier servant de Mahé! Qui, d'ailleurs, n'en avait pas besoin. Elle était forte, elle surmonterait le deuil de son père comme elle avait surmonté, enfant, celui de sa mère, et plus tard celui d'Yvon. Mahé avançait dans l'existence avec la détermination d'une battante, il l'admirait pour cela et pour bien d'autres choses, mais il réalisait enfin qu'il n'y avait pas de place pour lui à côté d'elle. Ce matin, il avait usurpé le rôle de protecteur en vain.

D'un regard circulaire, il vérifia que tout était en ordre dans sa maison. Le *Jabadao* l'attendait au port, et Christophe devait déjà être à bord, impatient de larguer les amarres et de gagner le large. Sur le point d'éteindre la lumière, Jean-Marie suspendit son geste et attrapa son téléphone portable. Il écrivit un long texto à Armelle, se laissant aller pour la première fois à être sentimental.

9

Rozenn n'en revenait pas : elle avait gagné ! Yann lui avait fait sa demande, certes pas avec un genou à terre et la main sur le cœur, mais il lui avait bel et bien proposé le mariage. Elle attendait ça depuis si longtemps ! Depuis qu'Yvon, dix ans auparavant, l'avait humiliée en lui expliquant qu'il allait en épouser une autre, bébé ou pas. Yvon était ambitieux, elle l'avait aimé pour cette raison aussi, mais sa soif de réussite passait par la jolie Mahé, qui pouvait lui permettre d'obtenir un jour la place qu'il guignait, celle de *patron* pêcheur. Il était donc déterminé à laisser Rozenn sur le bord du chemin, son nouveau-né dans les bras. Eh bien, il en avait été puni ! Désormais, grâce à Yann, elle allait pouvoir oublier cette histoire.

À peine Yann s'était-il engagé que Rozenn avait fantasmé sur la noce. Elle se voyait dans une robe blanche à volants, une couronne de fleurs sur la tête, ou peut-être un diadème ? Yann l'avait calmée en lui expliquant que ses économies devaient leur servir à s'établir, pas à faire la fête. Toutefois, il lui avait gentiment alloué un petit budget pour une jolie robe, à condition qu'elle ne soit pas blanche. Yann était un catholique convaincu, pratiquant occasionnel mais attaché aux traditions. Il y aurait donc une messe de mariage, avant un simple déjeuner pour la famille et quelques amis. Enfin, sa famille à lui, car Rozenn n'avait pas l'intention de renouer avec ses propres parents.

Alors qu'elle le pressait de fixer la date, il avait émis un désir assez stupéfiant : qu'Arthur soit baptisé d'ici là. Puisque le garçon allait devenir son beau-fils et serait le demi-frère de ses enfants à venir, il devait recevoir le sacrement qui le laverait du péché originel, ainsi n'y aurait-il pas de différences dans la future fratrie. Rozenn était tombée des nues mais n'avait pas voulu le contrarier ; elle s'était empressée d'inscrire Arthur au catéchisme. Dès lors, enchanté par la bonne volonté de sa compagne, Yann lui avait dit qu'il choisirait le parrain, et qu'elle n'aurait qu'à choisir la marraine.

Évidemment, Rozenn ne voyait personne à qui demander un truc pareil. Les bondieuseries de Yann ne la dérangeaient pas, mais elle n'avait pas d'amis, pas de proches, et ne tenait pas à ce que son futur mari s'aperçoive qu'elle était seule au monde. Il en aurait déduit qu'elle s'accrochait à lui comme à une planche de salut. Face à ses hésitations, il lui suggéra la « copine » qui avait gardé Arthur pour les fêtes. Mahé ? L'idée parut délirante à Rozenn, cependant elle n'en avait pas d'autre et le temps pressait. Contenter Yann était essentiel, et elle ne voulait aucune ombre au tableau, rien qui mette en péril ce mariage inespéré.

À la mi-février aurait lieu la fermeture annuelle de l'hôtel-restaurant où ils travaillaient, ils pourraient donc profiter de leurs vacances pour tout organiser, le baptême et les noces. Ensuite, Yann envisageait de faire la saison d'été, la plus lucrative, avant de prospecter pour trouver une petite affaire. L'avenir était trop radieux pour le gâcher faute d'une marraine convenable.

*

— Tu passes tes journées à manger des caramels ? plaisanta Alan.

Il se sentait nerveux, maladroit, ce qui ne lui arrivait jamais dans son cabinet. En découvrant le nom de Landrieux sur son agenda, il avait eu un choc, mais c'était Christine qui avait noté le rendez-vous, et il ne pouvait pas le lui reprocher.

Penché au-dessus de Mahé, il examina la carie d'un œil critique.

— Tu as eu raison de venir avant que ça s'aggrave. Est-ce que c'est sensible si je projette un peu d'air froid ?

Mahé sursauta puis hocha vigoureusement la tête.

— Très bien, je vais te faire une petite anesthésie…

Elle le regarda d'un air terrifié, comme si elle était prête à s'enfuir. Ses yeux bleu-vert, rivés sur lui, étaient vraiment magnifiques.

— Tu n'auras pas mal, je te le promets.

Il l'avait dit avec une telle douceur que Christine lui jeta un coup d'œil intrigué en lui tendant la seringue. Mahé ferma les yeux quand l'aiguille toucha sa gencive mais elle ne bougea pas.

— On va attendre un peu, le temps que ça fasse effet.

Se redressant, il fit signe à Christine qu'il n'avait plus besoin d'elle pour le moment. Lorsqu'elle fut sortie, il baissa son masque et s'écarta du fauteuil.

— Je ne voulais pas venir, murmura Mahé, mais ça devenait insupportable quand je mangeais.

— Il faut soigner ces trucs-là à temps, tu as pris une sage décision.

— Je ne connais pas d'autre dentiste, et ils me font tous peur, ajouta-t-elle d'une voix pâteuse.

— Ne parle pas trop. Pourquoi serais-tu allée chez un confrère? Tu n'as plus confiance en moi? Non, ne me réponds pas, laisse le produit se diffuser.

Il fit quelques pas, revint vers elle.

— Je n'en aurai pas pour longtemps. Si tu sens quoi que ce soit, lève la main mais ne gigote pas, d'accord? Vas-y, ouvre la bouche.

Après avoir mis l'aspirateur en place, il décrocha la turbine. Durant quelques minutes, il travailla de manière détachée, s'efforçant d'oublier qu'il s'agissait de Mahé pour ne plus voir qu'une dent. Lorsqu'il eut terminé, il l'aida à se relever et ils se retrouvèrent face-à-face.

— Tout va bien? réussit-il à demander.

—Oui, merci. Tu as la main légère, je m'en souvenais.

—Tu ne te souviens de rien d'autre?

—Si. Que tu devais m'appeler.

—Oh, je t'en prie! Tu ne le souhaitais pas, j'ai bien compris.

—Mais non, je…

—Sans cette carie, tu ne m'aurais jamais donné de nouvelles. Bon, c'est ton droit, je ne discute pas. Sur un plan professionnel, tu pourras toujours compter sur moi. Pour le reste, je crois que tu as ce qu'il te faut.

Il n'avait pas pu s'empêcher de le dire et il le regretta aussitôt. Le visage de Mahé parut se fermer. Elle posa un doigt sur sa lèvre, là où elle devait ressentir des picotements.

—Désolé, soupira-t-il. Je ne vais pas te faire une scène de jalousie ici.

—Ni ici ni ailleurs, répliqua-t-elle sèchement. Alors, c'était vrai, tu es venu m'espionner le jour de l'enterrement de mon père?

—Quel grand mot! Je ne t'espionnais pas, j'étais allé là-bas pour te dire… enfin, ce qu'on dit dans ces cas-là. Je ne voulais pas que tu me croies indifférent ou que tu te sentes seule. Mais tu ne l'étais pas, ton Jean-Marie veillait farouchement sur toi.

—Ce n'est pas «mon» Jean-Marie. Il sort avec ma meilleure amie.

—Vraiment? Écoute, Mahé, je ne suis pas aveugle et pas assez naïf pour croire ça. Ou alors, vous formez un ménage à trois!

Il eut le tort de ponctuer son propos d'un petit rire désabusé.

— Tu es trop con, laissa tomber Mahé.

Elle avait beau avoir une joue gonflée et une articulation approximative, la manière dont elle le regarda lui fit honte.

— Envoie-moi tes honoraires, je ne reste pas une seconde de plus, ajouta-t-elle en se détournant.

— Attends! Ce que je viens de dire est stupide, d'accord. Je suis jaloux, et il y a si longtemps que ça ne m'était pas arrivé que je ne sais plus comment y faire face.

Il voulut la prendre par le bras mais elle le repoussa et sortit sans se retourner, le laissant dépité. Après avoir proclamé qu'il ne se livrerait pas à une scène de jalousie, il s'était jeté dedans tête baissée! Pourquoi avait-il évoqué Jean-Marie? Cela l'avait instantanément rendu hargneux... Quoi qu'il en soit, la réponse de Mahé n'avait pas de sens, ce type était son petit copain, pas celui d'une autre, ça crevait les yeux!

— Avez-vous un souci? demanda Christine qui venait d'entrer d'un pas hésitant dans le cabinet. Mlle Landrieux est partie en claquant la porte.

— Oui, soupira-t-il, c'est ma faute.

— Vous lui avez fait mal? s'étonna-t-elle.

— Pas du tout.

— Oh, je vois! C'est... personnel?

— Disons que ça l'était.

—Avec cette *jeune* femme, docteur? Une de vos *patientes*? Vous êtes libre de vos actes, mais…

—Rassurez-vous, je suis tout à fait libre, à présent.

Elle le considéra en silence avant d'esquisser un sourire.

—Amoureux, on dirait!

—Malheureux, aussi. Elle doit partager votre opinion, elle a préféré quelqu'un de son âge.

—Allons, je plaisantais, vous n'êtes pas si vieux que ça, vous pourriez quasiment être mon fils.

—Cela ne nous rajeunit pas… ni l'un ni l'autre.

Le sourire de Christine s'accentua, puis elle désigna le plateau, devant le fauteuil.

—Vous avez mis un de ces désordres!

Il eut un geste d'excuse et alla s'asseoir à son bureau tandis que Christine entreprenait de ranger. S'il avait su que Mahé devait venir au cabinet, il aurait mieux préparé la rencontre. Depuis l'enterrement d'Erwan, il n'avait pas cessé de penser à elle, de façon obsessionnelle. Que pouvait-il inventer pour la reconquérir? Était-il seulement en mesure de rivaliser avec ce Jean-Marie? Deux ou trois nuits pesaient peu face à des années de complicité. «Mon meilleur capitaine.» Avec quelle intonation avait-elle dit cela en le présentant à Alan devant *La Belle Époque*? La mort brutale d'Erwan avait dû les rapprocher encore, et de toute façon ils travaillaient ensemble chaque jour, partageaient l'amour de la pêche et les mêmes soucis. Alan n'avait aucune chance, le mieux qu'il puisse faire était de cesser de se ridiculiser.

*

Mahé arriva chez elle de très mauvaise humeur. Elle s'était rendue au cabinet d'Alan à contrecœur, espérant qu'il n'interpréterait pas sa venue comme un prétexte pour le voir. Pourtant, au fond d'elle-même, elle n'avait pas été mécontente de devoir prendre rendez-vous avec lui. Certes, elle avait *vraiment* mal à la dent, mais elle avait surtout souhaité que leur rencontre dissipe enfin tous les malentendus. Le but n'était pas atteint, au contraire. Tout ça parce qu'il était stupidement jaloux, et parce que l'attitude excessive de Jean-Marie avait pu lui faire croire n'importe quoi.

En garant son vieux break, elle vit Rozenn qui attendait devant la grille. Encore elle ? Ah, ce n'était pas le jour !

— Comment ça va ? s'écria Rozenn en venant vers elle.

Raide, Mahé se laissa embrasser tandis que l'autre enchaînait, volubile :

— J'ai une nouvelle fantastique à vous annoncer : je me marie ! Dément, non ? Il s'appelle Yann, il est maître d'hôtel, et nous avons plein de projets !

— Félicitations, dit froidement Mahé. Est-ce qu'Arthur est content ?

—Il est aux anges! Il va avoir un beau-père et une famille, que demander de plus? Le pauvre chéri était plutôt seul, ça le changera. Et je vais le faire baptiser. Ça, ça le changera aussi. Je ne m'en étais pas souciée jusque-là, seulement Yann y tient. Il est catholique, mais attention, pas bigot, hein? Juste catho, pour se prémunir du mauvais sort.

—C'est une façon de voir les choses, ironisa Mahé.

—Comme on dit, si ça ne fait pas de bien, ça ne peut pas faire de mal. Bref, Yann s'occupe de trouver le parrain, et moi la marraine. Alors, j'ai pensé…

Elle s'interrompit, remonta frileusement le col de son blouson et regarda vers la maison.

—On ne pourrait pas entrer pour discuter?

—Discuter de quoi, Rozenn?

Mahé avait compris, mais elle trouvait l'idée si inconcevable qu'elle préférait l'entendre.

—Écoutez, Yann en fait une condition. Le baptême du petit d'abord, le mariage après. Il faut que j'y arrive, et je ne connais personne d'autre. Enfin, pas quelqu'un de bien. Vous, vous conviendriez parfaitement.

—C'est non.

—Pourquoi? Arthur vous connaît, il vous aime bien.

Après l'avoir dévisagée, Mahé laissa tomber:

—Il fait froid. Venez avec moi, je vais vous expliquer.

Elle poussa la grille, précédant Rozenn. Une fois à l'intérieur, elle ne proposa pas d'aller s'asseoir dans le séjour et resta debout près de la porte.

—Je suis désolée, Rozenn, je dois refuser. Arthur est un très gentil petit garçon, et je me réjouis qu'il ait une vie meilleure dans l'avenir. Mais je ne serai pas sa marraine. Je n'ai pas l'intention de continuer à le voir, ni à vous voir vous. Nous ne sommes pas des amies. Je vous ai dépannée, dans l'urgence…

—Vous l'avez fait en souvenir d'Yvon!

—Je n'ai pas que de bons souvenirs de lui, je n'ai pas de raison d'honorer sa mémoire. Je préfère l'oublier. Oublier sa disparition tragique comme ses mensonges ignobles.

—Mais ce serait juste une demi-heure à l'église! Après, basta!

—Non. Ne baptisez pas Arthur à la sauvette, avec des gens qui s'en foutent. Il mérite mieux que ça.

—Ben si ça continue il n'aura rien du tout, et moi non plus!

Mahé secoua la tête, à bout de patience.

—Où êtes-vous allée chercher que je devais absolument vous aider, *moi*, dès que vous avez un problème d'argent, de garde, de parrainage!

—Parce que je vous ai rendu un fier service, vous venez de le dire. Sans moi, vous étiez dans le désespoir. Quand je suis venue vous trouver, avec l'acte de naissance d'Arthur, ça vous a permis de détester Yvon au lieu de pleurer sur sa mort, et ça vous a bien soulagée.

Après quelques instants de silence, Mahé rouvrit la porte.

—Allez-vous-en.

—Mais…

—Dehors.

—Vous ne pouvez pas me laisser tomber!

—Oh que si! Vous ne faites pas partie de ma vie, vivez la vôtre et bonne chance.

Mahé poussa Rozenn à l'extérieur et referma aussitôt. Elle s'adossa au battant, reprit son souffle. Cette femme n'était pas seulement écervelée, elle était perverse. Malheureux Arthur! En réalité, Mahé aurait aimé pouvoir garder un œil sur lui, de loin, et peut-être lui donner un petit coup de pouce de temps en temps, dans la mesure de ses moyens. Mais Rozenn empêchait tout rapprochement. Lui laisser entrevoir la moindre faille aurait condamné Mahé à la subir pour le restant de ses jours. Elle espéra de tout son cœur que Yann, le maître d'hôtel, serait un gentil beau-père pour cet enfant. Son désir, certes arbitraire, de le voir baptisé, prouvait au moins qu'il se souciait de son sort. Et Rozenn, une fois « casée », deviendrait peut-être une meilleure mère?

Mahé traversa le séjour, s'arrêta au milieu. Avec Armelle, elles avaient bien travaillé pendant plusieurs week-ends, jetant des tas de papiers, décrochant les rideaux, roulant les tapis, bourrant le break de vieilleries bonnes pour la décharge. Jusque-là, toutes les tentatives de Mahé pour modifier le décor s'étaient heurtées aux refus réitérés de son père. Il s'accrochait au souvenir de son épouse et redoutait le moindre changement. Au fil des années, Mahé s'en était désintéressée, d'ailleurs elle passait l'essentiel de son temps dans le bureau de l'armement ou dans sa chambre. Mais, à présent, elle voyait les choses autrement. Ayant pris conscience de la vétusté du mobilier et de la morosité de l'ambiance, elle n'avait pas hésité à se débarrasser de tout ce qui l'encombrait ou lui déplaisait. Désormais, le séjour semblait plus grand, plus clair et plus accueillant. Mahé allait pouvoir recevoir chez elle au lieu de toujours inviter ses amis au restaurant. Elle aurait même une chambre où faire dormir ceux qui auraient trop bu ! Une chambre pour les visiteurs, qui aurait aussi pu servir au petit Arthur dans certaines occasions…

Non. Pas question de revenir sur une décision qui, finalement, lui coûtait, mais était la plus sage. S'attacher malgré elle à ce petit garçon et se mettre à la merci des sautes d'humeur de cette folle de Rozenn serait dangereux pour tout le monde, elle le savait. Avoir résisté était une preuve de maturité, elle devait s'y tenir.

Elle gagna la cuisine, fouilla dans les placards pour trouver une plaque de chocolat dont elle grignota quelques carrés. Très bien, le sucre ne la faisait plus souffrir au contact de sa dent, Alan l'avait soulagée. Mais l'avoir revu la perturbait. Elle n'était pas indifférente à ses yeux gris, à sa voix grave, à ses mains douces. Si seulement il avait été moins caractériel ! Enfin, le mot était fort… Leurs personnalités s'affrontaient, ils ne parvenaient pas à se comprendre. Tout comme elle, il était bardé de défenses et refusait de se livrer. Les déceptions et les épreuves traversées l'avaient rendu méfiant, il voulait rester à l'abri des sentiments pour conserver son indépendance. Il n'était donc sans doute pas prêt à laisser une femme occuper une grande place dans sa vie. Or Mahé n'avait plus envie d'aventures légères. Avec la mort de son père, une page s'était tournée.

—Oh, papa..., murmura-t-elle en jetant un regard vers la table de la cuisine.

Combien de fois lui avait-elle préparé ses repas ? Adolescente, elle tenait à la fois le rôle de la fille et de la maîtresse de maison. Du fils qu'il n'avait pas eu, aussi, quand il lui parlait d'égal à égal de ses bateaux. Il lui avait appris la mer, la seule chose qu'il connaissait et pouvait transmettre. Elle s'était prise au jeu, consentante et déjà passionnée par la pêche. Négligeant ses études, avec la bénédiction muette d'Erwan, elle avait accepté de s'engager dans la voie tracée par lui. Mais, après son AVC, il n'avait plus été en mesure de l'aider. Tout le poids de l'armement et celui d'un père diminué était venu s'abattre sur ses épaules de jeune femme. Coincée dans la servitude d'une cohabitation pesante, elle n'avait plus pensé qu'à ne pas démériter. L'achat du *Jabadao* avait été un grand moment de satisfaction. Elle était devenue un vrai patron de pêche, réussissant à se maintenir malgré toutes les crises qu'avait connues ce secteur en difficulté. Aujourd'hui, elle désirait davantage. Une vraie vie de femme, une famille à elle. Or, quelle que soit son attirance pour Alan, l'avenir qu'elle souhaitait ne passait sûrement pas par lui.

*

Armelle avait déverrouillé puis soulevé le panneau du cockpit, et ils étaient descendus par l'échelle.

— Tu ne le découvres pas sous son meilleur jour! s'exclama-t-elle. Mais tu peux constater que le carré est vaste… Tu as vu la kitchenette? Et j'ai même des toilettes!

Jean-Marie regarda autour de lui avec intérêt. Visiter un voilier était nouveau pour lui, il ne connaissait pas de plaisanciers.

— Je l'ai acheté d'occasion à un passionné qui l'avait bichonné et pas mal amélioré. C'est un Dufour 31, il mesure neuf mètres quarante-cinq. Évidemment, sans ses voiles, il est moins beau.

— Non, il est superbe!

— Il y a une autre cabine à l'arrière. Petite, mais avec deux couchettes.

— Donc, on peut embarquer à quatre?

— Quand je trouve les volontaires! Avec un vent fort, il devient rapide et nerveux, ce n'est pas forcément rassurant. C'est un gréement sloop en tête, facile à mettre en œuvre, mais j'ai changé le foc pour un génois. Et j'ai aussi repeint la coque en bleu nuit. J'adore m'occuper de lui, vivement le printemps…

— Mais toi, voulut-il savoir, tu n'as jamais peur?

300

—Je navigue depuis mon enfance. Mes parents étaient fous de voile, ils m'ont donné le virus.

—Où sont-ils aujourd'hui?

—Dans le Midi, à Hyères. Ils en avaient assez du mauvais temps, ils ont choisi le soleil et le calme plat. Sauf que les eaux de la Méditerranée sont traîtres, on ne peut pas s'y fier!

Jean-Marie s'assit prudemment sur une des banquettes, devant la table repliée.

—Et tes instruments?

—Rangés pour l'instant, mais bien moins sophistiqués que les tiens, je suppose.

Elle vint s'asseoir à côté de lui, posa la tête sur son épaule.

—Je suis contente de te le montrer, c'est ce que je possède de plus précieux.

Il lui releva doucement le menton pour l'embrasser et ils restèrent un moment enlacés.

—Tu m'emmèneras en balade le mois prochain, quand tu l'auras réarmé. J'ai hâte de te voir à la barre!

—Tu seras étonné, prédit-elle.

—Mais n'entreprends pas de grandes virées toute seule, ou je vais me faire du souci.

—Quand elle est libre, Mahé m'accompagne.

—Je sais. Elle en parle avec exaltation.

Jean-Marie avait passé une main sous le pull d'Armelle, mais elle lui prit le poignet pour l'empêcher d'aller plus loin.

—À propos de Mahé, je voudrais que tu saches quelque chose…

Elle le sentit se crisper mais poursuivit, imperturbable:

301

— Je ne suis pas jalouse d'elle. D'abord, ce n'est pas dans ma nature, et notre amitié est sacrée, pour elle comme pour moi.

— Je n'y pense plus, dit-il tout bas. Je te le jure.

— Ne fais pas de serment, surtout si tu ne peux pas le respecter.

— Armelle!

— Tu comprends, je refuse d'être un lot de consolation, un second choix. Tu es trop important pour moi, je ne m'en contenterai pas.

Elle s'en voulut parce que sa voix avait tremblé sur les derniers mots. Elle qui avait toujours tenu la dragée haute à ses amants, se retrouvait démunie devant cet homme. Il libéra son poignet, baissa le pull et la prit par les épaules pour la regarder en face.

— Et toi, tu es trop importante pour que je te mente, dit-il lentement. J'ai été dingue de Mahé, je ne te l'ai pas caché, mais c'était une chimère dans ma tête, un truc platonique, une obsession de jeunesse. Aucune des femmes que je rencontrais ne lui arrivait à la cheville, je m'entêtais à ne voir qu'elle. Et puis, un jour, toi... Avec toi, il s'est passé quelque chose qui a tout changé. Pas au début, mais c'est arrivé. Je ne suis pas très démonstratif, je sais, mais je ne t'ai jamais, tu m'entends, jamais, considérée comme un lot de consolation! Si tu tiens à moi, j'estime avoir beaucoup de chance. Et j'espère qu'on ira loin tous les deux. Ça me plairait bien.

Pour lui, c'était une très longue déclaration, à laquelle Armelle ne s'attendait pas. Elle se serait contentée de moins et se sentit bouleversée. Elle reprit sa main, la glissa elle-même sous le pull.

— Tu veux faire l'amour ? chuchota-t-elle.

— Maintenant ? Mais, Armelle, je ne suis pas repassé chez moi, je n'ai pas encore pris ma douche, je sens la sueur et le poisson !

— Mon voilier sent le gasoil et le moisi.

Il la scruta pour s'assurer qu'elle ne plaisantait pas, puis se leva pour aller rabattre le panneau du cockpit. Éclairé seulement par les hublots, le carré fut plongé dans la pénombre.

— Tu n'as jamais fait l'amour sur un bateau ? dit-elle en lui tendant les bras.

— Non, bien sûr ! Avec qui veux-tu ?

Il la rejoignit, encore hésitant, presque intimidé. Lorsqu'il enleva son col roulé et son tee-shirt d'un seul geste, elle le trouva incroyablement séduisant.

*

Alan venait d'accomplir un long temps de galop. Il remit Patouresse au pas et lui rendit les rênes. Enfin il faisait moins froid, toute la neige avait fondu, l'hiver lâchait prise. D'ici quelques semaines, la forêt changerait d'apparence et les balades à cheval redeviendraient son plus grand plaisir.

Pour rentrer, il emprunta d'étroits sentiers qu'il avait appris à connaître. Il y apercevait souvent du gibier, parfois même un renard et, immanquablement, avec un sourire attendri, il repensait aux vieilles légendes bretonnes que sa mère lui lisait dans son enfance. Aujourd'hui, elle faisait la lecture à ses petits-enfants, ou bien elle racontait de mémoire. À New York, Alan l'avait trouvée dans une forme éblouissante. D'après Ludovic, elle avait un soupirant, avec lequel elle sortait juste pour le plaisir de porter une nouvelle robe ou de tester une nouvelle coiffure. Elle s'amusait, déclarant qu'à soixante ans passés elle profitait enfin de la vie.

En somme, Alan parcourait le chemin inverse de sa mère. Il avait eu son lot de futilités, de sorties et de nouvelles tenues avec Mélanie. Une vie trépidante, pas d'enfants qui auraient pu freiner leur activité. Mélanie prétendait essayer d'en avoir, mais elle cachait mal ses plaquettes de pilules contraceptives. Pourquoi mentir puisqu'il n'exigeait rien? Le besoin de dissimulation et d'affabulation de Mélanie aurait dû l'alerter, mais il était trop pris par son cabinet, il n'avait pas réagi à temps. Du coup, elle l'avait mis sur la paille. Était-ce si grave? Il avait su repartir, recommencer. Au fond, Mélanie n'avait pas beaucoup compté. Leur divorce était un souvenir vexant mais pas très encombrant, alors que la mort tragique de Louise l'avait profondément marqué et qu'il pensait encore à elle avec douleur, la plaie n'ayant jamais cicatrisé.

Patouresse fit un écart tandis qu'un lièvre détalait devant elle. Alan rassembla les rênes et la remit droite, lui tapotant joyeusement l'encolure.

— Trouillarde!

Pat l'obligeait à rester attentif. Se promener à cheval demandait plus de vigilance qu'à vélo, c'était tout l'intérêt d'être en compagnie d'un être vivant. Il leva les yeux vers les cimes des arbres, observa le ciel laiteux puis découvrit que les bourgeons faisaient leur apparition. Il se sentait bien, assez heureux pour décider qu'il n'allait pas lâcher l'affaire avec Mahé. Cette femme lui plaisait tellement qu'il eut la certitude de ne pas s'être suffisamment battu pour la conquérir. S'il ratait sa chance, peut-être n'en aurait-il pas d'autre.

*

Yann estimait qu'il devait avoir une petite conversation avec Arthur. Il allait devenir son beau-père, ce n'était pas rien, or il connaissait à peine ce gamin avec qui il cohabiterait dans un proche avenir. Rozenn l'avait toujours mis de côté, en retrait, et elle ne parlait pas beaucoup de lui. Était-ce un enfant difficile ? Inadapté ? Probablement trop solitaire, mais Yann espérait que ça ne durerait pas, que bientôt Rozenn mettrait en route un bébé, raison principale de leur mariage.

Il emmena donc le petit garçon à *L'Ascot*, un bar du boulevard Clemenceau où l'on trouvait des billards, des jeux électroniques et même des fléchettes. Après avoir commandé des chocolats chauds et des croissants, il lui posa quelques questions sur l'école, sans grand succès, puis il en vint à l'essentiel.

—Est-ce que tu es content que j'épouse ta mère, ou bien ça t'embête? Tu peux me répondre franchement, personne ne te grondera.

Arthur le contempla un moment d'un air intrigué. Sans doute n'avait-il pas l'habitude qu'on lui demande son avis.

—Ça m'embête pas, finit-il par lâcher.

—Bon. Il ne faut pas avoir peur de moi, je ne suis pas méchant.

—Oui…

—Jusqu'ici, tu étais seul avec ta maman, maintenant on va vivre tous les trois. Et tu auras peut-être un jour des frères et sœurs.

—Pas possible.

—Pourquoi?

—Mon papa est mort.

Déstabilisé, Yann sourit nerveusement.

—Disons, des demi-frères ou sœurs. Mais c'est pareil.

—Ah bon?

—Je t'assure. Nous formerons une famille. Et, vois-tu, je suis content de te compter bientôt dans ma famille. Tu seras l'aîné, c'est une situation enviable.

—Ils seront trop petits pour jouer avec moi, marmonna Arthur d'un ton boudeur.

—Mais non! C'est très mignon, un bébé, et ça grandit vite.

—Je sais pas.

Le garçon mordit dans son deuxième croissant avec une inquiétante voracité, lorgnant la corbeille. Yann en profita pour enchaîner :

—Quand ma dernière sœur est née, j'avais neuf ans, et j'ai adoré m'occuper d'elle. Tu verras bien si ça te plaît. En attendant, je pourrai t'apprendre des trucs amusants puisque ton papa n'est plus là pour le faire.

—Comme quoi?

—Pêcher, faire des randonnées à vélo, utiliser un ordinateur, nager…

—J'aime pas l'eau.

Les efforts de Yann se heurtaient à un mur. Cependant Arthur ne manifestait pas d'hostilité, seulement une sorte d'indifférence au sort qui l'attendait. Rozenn n'avait pas fait assez attention à lui, pauvre gosse! Mais elle s'était démenée pour gagner sa vie, elle avait dû se débrouiller seule et on ne pouvait pas la blâmer. Évidemment, il allait falloir que les choses changent. Yann modifia sa tactique et demanda, avec un grand sourire encourageant:

—Qu'est-ce que tu veux faire, plus tard?

—Quand je serai grand?

—Oui.

—Je serai marin, tiens!

—Marin?

—Marin pêcheur, comme mon père.

—Voyons, tu viens de dire que tu n'aimes pas l'eau…

—Ça fait rien, je serai marin quand même.

Une lueur s'était allumée dans son regard d'enfant. Livrait-il son secret? Faisait-il de la provocation?

—N'en parle pas à ta mère, suggéra Yann qui perdait pied.

—Ben non! Mais j'irai au lycée maritime de Saint-Malo.

—Qui t'en a parlé?

—Personne. J'ai écouté des grands.

—Tu sais, ce n'est pas un métier facile. Heureusement, tu as le temps d'y réfléchir.

—J'irai à Saint-Malo, répéta Arthur d'un ton buté. Et après, chez la dame.

—Qui donc?

—Mahé.

—L'amie de ta mère, à Erquy?

—Oui.

Dépassé par ce qu'il entendait, Yann resta silencieux. Son chocolat était froid, il n'en avait plus envie. Arthur voulait être marin, alors qu'il détestait la mer et les bateaux, dont Rozenn lui avait appris à avoir peur à force de rappeler la noyade de son père. Et voilà qu'il parlait d'un air béat de cette femme, Mahé, qui avait pourtant refusé d'être sa marraine. Yann avait trouvé quelqu'un d'autre pour tenir ce rôle, sa sœur cadette, tout en regrettant que Rozenn ne choisisse pas une de ses amies.

—Bon, finit-il par dire, si tu veux un conseil, garde tes projets pour toi. De toute façon, quand tu seras grand, tu feras ce que tu voudras.

—Marin! s'entêta Arthur.

Son regard s'embuait, les larmes n'étaient pas loin. Maladroitement, Yann lui tapota la main.

—D'accord, d'accord. Mais d'ici là, que ça reste entre toi et moi. Un secret d'hommes. Qu'en penses-tu?

Le visage du gamin s'éclaira, et Yann sut qu'il venait de marquer un point. Cet enfant avait besoin d'un modèle, d'une complicité masculine, bref de quelqu'un d'autre que sa mère pour trouver ses repères. Yann voulait bien être celui-là, ou au moins essayer. Cela ferait sans doute passer aux oubliettes l'idée de devenir marin pêcheur. Dans tous les cas, Rozenn devait l'ignorer, sinon elle ferait la guerre à son fils. Or Yann souhaitait un foyer serein. Il avait une affaire à mettre sur pied, et pas le temps de se consacrer à des caprices.

— Tope-là, petit, dit-il en tendant sa paume ouverte à Arthur.

*

Mahé quitta la capitainerie avec une boule d'angoisse dans la gorge. Le *Jabadao* restait injoignable, il ne répondait pas. D'après la feuille de route de Jean-Marie, il ne devait pas être loin de sa zone de pêche, à condition qu'il n'ait pas eu d'avarie. Ou pire. Mais elle se raccrochait à l'espoir que ce soit encore cette foutue radio, qui avait déjà fait des siennes. À toutes fins utiles, elle avait appelé le *Tam bara* et le *Korrigan*. Avec un peu de chance, eux seraient assez près pour se servir des téléphones portables, qui captaient ou pas, selon les emplacements des antennes relais sur les côtes.

Elle s'attarda le long du quai, scrutant inutilement l'horizon, puis finit par rentrer chez elle pour y attendre des nouvelles. Pas question que les ennuis s'accumulent à nouveau, elle avait eu sa part! Pour tromper son impatience, elle se plongea dans la comptabilité. Comme souvent, elle était juste à l'équilibre. Des réparations ou des renouvellements d'équipement pourraient la mettre en difficulté. Toutefois elle ne tergiversait jamais sur la sécurité, quels que soient ses problèmes de trésorerie. Cela lui permettait d'affronter sereinement les visites inopinées des contrôleurs des Affaires maritimes. Mais si par malheur son père avait eu raison en lui prédisant qu'elle avait les yeux plus gros que le ventre? Elle se rappela l'expression, qui lui arracha un sourire amer. Avec son caractère entêté de Breton, son égoïsme dû à l'âge et à la détérioration de son état de santé, ses exigences et ses manies, Erwan lui manquait tout de même. Depuis sa mort, elle éprouvait un sentiment d'abandon et de solitude qu'elle supportait mal. Malgré l'affection d'Armelle et les marques de sympathie de ses amis, malgré le salutaire changement de décor de la maison, elle errait le soir de pièce en pièce, la tête pleine de questions sans réponses. Dans son entourage, les couples s'étaient formés, les bébés étaient nés, chacun semblait avoir trouvé son destin. Et elle?

Son téléphone portable, qu'elle avait posé sur le bureau à côté du poste fixe, se mit à sonner et elle se jeta dessus. La communication était très mauvaise mais elle reconnut la voix de Christophe, qui hurlait que tout allait bien et qu'ils faisaient route vers le port. Le jeune homme s'était offert pour Noël, en y mettant sa paye et sa prime, un téléphone haut de gamme qui savait tout faire, surtout capter les ondes des antennes relais les plus éloignées. Elle raccrocha avec un immense soulagement. Ses hommes et son bâtiment rentraient, il n'y avait rien de plus à demander au bon Dieu et à ses saints.

— Jean-Marie, je vais vous tuer, toi et ton technicien radio à la noix! dit-elle au téléphone éteint.

Christophe n'ayant pas donné leur position, elle ignorait l'heure de leur retour, sinon elle serait allée se poster sur le quai. «Tout va bien» ne signifiait pas grand-chose. Hormis la radio en panne, le chalutier avait-il eu un souci? Elle rappela la capitainerie pour qu'on l'avertisse de l'approche de son bateau dès qu'il serait en vue. Ensuite, elle sortit dans le petit jardin et alla s'asseoir sur le muret, dos à la rue. Dans l'air léger, on percevait le printemps tout proche. Le long de la maison, les rosiers d'Erwan étaient chargés de boutons. S'en occuper avait été l'une de ses seules distractions, même s'il les taillait parfois sans discernement. Il affirmait que, de toute façon, étant à l'origine de simples ronces, les rosiers repartaient toujours avec vigueur. Une année, après avoir vu les hortensias de Jean-Marie, il avait essayé d'en planter lui aussi, mais sans succès. Elle se fit la promesse de bientôt porter sur sa tombe un superbe hortensia bleu, et un rose pour sa mère puisqu'ils reposaient tous deux sous la même dalle.

La sonnerie du téléphone la tira de sa mélancolie, et elle se précipita dans le bureau. Il ne s'agissait pas de l'arrivée du *Jabadao*, c'était Alan.

— Comment vas-tu, tête de pioche ? attaqua-t-il d'une voix joyeuse.

Déçue de ne pas recevoir des nouvelles de son bateau, elle répliqua :

— Oh, tu ne savais pas à qui adresser tes compliments aujourd'hui ?

— J'ai mis beaucoup de tendresse dans ce qualificatif.

— Écoute, je ne peux pas rester longtemps en ligne, j'attends un appel important.

— Le mien l'est aussi, protesta-t-il. Tu as quitté le cabinet sur les chapeaux de roue l'autre jour, sans fixer de rendez-vous, or tu n'as qu'un pansement provisoire sur ta carie.

— Ça peut attendre quelques jours, non ?

— Oui...

— Très bien. Je joindrai ton assistante, promis.

— Il y a autre chose.

— Quoi ? demanda-t-elle avec impatience.

— Quel jour viens-tu dîner à la maison ? Il y a trop longtemps que je ne t'ai pas vue.

— Si c'est pour me resservir tes élucubrations au sujet de Jean-Marie, je n'y tiens pas.

— Je suis désolé. C'était idiot, j'en conviens.

Malgré ses réticences, elle se sentit fondre. La voix d'Alan était émouvante, chaleureuse, et la perspective d'une soirée avec lui ne la laissait pas indifférente. Machinalement, elle jeta un coup d'œil à son agenda, mais bien sûr la plupart de ses dîners étaient libres. Prenant une inspiration, elle allait proposer une date lorsqu'elle entendit le bip d'un double appel.

—On cherche à me joindre, dit-elle précipitamment. Je te rappelle plus tard!

Elle prit l'autre interlocuteur, qui lui annonça que le *Jabadao* allait se présenter à l'entrée du port. Se levant d'un bond, elle ramassa son sac et fila.

*

—Je n'ai aucune raison de continuer à me ridiculiser, fulmina Alan.

Face à lui, sur l'écran, Ludovic conservait un sourire ironique qui l'exaspéra.

—Et tu n'es pas obligé de te foutre de moi en prime!

—C'est toi qui appelles, pour te plaindre, fit remarquer son frère. Je ne fais que t'écouter.

—Me *plaindre*? Je dis seulement qu'elle me rend fou!

—Tu es très touché, tu sais... Très amoureux. Maman sera désespérée en l'apprenant.

—Ne le lui dis pas. Ne faites aucun commentaire dans mon dos.

—Trop tard. Tu as parlé de ta dulcinée quand tu es venu nous voir, et depuis elle est dévorée par la curiosité. Elle a très peur que tu fasses encore un mauvais choix.

—Je n'ai rien choisi du tout, ça m'est tombé dessus par surprise. Et puis vous exagérez, il m'est aussi arrivé d'avoir la main heureuse. Louise était un ange.

L'expression de Ludovic se transforma radicalement.

— Bien sûr, petit frère, bien sûr… Elle était géniale ! Est-ce que tu penses encore à elle ?

— De temps en temps, avoua Alan. Parfois, une femme aperçue dans la rue me la rappelle.

— Est-ce que cette Mahé lui ressemble ?

— Pas du tout. Ni à Louise, ni à Mélanie. Mahé est à part.

— D'après ce que je comprends, elle est surtout hors de ta portée ! Alors, quoi, tu ne sais plus séduire ? À ta décharge, je suppose que la conversation avec un « patron de pêche » n'est pas évidente.

— Ça, je peux y arriver. En revanche, lui donner rendez-vous est un parcours du combattant. Elle fuit comme une anguille, elle a autre chose à faire ou bien elle est de mauvaise humeur parce que j'ai dit un truc qui ne lui a pas plu.

— Si elle te tient à cœur, insiste. Quand je l'ai rencontrée, Linda m'a fait tourner en bourrique, mais j'ai tenu bon et je ne le regrette pas ! Maintenant, pour être franc, tu es devenu un peu trop indépendant, un peu… ours. N'importe quelle femme peut deviner que tu ne veux pas te laisser envahir, que la séduction n'est qu'un sport pour toi. Le côté célibataire endurci n'est pas glamour.

— Amoureux transi non plus ! Enfin, pas à mon âge.

— Il faut savoir ce que tu veux et t'en donner les moyens.

Ludovic tourna la tête à droite et à gauche, comme s'il voulait vérifier qu'il était bien seul dans son bureau. Faisant de nouveau face à l'écran, il chuchota :

—Les femmes détestent n'être que le «coup» d'une nuit.

—Pourquoi ? Elles ont le droit d'en profiter aussi. On nous parle assez de l'égalité des sexes !

—Ne rêve pas. Elles sont d'indécrottables romantiques.

Alan éclata de rire et répliqua :

—N'essaie pas de te cacher de Linda. Je lui répéterai ce que tu viens de me dire, elle va adorer l'élégance de l'adjectif. En attendant, je vais me coucher, ici il est minuit.

—Tu ne veux pas parler à maman ?

—Pas ce soir.

—Lâche…

—Ta leçon de morale m'a suffi.

—Sérieusement, Alan, accroche-toi. Une belle histoire, crois-moi, ça ne se rate pas.

Ils échangèrent un dernier sourire, puis le visage de Ludovic disparut. Alan ferma son ordinateur portable, le posa à côté du lit. La petite chatte blanche avait sauté sur la couette et s'était lovée contre ses jambes tandis qu'il parlait à son frère. En général, elle préférait le gros fauteuil club au cuir patiné, à moins qu'elle ne vadrouille dans l'obscurité de la maison. Avait-elle un soudain besoin de réconfort ou était-ce lui qu'elle sentait mal dans sa peau ? Mahé ne l'avait pas rappelé, ils demeuraient dans un sempiternel malentendu. La poursuivre demain sur le port ou du côté de la halle à marée pourrait passer pour du harcèlement, néanmoins son envie de la voir devenait lancinante, avec des pics aigus pires qu'une rage de dents.

—Je suis pathétique, dit-il à la chatte.

D'un geste rageur, il éteignit, sachant d'avance qu'il aurait du mal à trouver le sommeil. Aussi infantile qu'un collégien, il était allé deux ou trois fois à Erquy, se donnant le prétexte de boire une bière face à la mer, mais en réalité dans l'espoir d'apercevoir Mahé ou de tomber sur elle « par hasard ». En fait de hasard, il avait croisé Jean-Marie, et celui-ci enlaçait sa jolie blonde, cette ancienne patiente qu'Alan avait aperçue à l'église le jour de l'enterrement d'Erwan. Était-ce la meilleure amie de Mahé ? En tout cas, ces deux-là n'avaient pas l'air de se cacher, ils affichaient leur bonheur, et les soupçons d'Alan devenaient ridicules. Pendant l'enterrement, cet homme n'avait fait que soutenir Mahé, l'entourer d'affection. Au lieu de se dissimuler au fond du cimetière, Alan aurait été mieux inspiré d'aller l'embrasser. Que devait-elle penser de lui ? Comment aurait-elle pu avoir confiance ? Il ne savait décidément plus s'y prendre avec les femmes, son frère avait raison.

Il se tourna et se retourna longtemps, envisageant tous les scénarios possibles, toutes les ruses. Mais il ne souhaitait pas piéger Mahé, il voulait lui plaire et la retenir. La rendre amoureuse autant qu'il l'était lui-même. N'être pour elle qu'un amant de passage lui semblait inacceptable. L'ironie du sort lui faisait espérer d'elle le contraire de ce qu'il avait demandé aux autres femmes. À présent, il ne se sentait plus léger et désinvolte comme il avait pu l'être depuis quelques années. Là, il était sérieux. Sérieux, mais en échec.

Se redressant, il ralluma. La chatte ne dormait pas non plus, elle l'observait de ses yeux jaunes. Autour de la maison, le vent s'était levé et s'immisçait sous les portes, faisant grincer les gonds des volets. Une branche d'arbre vint frapper les carreaux d'une fenêtre. Les mêmes rafales soufflaient-elles sur Erquy? Si Mahé ne dormait pas non plus, elle devait s'inquiéter pour ses bateaux en mer. Maintenant que son père n'était plus là, elle se retrouvait seule dans sa maison. Comme lui.

Il finit par s'endormir en pensant à elle, un vague sourire aux lèvres, et sans avoir eu le temps d'éteindre.

10

—Il me fait de la place dans ses tiroirs…, répéta Armelle pour la troisième fois.

Rayonnante, elle semblait sur un nuage.

—Tu aurais dû l'entendre! Il m'a proposé ça d'un air bougon, en me regardant par en dessous, tout timide, craquant!

—Tu vas aller vivre avec lui? s'étonna Mahé.

Que Jean-Marie ait pu proposer à Armelle de partager sa maison, ne serait-ce que de temps à autre, était assez stupéfiant.

—Quand je dors chez lui, je n'ai rien pour me changer, et s'il vient chez moi il n'est pas à l'aise. Tu connais son sens de l'ordre, sa maniaquerie. Je vais chambouler tout ça! Avec moi, il va perdre un peu de sa raideur pour gagner en fantaisie, je t'en fais le pari.

—N'essaye pas de le changer, plaida Mahé. Souviens-toi que tu en es tombée amoureuse tel qu'il est.

Les sourcils froncés, Armelle la scruta.

—Ce que tu viens de dire est très sensé, je vais tâcher de m'en souvenir.

Installées dans le bureau vitré d'Armelle à la banque, dont elles avaient soigneusement fermé la porte, elles parlaient de tout autre chose que d'argent.

—De la place dans ses tiroirs pour mes petites culottes... Ah, je n'en reviens pas! Bon, et toi? Rien de nouveau avec Alan?

—Il m'exaspère et je ne le comprends pas. J'ai rendez-vous à son cabinet tout à l'heure, et j'y vais en traînant les pieds. Je crois qu'il aimerait s'offrir une autre bonne soirée avec moi, mais après, je n'aurai plus de nouvelles pendant des jours et des jours. Je ne vois pas les choses de la même façon.

—Remarque, bien s'entendre au lit, c'est capital. Et quand je dis «lit», c'est une façon de parler. Figure-toi que... oh, ça reste entre nous, mais j'ai emmené Jean-Marie sur mon bateau pour une petite visite, et je peux t'assurer qu'une couchette de voilier fait très bien l'affaire!

Mahé se mit à rire, amusée par ce qu'Armelle obtenait du taciturne Jean-Marie.

—Tu as raison, tu lui apportes un brin de fantaisie, apprécia-t-elle.

Armelle jeta un coup d'œil à la pendule murale et sursauta.

—Déjà? Nous sommes trop bavardes, chérie. Il faut qu'on discute un peu de tes comptes.

Elle tapota le dossier Landrieux posé devant elle.

—Côté professionnel, tu t'en tires à peu près. Disons, plutôt mieux que certains de tes confrères dont nous gérons les affaires. Tu n'as pas de gros soucis de trésorerie, mais pas beaucoup de marge de manœuvre non plus. En ce qui concerne tes dépenses d'équipement prévues pour le *Jabadao*, je te conseille de prendre un crédit.

—J'en ai déjà, et je déteste ça. Tu cherches à me vendre un de tes trucs au taux usurier ?

—Tu sais bien que non. Pas à toi. Je ne mélange pas le boulot et l'amitié, même si, en effet, je suis tenue de vendre un maximum de «trucs» qui profitent à la banque. Mais tu as presque fini de payer ce bateau, ce ne serait un effort que de quelques mois.

—Des mois difficiles. La pêche de la coquille va s'arrêter fin mars, or c'est ce qui rapporte le plus. D'un autre côté, je veux que le *Jabadao* reste performant. Lui peut aller en haute mer, j'en ai besoin.

—Si tu payes tout cash, tu vas te mettre à zéro et tu seras à la merci d'un imprévu.

—À ce moment-là, je prendrai un crédit, ironisa Mahé.

—Tu es têtue, hein ? D'accord, je n'insiste pas. Maintenant, parlons de ta situation personnelle. Côté épargne : néant. Et ton compte courant est débiteur. Ton père ne t'a laissé aucun héritage ?

—Non, il ne possédait rien, il se contentait de sa petite retraite qui ne pesait pas lourd. Pour la maison, il m'en avait fait donation à ma majorité, elle est à moi.

—Bon, et c'est quoi cet énorme chèque que tu as émis le mois dernier ?

Elle désignait un chiffre qu'elle avait entouré sur l'un des relevés.

—L'enterrement.

—Oh, bien sûr... Désolée de te poser toutes ces questions. C'est ruineux de perdre quelqu'un!

—Oui, ils y vont fort, mais je voulais un beau cercueil. Papa attachait de l'importance à ces choses-là.

Armelle eut un sourire attendri, puis elle se racla la gorge, fit tinter ses bracelets, toussota.

—Qu'est-ce que tu n'arrives pas à me dire? s'enquit Mahé.

—Je ne veux pas être indiscrète, mais je me demandais si cette Rozenn de malheur t'avait rendu ton fric.

—N'y pense même pas. Je lui en fais grâce à condition de ne plus la voir.

—Tu es bien généreuse...

—On ne peut pas tondre un œuf. Elle n'aura jamais trois sous devant elle, en tout cas pas pour moi. D'ailleurs, elle se marie. Bon vent!

—Tout ça ne me dit pas ce que tu comptes faire pour te renflouer un peu.

—Augmente le plafond de mon découvert.

—Tu parles d'une solution!

—Je n'ai plus de grosses dépenses en vue.

—Encore heureux.

—J'attends même un remboursement pour mes frais dentaires.

—D'accord, d'accord, céda Armelle en levant les mains. Je ferme les yeux pour le moment. Je n'ai rien vu, je mets ton dossier sous la pile. Je sais que tu vas arriver à retomber sur tes pieds. Mais ne joue plus au père Noël.

Elle se leva pour raccompagner Mahé jusqu'à la porte vitrée.

— C'est drôle de penser que tu es l'employeur de mon mec... Ne me le mets pas au chômage!

— Si je ne devais garder qu'un seul marin, ce serait Jean-Marie, répliqua Mahé en souriant.

Elle quitta la banque avec des sentiments mitigés. Tout en se réjouissant pour Armelle qui paraissait comblée, elle espérait que rien n'allait changer dans leur amitié. Autour d'elle, les gens de sa génération s'étaient mariés les uns après les autres, avaient eu des enfants. À combien de noces et de baptêmes avait-elle assisté ces dernières années? Pendant ce temps-là, avec Armelle, elles avaient partagé un célibat joyeux, un certain goût pour la fête, des sorties en mer à bord du voilier, mais aussi des moments de doute ou des soirs de blues. Dorénavant, Armelle ne serait plus la même, plus aussi disponible, ce qui était normal. Et Mahé, qui jusqu'ici avait pu débarquer chez elle à l'improviste, ne pourrait pas se risquer à la déranger chez Jean-Marie.

S'installant au volant du vieux break, elle dut donner deux ou trois coups de démarreur avant que le moteur ne se décide à tousser.

— Eh bien voilà, soupira-t-elle, le crédit, ce sera pour une bagnole...

Elle prit la direction de Lamballe et coupa par les petites routes, passant par Saint-Jacques-le-Majeur pour le seul plaisir de longer le bois de Coron. Un avant-goût de printemps égayait le paysage et empêchait Mahé de s'appesantir sur ses soucis d'argent ou d'avenir. Les choses changeaient fatalement, elle devait l'accepter. Erwan n'était plus là, Armelle venait de trouver l'amour. Le petit Arthur allait avoir un beau-père et une vie de famille. Jean-Marie serait désormais pressé de rentrer au port.

Sur la place du Martray, elle dénicha une place où se garer et se hâta vers le cabinet, en retard pour son rendez-vous. Elle n'avait pas menti en disant qu'elle n'attendait rien d'Alan, cependant quand elle se retrouva face à lui, elle dut se rendre à l'évidence, dépitée : il lui plaisait toujours.

Dès le début de la séance, Christine s'éclipsa, les laissant seuls. Allongée sur le fauteuil, la bouche grande ouverte, Mahé ne voyait que les yeux gris d'Alan, qui semblaient rieurs au-dessus de son masque.

— Je ne te fais absolument pas mal aujourd'hui, en plus, je n'en ai pas pour longtemps, donc tu peux te détendre.

Il travaillait vite, avec des gestes doux, et elle le laissa faire sans broncher. Lorsqu'il eut terminé et qu'elle put se relever, elle se demanda si c'était la dernière fois qu'elle le voyait. Car, quoi qu'il puisse lui proposer, elle était déterminée à refuser.

— Assieds-toi une minute, je remplis ton dossier.

Après avoir entré quelques données dans l'ordinateur, il prit un stylo pour signer la feuille de soins.

—Puisque tu ne peux pas me raccrocher au nez, dit-il soudain, j'en profite pour te reposer la question : quand viens-tu dîner à la maison ?

—Je n'ai pas... Pas beaucoup de temps en ce moment.

—Vraiment ? Tu travailles la nuit ? Franchement, Mahé, tu n'as pas une soirée à m'accorder ?

—Je ne suis pas sûre d'en avoir envie, murmura-t-elle en regardant ailleurs.

—Oh ! Voilà une réponse très désagréable à entendre.

Il esquissa une grimace et se mit à jouer avec son stylo.

—Pas moyen de te convaincre ?

Au lieu de répondre, elle fouilla dans son sac, prit son chéquier qu'elle ouvrit nerveusement puis tendit la main vers le stylo. Il eut une hésitation avant de le lui donner. Elle se sentait mal à l'aise, un peu ridicule, et d'un mouvement maladroit elle fit tomber le stylo sur le carrelage où la plume se brisa net.

—Mon Dieu, je suis navrée !

Une grosse tache d'encre s'étalait déjà sur le sol. Alan alla chercher des serviettes en papier et s'agenouilla pour nettoyer. Il avait l'air si contrarié qu'elle voulut l'aider.

—Non, laisse, murmura-t-il d'une voix éteinte.

—Tu y tenais beaucoup ? On peut sûrement le faire réparer, changer la plume...

À sa façon de ramasser soigneusement le corps du stylo, le capuchon et la plume cassée, elle comprit que cet objet devait signifier quelque chose d'important pour lui.

—Ton porte-bonheur? hasarda-t-elle. Un souvenir de famille?

—Rien de grave, ne t'inquiète pas.

—Confie-le-moi, je...

—Non, je m'en charge.

Il avait laissé fuser la réponse d'un ton sec et il ajouta, bien plus doucement:

—C'est du fétichisme, on ne devrait pas s'attacher aux objets.

Levant les yeux vers elle, il la contempla un instant.

—Rien qu'un dîner, Mahé. Ton jour sera le mien. Je peux venir te chercher et te raccompagner après. Ou alors, je t'emmène au restaurant. Si tu préfères, on s'y retrouve et tu seras libre de partir quand tu voudras. Ce n'est pas un traquenard.

Comme elle hésitait, il lui adressa un sourire désarmant.

—Tu connais *Le Relais Saint-Aubin*? Ils ont un bon feu de cheminée et on y mange une formidable fricassée de la mer...

—D'accord, finit-elle par céder. Jeudi. J'y serai à huit heures.

Elle quitta si vite le cabinet qu'elle ne s'aperçut même pas que son chèque, abandonné sur le bureau, n'était ni rempli ni signé. Alan le déchira avant de le jeter dans la corbeille.

—Encore une sortie rapide de Mlle Landrieux! constata Christine.

Avisant les morceaux épars du stylo, elle s'arrêta devant le bureau.

—Ce vieux truc vous a lâché?

—Il est tombé.

—Vous avez les moyens de vous en offrir un autre, qui ne bavera pas.

Tout en plaisantant, elle guettait sa réaction. Il ne lui avait jamais expliqué pourquoi il y tenait tellement, mais elle le connaissait par cœur.

—Si ça vous contrarie trop, envoyez-le chez le fabricant.

—Non, je crois qu'il a fait son temps.

Il ouvrit le tiroir, rangea soigneusement le stylo dans un écrin décoloré. Ce souvenir de Louise lui était précieux, mais après tout il n'avait pas besoin de le voir chaque jour. Le visage de sa première femme, éternellement jeune, s'était estompé dans sa mémoire. Il se demanda si le chauffard qui l'avait écrasée vivait toujours, et s'il y pensait parfois, s'il avait des remords.

—Je vais chercher le patient suivant? suggéra Christine d'une voix ferme.

Sans doute voulait-elle l'empêcher de sombrer dans un accès de mélancolie, pourtant il ne se sentait pas triste. Il avait pu songer à Louise presque sereinement, et désormais la seule chose qui le préoccupait était le dîner de jeudi.

*

Yann adorait marcher sur la plage de l'Écluse, et Rozenn avait pris l'habitude de l'accompagner chaque matin. Ils en profitaient pour ressasser inlassablement leur projet de restaurant ou mettre au point les derniers détails du mariage. Rozenn faisait semblant de se tordre les pieds sur le sable pour s'accrocher au bras de Yann, qu'elle ne lâchait pas. C'était «son» homme et elle le surveillait étroitement, surtout pendant le travail, à cause des autres serveuses. Si l'une d'elles lui parlait trop longtemps ou riait avec lui, elle s'interposait aussitôt. Flatté de tant d'intérêt, Yann la laissait faire. Il savait bien qu'elle n'était pas forcément la femme idéale, que son intelligence était limitée, tout comme sa capacité d'empathie, et qu'il lui arrivait de bâcler son travail. Mais faire l'amour avec elle le rendait fou, il n'avait jamais connu un tel plaisir et comptait bien en profiter. Et puis, elle n'était pas méchante. Si on lui redonnait sa chance elle pourrait même être une bonne mère. Yann y veillerait pour leurs futurs enfants, et le petit Arthur en bénéficierait. Un gentil gosse, qui avait déjà des idées bien arrêtées. Devait-il en toucher un mot à Rozenn? Quand elle découvrirait que son fils rêvait d'être marin, elle piquerait sans aucun doute une crise de fureur. Le plus sage serait de ne rien dire avant la majorité du petit, mais celui-ci n'arriverait jamais à se taire jusque-là. Même s'il avait promis de garder son secret, ce n'était qu'un gosse.

Yann s'arrêta, mit une main en visière pour regarder la mer au loin. Hors de la saison touristique, les promeneurs n'étaient pas nombreux, ils avaient la plage entière pour eux seuls.

—Est-ce que tu sais ce qu'Arthur veut faire quand il sera grand?

Toujours cramponnée à son bras, Rozenn s'appuyait sur lui de tout son poids.

—Voyons, Yann, c'est bien trop tôt pour y penser ! Mais il n'aime pas l'école et il n'est pas en avance...

Ballotté d'un endroit à un autre durant des années, le petit garçon savait à peine lire et comptait sur ses doigts. Jamais il ne pourrait entrer au collège l'année prochaine, il faudrait immanquablement le faire redoubler. Désignant un bateau au loin, Yann ajouta :

—Et s'il avait envie d'être marin, en bon Breton ?

—Tu rigoles ! Il a peur de l'eau et puis... son père s'est noyé, je te l'ai raconté.

Exceptionnellement, elle le lâcha, fit quelques pas sur le sable. Elle n'aimait pas parler d'Yvon. Pour Yann, elle avait enjolivé la vérité quand elle s'était décidée à lui résumer son passé. Mais pourquoi avait-il insisté pour savoir qui était le père du petit ? Elle ne voulait pas qu'il apprenne l'humiliation infligée par Yvon, pas question qu'il sache qu'elle avait été traitée en quantité négligeable. Elle s'était donc réfugiée derrière des mensonges. D'après elle, à l'époque, Yvon l'avait *suppliée* de l'épouser car elle était pour lui la femme *unique*. Hélas, une affreuse tempête avait anéanti leur projet. Pour plus de vraisemblance, elle avait même prétendu qu'Yvon préférait attendre qu'elle ait accouché. Pas de gros ventre déformant la robe le jour de ses noces ! Et, comme il avait reconnu son fils, la date de la cérémonie avait été repoussée à l'été suivant. Dans cette version, Rozenn apparaissait frappée par le malheur, et Yann ne pouvait que compatir. Mieux encore, il évitait d'y faire allusion afin de ne pas la peiner.

—Oui, insista-t-il pourtant, mais si Arthur y voyait un jour une sorte de revanche ? S'il voulait, je ne sais pas... Honorer la mémoire de son père ?

Elle se tourna d'un bloc vers lui et le scruta.

—Il t'a dit quelque chose ?

—Pas vraiment. Sauf que son séjour chez ta copine, celle qui a des bateaux de pêche, lui a bien plu.

Horrifiée, Rozenn retint le juron qui lui venait aux lèvres. Elle revit instantanément les photos des chalutiers qui ornaient les murs dans le bureau de Mahé. Est-ce que cette garce avait endoctriné Arthur ? Mais depuis quand était-il influençable, lui si entêté ? Il aurait dû prendre ces rafiots en horreur !

—Ce ne serait pas la fin du monde, dit Yann d'un ton conciliant. Et puis, on a bien le temps.

Elle se força à lui sourire, revint vers lui et reprit son bras. Il ne devait pas voir qu'elle était bouleversée. Jamais elle n'accepterait qu'Arthur se mette à rêver de pêche au large. Et surtout pas que ce soit Mahé qui lui en ait donné l'idée ! Pourquoi s'était-elle crue assez maligne pour manipuler son ancienne rivale ? Confusément, elle avait voulu se venger d'elle en lui présentant Arthur, le portrait craché d'Yvon, et en lui extorquant de l'argent. Mais ses manœuvres se retournaient contre elle, lui faisant amèrement regretter d'avoir confié son fils à cette femme ! Heureusement, il n'allait pas l'avoir pour marraine, et d'ailleurs il ne la verrait plus jamais. Quant à cette idiotie de vouloir devenir marin, qu'il ne s'avise pas d'en parler devant elle!

Yann était passé à autre chose, tout en marchant il discourait à présent à propos de «leur» affaire, celle qu'ils allaient dénicher et dont ils seraient les maîtres. Un sujet bien plus agréable, car s'imaginer en patronne faisait défaillir Rozenn de bonheur. Elle s'y voyait, elle en rêvait. Ça, et aussi un beau livret de famille officiel délivré par le maire.

—Les établissements en bord de mer sont hors de prix, même les plus modestes, fit-elle remarquer. Il faudra sûrement s'éloigner de la côte, s'installer à l'intérieur des terres.

Elle ne voulait plus voir la mer, et elle ne voulait pas qu'Arthur y pense.

—Tu es folle? protesta Yann avec un rire moqueur. Les clients raffolent de la proximité des plages, ils viennent pour respirer l'air du large et regarder leurs mioches faire des châteaux de sable. Non, crois-moi, on se serrera la ceinture mais on trouvera un petit truc face à la mer.

Sans répondre, elle raffermit sa prise sur son bras. Se «serrer la ceinture» n'était pas dans ses intentions, elle en avait assez bavé comme ça. Oubliant qu'elle n'était pas une manipulatrice très douée, elle se promit d'amener Yann à faire exactement ce qu'elle désirait.

*

Le *Jabadao* étant immobilisé, le temps de l'équiper d'un nouveau système de communication, Mahé avait dû refaire son planning pour la semaine à venir. Le petit Christophe se retrouvait dans l'équipe du vieux Bertrand sur le *Tam bara*, tandis que Jean-Marie prenait le commandement du *Korrigan*.

Le jeudi matin, elle procéda elle-même à une visite minutieuse de ses bateaux, profitant du fait qu'ils étaient tous au port. S'il devait y avoir d'autres pannes nécessitant des réparations, elle voulait pouvoir anticiper. Bien sûr, ses marins entretenaient les bâtiments de leur mieux, mais elle savait qu'ils répugnaient à perdre une journée de pêche et «bricolaient» parfois pour pouvoir appareiller.

Sur le pont du *Tam bara*, assis au soleil et équipé de gros gants, Bertrand réparait un trou dans le filet étalé autour de lui.

— On a eu un hiver précoce, et voilà que le printemps est en avance aussi! lança-t-il à Mahé qui venait de monter à bord.

— Je t'apporte le nouveau planning. Tout va bien ici?

— Sans problème. Tu vois, je fais de la couture… Avant ça, j'ai changé une pièce sur le bras du chalut. Je le bichonne, ton navire!

Il jeta un coup d'œil à la feuille qu'elle lui montrait et hocha la tête.

— C'est moi qui récupère le gamin? Tant mieux, il est efficace.

— Il a beaucoup appris avec Jean-Marie, mais ça lui fera du bien de changer un peu d'équipage et de zone de pêche.

Bertrand leva les yeux sur elle, se fendit d'un sourire.

— Bien vu !

Il enleva ses gros gants pour essuyer la sueur qui coulait sur son front.

— Un si beau temps, Mahé, ça ne te donne pas envie de faire un tour en mer ? Accompagne-nous, un de ces jours, il y a trop longtemps que tu restes sur la terre ferme.

— Quand j'ai envie de sensations, je monte sur le *Faézer*, le voilier de mon amie Armelle. Tu vois qui c'est ?

— Ah, ben, faudrait être aveugle pour ne pas la remarquer, celle-là ! répliqua-t-il. Jean-Marie en sait quelque chose, non ? On les rencontre partout ensemble, main dans la main, yeux dans les yeux. Tu sais quoi ? Je crois bien qu'il est fait comme un rat !

Il hurla de rire en se tapant sur les cuisses puis, reprenant son sérieux, il ajouta :

— Remarque, il méritait de se trouver une femme. C'est agréable d'avoir quelqu'un qui t'attend à la maison et qui t'accueille à ton retour. Moi, sans ma Claudine, j'aurais plus goût à rien.

— Il ne l'a pas encore demandée en mariage, protesta Mahé.

— Il doit répéter son discours ! Tu le connais, parler de sentiments n'est pas son fort.

Content de bavarder avec Mahé, Bertrand en profita pour sortir sa blague à tabac, son paquet de feuilles, et il entreprit de rouler une cigarette. Du coin de l'œil, il l'observait, constatant que la charmante jeune fille était devenue une belle femme de trente ans. Elle conservait cet air entreprenant et déterminé qui lui permettait d'obtenir la confiance des marins. Avec le temps, elle semblait même avoir oublié le drame de la disparition en mer de son fiancé, cependant elle restait seule. Discrète sur quelques aventures de passage, elle ne s'était attachée à aucun homme. Allait-elle finir vieille fille ? Ce serait dommage ! Qu'est-ce qui pouvait bien la retenir ? Peut-être était-elle obnubilée par l'armement ? Elle avait voulu faire mieux qu'Erwan et continuait à lutter. Le souvenir encore vif de son père, peut-être idéalisé, devait peser sur elle. Erwan aimait à répéter qu'il était parti de rien, qu'il s'était sorti seul de la pauvreté. À force de volonté et de travail, il était passé du statut de simple pêcheur à celui de patron. Bon époux, mais veuf prématurément, bon père qui voulait le meilleur pour sa fille et lui avait tout donné de son vivant : la maison, l'affaire. En somme, une image idyllique mais trompeuse. Erwan pouvait être violent, il l'avait prouvé certaine nuit. Et sa manière de se débarrasser d'Yvon horrifiait toujours Bertrand lorsqu'il y repensait. Avait-il eu raison de se taire ?

— Tu es bien songeur, fit remarquer Mahé avec un gentil sourire. Si tu en as marre de ce filet, Christophe finira.

Il baissa la tête et considéra ses gants abandonnés sur les mailles du chalut. Puisqu'il avait choisi de garder ses doutes pour lui, autant s'y tenir. Parler n'aiderait pas Mahé, peut-être même ne le croirait-elle pas, alors, à quoi bon ? Et puis il n'allait pas changer d'avis tous les huit jours ! Il devenait gâteux ou quoi ?

— Tu en veux ? proposa-t-il en lui tendant sa blague à tabac.

—Non, mais je t'offre une bière. Tous les bistrots ont rouvert, ça sent vraiment le printemps.

—D'accord pour une Diwall blonde, de la distillerie de Lannion, c'est la plus désaltérante!

Face au soleil, les yeux de Mahé avaient la couleur exacte de l'océan, ni bleu ni vert. Un jour ou l'autre, un homme serait prêt à se damner pour eux, c'était obligé.

*

Afin de ne pas faire attendre Mahé, Alan était arrivé en avance. *Le Relais Saint-Aubin*, situé à la sortie d'Erquy, était aménagé dans un ancien prieuré et offrait l'un des cadres les plus agréables de toute la région. Des murs de pierres apparentes où étaient pendus de nombreux tableaux, des nappes azur, des bougies assorties dans des chandeliers d'argent, et une cheminée monumentale où brûlait un bon feu. L'endroit était romantique à souhait, et on y mangeait des produits excellents, toujours frais.

Installé à l'une des tables du fond de la salle, Alan eut tout loisir de voir entrer Mahé et de constater, comme prévu, que son cœur s'emballait rien qu'à la regarder venir vers lui. Pourtant, elle n'avait pas fait d'effort vestimentaire particulier. Elle portait une de ses sempiternelles vestes bien coupées sur un chemisier blanc et un jean. Quand elle se pencha pour l'embrasser pudiquement sur la joue, il sentit un effluve de savon et de shampooing, comme si elle sortait de sa douche.

— J'aime beaucoup ce restaurant, dit-elle en s'asseyant face à lui. Et maintenant que la nuit est tombée, il fait assez froid pour avoir envie d'une flambée.

— Moi, j'aime beaucoup que tu sois là.

— Tu as tellement insisté!

— Je suis têtu.

— Tu viens souvent ici?

— Pas depuis l'année dernière. Si tu poses la question pour savoir si j'y emmène des femmes...

— Non! Ne te justifie pas, je ne t'ai rien demandé.

Elle souriait, détendue en apparence, mais il la devinait sur la défensive.

— J'espère que tu as faim, dit-il gentiment. En principe, leur lieu jaune au beurre d'orange est un délice.

Penchée sur la carte, elle hocha la tête.

— D'accord, et avant, une croustade de coquilles Saint-Jacques sur fondue de poireaux. Je cherche toujours des recettes pour les accommoder différemment, mais je suis une piètre cuisinière. Mon pauvre père n'a pas souvent bien mangé!

— Tu t'en remets?

— Sa mort m'a déboussolée. On croit que les choses vont durer, on n'y fait pas attention, et puis... Pour m'aider à tourner la page, j'ai vidé la maison d'un tas de vieilleries. C'est plus gai comme ça.

Ils passèrent commande, et en attendant la croustade sirotèrent un verre de pouilly fumé.

— Pourquoi ne me rappelles-tu jamais, Mahé?

336

—Moi? Tu plaisantes? La dernière fois, d'accord, j'avais un bateau injoignable et je me faisais du souci.

—C'est arrangé?

—Oui, on est en train de l'équiper d'une bonne radio. De nos jours, le matériel est très sophistiqué, très performant, très compliqué à dépanner, et ruineux!

Elle goûta le vin, reprit une gorgée.

—Tu n'as pas voulu m'accompagner à New York, tu es toujours pressée au téléphone et j'ai dû t'arracher ce dîner. Alors, réponds-moi franchement: tu n'as plus envie de me voir?

L'espace d'un instant, elle parut tout à fait désemparée. Sans doute la question était-elle trop directe, mais il voulait savoir.

—Eh bien, je ne suis pas sûre de… J'ai l'impression que nous n'allons nulle part, toi et moi.

—Pourquoi?

—Nous sommes tellement différents, Alan! Lorsque tu quittes ton cabinet, ta journée est finie, moi je suis en alerte jour et nuit quand j'ai des bateaux au large. Je suppose que tu gagnes bien ta vie, moi je galère pour garder la tête hors de l'eau et payer décemment mes pêcheurs. Tu es un célibataire endurci et heureux de l'être, moi je voudrais construire quelque chose de solide, fonder une famille car je n'en ai plus. Je crois que tu aimes collectionner les aventures et que tu es très indépendant. Tu apprécies la musique classique et je ne sais pas ce que c'est. Tu montes à cheval et je n'ai jamais approché un poney.

Tu as été marié deux fois, tu as quarante ans. Est-ce que tout ça te paraît suffisant?

—Pas du tout. Tu caricatures. Tiens, je t'imite! Tu es une femme et je suis un homme, tu as un break et moi un coupé, j'ai les yeux gris et toi... Bleu? Vert? En tout cas superbes, j'y suis très sensible. Non, c'est ridicule, pas d'euphémisme, en réalité je suis amoureux de toi, voilà.

—Oh...

Elle recula un peu sa chaise, baissa la tête, la releva brusquement.

—Je ne sais pas quoi dire, souffla-t-elle.

Avait-elle vraiment failli s'enfuir? Pour la retenir, il tendit la main vers elle.

—C'est une mauvaise nouvelle? Tu aurais préféré que je me taise?

Le visage de Mahé parut s'adoucir d'un coup. Alors qu'elle s'apprêtait à répondre, esquissant même un sourire, une voix de stentor l'en empêcha.

—Mais je rêve! Alan, quel plaisir...

Avant qu'il ait pu faire quoi que ce soit, Mélanie avait fondu sur lui. Elle le prit par le cou pour l'embrasser tandis qu'il se raidissait, consterné.

—C'est incroyable de se retrouver ici! J'adore ce restaurant et je vois que je ne suis pas la seule. Permets-moi de te présenter mes amis.

Deux hommes se tenaient à quelques pas de la table, l'air indifférent. Alan supposa que Mélanie faisait un de ses innombrables dîners d'affaires. Rien n'aurait pu tomber plus mal que sa présence à ce moment-là. Comment allait-il se débarrasser d'elle? Il se leva, salua rapidement les «amis» qui devaient être des investisseurs potentiels. Mélanie en profita pour s'intéresser à Mahé.

—Bonsoir, je suis Mélanie, la femme d'Alan. Enfin, son ex-femme! Bien, je ne vais pas vous déranger longtemps, j'ai l'impression d'avoir troublé un tête-à-tête... Sacré Alan, toujours avec de jolies filles! Vous êtes ravissante, mademoiselle.

Mahé l'observait, figée.

—En effet, tu nous déranges, intervint Alan d'un ton glacial. Et garde tes réflexions pour toi, s'il te plaît.

—Pourquoi? Elle est jolie, non?

Avec un rire très étudié, Mélanie s'écarta et récupéra ses deux acolytes pour gagner sa table qui, hélas, était assez proche. Se rasseyant, Alan soupira.

—Veux-tu qu'on s'en aille, Mahé?

—Le lieu jaune au beurre d'orange, annonça le maître d'hôtel en déposant devant eux leurs assiettes.

Mahé attendit qu'il se soit éloigné, puis elle jeta un coup d'œil vers Mélanie avant de reporter son regard sur Alan.

—On mange ça d'abord? proposa-t-elle.

—Très bien. Mais elle m'a coupé l'appétit. Je te dois des excuses, Mélanie est odieuse.

—Elle ne m'a pas injuriée.

—Moi, oui. Elle ne sait rien de ma vie actuelle, nous n'avons quasiment aucun contact depuis des années. Elle a débarqué un jour au cabinet, dont elle avait obtenu l'adresse à force de la chercher partout, pour me proposer un placement mirifique dans sa connerie d'institut de la mer! Bon, désolé, je deviens grossier, elle me fait enrager.

— Je comprends.

— Et elle a gâché ce dîner.

— Est-ce qu'elle l'a inventé?

— Quoi donc?

— Le coup des jolies filles.

— Elle n'en sait rien, se défendit-il. Elle voulait te mettre mal à l'aise, et moi avec.

Mahé commença à manger, mais Alan était incapable d'en faire autant. Comment avait-il pu supporter une femme telle que Mélanie? Lorsqu'il l'avait rencontrée, il s'était trompé sur son compte, l'avait crue gentille. Pas douce, car elle avait déjà un côté autoritaire et ambitieux, mais au moins pas méchante. Un défaut qu'il avait découvert trop tard et à ses dépens.

— Ce poisson est excellent, et je sais de quoi je parle, déclara Mahé avec un sourire contraint.

Elle s'efforçait de faire comme si de rien n'était, néanmoins l'irruption de Mélanie avait modifié l'ambiance, et la suite de la soirée risquait d'être une catastrophe. Or ce serait probablement la dernière chance d'Alan, il fallait qu'il trouve une solution de toute urgence. Il passa en revue les endroits où boire un verre.

— Si on allait faire un tour au casino du Val-André? suggéra-t-il, à court d'idées.

— Je n'aime pas les jeux d'argent. Mais si tu m'offres un digestif chez toi, je peux te suivre en voiture.

340

Incrédule, il la scruta pour s'assurer qu'elle ne plaisantait pas.

—Si tu bois de l'alcool chez moi, tu devras y passer la nuit. Si tu préfères dormir dans ton lit, alors je t'offre seulement une glace, j'en ai plein mon congélateur.

—D'accord, on prend le dessert dans ta maison. Je sens que tu n'as aucune envie de t'attarder ici.

—Tout juste.

—Tu me feras une aussi belle flambée?

—Promis.

—Et tu ne chercheras pas à me retenir?

—En tout cas, pas de force.

—Entendu. Allons-y.

Alan régla discrètement l'addition tandis que Mahé enfilait son manteau, et une fois dehors il proposa de lui ouvrir la route.

—Comme ça, tu ne te perdras pas, tu n'auras aucune excuse.

Il faillit lui demander pourquoi elle acceptait si facilement de le suivre alors qu'elle était venue à ce dîner avec réticence. Mélanie ayant coupé court à la conversation, il n'avait pas eu le loisir de convaincre Mahé de sa sincérité, mais elle lui laissait la possibilité d'essayer, et il comptait bien en profiter.

Pour rentrer chez lui, il emprunta une succession de petites routes en conduisant doucement, surveillant les phares de Mahé dans son rétroviseur. Une fois arrivé, il se félicita d'avoir laissé les lampes allumées à l'intérieur de la maison, ainsi qu'une lampe du séjour, car dans la nuit la malouinière se voyait de loin et semblait très accueillante. Son premier soin fut de préparer un feu, puis il alla chercher des glaces, qu'il rapporta devant la cheminée.

—Caramel au beurre salé, ça te va? Sinon, j'ai…

—C'est parfait, Alan.

Elle s'était installée dans l'un des gros fauteuils et il vint s'asseoir près d'elle sur le tapis.

—J'ai une foule de choses à te dire, mais je ne sais pas par où commencer. Nous sommes différents, tu n'as pas tort, pourtant je crois qu'aujourd'hui nous voulons la même chose. Tu me définis comme un célibataire endurci et c'était peut-être vrai jusqu'à maintenant. Tu as vu Mélanie, tu peux imaginer le chemin de croix qu'a été notre divorce. Ce qui, toutefois, n'était rien en comparaison de la mort de Louise. Avoir assisté à l'accident m'a poursuivi pendant des années. J'aurais donné n'importe quoi pour retrouver le chauffard et le tuer moi-même. Il y avait la douleur du chagrin, et une colère démente qui m'asphyxiait. J'ai dû croire que Mélanie m'aiderait à sortir de cet enfer… Bref, après elle je me suis considéré comme définitivement guéri du mariage, ou même d'une simple cohabitation. Je ne voulais plus m'impliquer dans aucune histoire. Comme j'aime les femmes, j'ai fait attention à ne jamais rien promettre pour qu'il n'y ait pas de malentendu. Alors, oui, j'ai eu des aventures légères, charmantes et sans conséquences. Jusqu'à toi. Au début, j'ai cru que ce serait pareil, que d'un commun accord nous passerions seulement de bons moments. Mais tu es entrée dans ma tête et tu ne veux plus en sortir. Je me suis mis à penser à toi tout le temps, à m'ennuyer de toi, à vouloir être avec toi. Et j'ai l'impression horrible que ce n'est pas ce que tu ressens de ton côté. Je me trompe?

Levant les yeux sur elle, il découvrit qu'elle souriait.

—Eh bien, Alan… Voilà une longue déclaration! Je ne suis pas sûre de savoir, ni d'ailleurs de vouloir, analyser les choses comme tu viens de le faire. Évidemment, je te pensais plus détaché, et ça ne m'incitait pas à…

Elle se tut, ayant l'air de chercher ses mots. Il attendit un instant puis se leva, alla jusqu'à la cuisine. Quand il revint avec un plateau, elle souriait toujours et semblait beaucoup plus à l'aise.

—Qu'est-ce que tu choisis? demanda-t-il en désignant les verres. Armagnac ou Perrier?

Par jeu, elle tendit la main vers l'eau pétillante, mais finalement elle prit le verre à liqueur.

—Excellent choix, il a quarante ans d'âge. Ça signifie que tu restes?

—On dirait.

—Et tu ne t'enfuiras pas demain à l'aube en claquant la porte?

—On verra.

Il trinqua avec elle, se rassit à ses pieds.

—J'aime ta maison, déclara-t-elle en humant l'armagnac. On s'y sent bien.

343

—Je l'ai adorée à la première visite et je l'ai achetée sans prendre le temps de réfléchir. Je ne le regrette pas.

—Pourtant, elle est vraiment très isolée.

—C'est ce qui en fait le charme. En réalité, mes voisins agriculteurs ne sont pas très loin. Trois kilomètres par la route mais beaucoup moins à vol d'oiseau. Ils ont l'œil à tout. Comme ils arpentent leurs terres à longueur de journée, ils sont au courant de tout. Leur métier n'est pas facile, ils travaillent en famille, et néanmoins ils sont toujours disponibles pour rendre service. Sans eux, j'aurais eu des soucis avec ma jument, elle ne peut pas rester enfermée du matin au soir. Leur fille adore les chevaux, elle vient monter Pat de temps en temps, ou bien elle la met en liberté dans son enclos.

—Et ta chatte, où est-elle?

—Elle se cache quelque part pour mieux nous observer. Elle viendra quand elle en aura envie.

Constatant que le verre de Mahé était vide, il le lui ôta des mains.

—Moi, c'est de toi que j'ai envie. Tu es tellement jolie! Pour une fois, Mélanie a dit quelque chose de sensé.

Il se releva, lui tendit les bras.

—Viens…

Ils se retrouvèrent l'un contre l'autre, se touchant pour la première fois de la soirée.

—J'aime ton parfum, murmura-t-il, j'aime ta peau, tout ça m'a beaucoup manqué, j'y ai pensé des nuits entières.

—Je pensais aussi à toi.

— Sûrement pas! Tu m'as fui, ignoré, rabroué.

Il défit les boutons de son chemisier tandis qu'elle s'attaquait à ceux de sa chemise.

— On sera mieux sous la couette, décida-t-il. Je t'emmène.

Sans effort, parce qu'elle était petite et légère, il la souleva et se dirigea vers l'escalier.

*

Un rayon de soleil, qui chauffait sa joue, finit par réveiller Mahé. Elle était seule dans le grand lit d'Alan, et les rideaux de la chambre étaient à moitié ouverts. Elle récupéra sa montre, constata qu'il était neuf heures. Alan était-il déjà parti pour Lamballe? Un vendredi, il avait forcément des rendez-vous. L'idée d'être seule dans cette grande maison aurait pu la contrarier, mais après la nuit qu'elle avait passée elle s'en moquait. Avec un peu de chance, elle trouverait comment fonctionnait la machine à café!

Elle bâilla, s'étira, se rallongea les bras en croix. Face à elle, sur le mur, un tableau unique représentait un cheval. Alan avait précisé qu'il s'agissait d'un étalon andalou, et il était magnifique. Juste au-dessous, sur l'abattant du secrétaire dos d'âne, régnait un gentil désordre de clefs et de papiers. L'atmosphère de la chambre était assez masculine, sobre, avec des couleurs ivoire et taupe. Tout, dans cette pièce comme dans le reste de la maison, paraissait trop grand aux yeux de Mahé, habituée à des dimensions plus modestes. Mais Alan avait su disposer çà et là un beau meuble, un objet rare, ou encore un tapis qui adoucissait l'austérité du lieu. On se sentait bien chez lui, comme elle l'avait constaté la veille.

À regret, elle quitta le lit pour aller prendre une douche. Dans la salle de bains elle trouva une pile de serviettes propres sur un tabouret, sans doute disposées là à son intention. Alan était un hôte très attentif… et aussi un merveilleux amant, ce qu'elle savait déjà. Mais justement, combien de femmes avait-il reçues ici, avec la même courtoisie et le même plaisir ? Éprouvait-il vraiment l'envie d'abandonner sa vie de séducteur, de conquérant ? Il avait beaucoup parlé durant la nuit, il s'était confié, livré, ayant à l'égard de Mahé autant de mots d'amour que de gestes tendres. En quoi pouvait-elle bien être la femme unique pour lui ? Elle pensait n'avoir rien de très remarquable, en tout cas pas au point de le faire changer de mode de vie, malgré ses déclarations. Lui accorder sa confiance n'allait pas être évident pour elle.

Une fois rhabillée, elle longea le couloir et commença à descendre l'escalier avant de s'arrêter net en entendant un rire cristallin. Contrairement à ce qu'elle avait cru, elle n'était pas seule. En équilibre sur une marche, elle se pencha et jeta un coup d'œil à travers les barreaux de la rampe.

— Voyons, Alan, laisse-toi faire, tu vas adorer !

La voix était jeune, joyeuse, et Mahé savait reconnaître une intonation charmeuse. Elle fut agacée d'être déjà confrontée à la situation qu'elle redoutait confusément. Alan était entouré de jolies femmes qui devaient le poursuivre avec acharnement et devant lesquelles Mahé se sentait d'avance impuissante. Elle se composa un visage indifférent et continua à descendre.

— Ah, te voilà! s'exclama Alan.

Il vint au-devant d'elle avec un sourire tout à fait désarmant.

— Bien dormi? Je n'ai pas voulu te réveiller...

La jeune fille qui se tenait debout près de la grande table lança un regard noir à Mahé.

— Je te présente Karen, la fille des voisins dont je t'ai parlé. Karen est venue m'apporter une énorme documentation sur toutes les sortes de 4 × 4 disponibles!

Loin d'être embarrassé, il prit Mahé par l'épaule, la serra une seconde contre lui.

— Qu'en penses-tu? demanda-t-il.

D'un geste, il étala les brochures sur la table.

— Mon coupé est mal adapté aux chemins boueux et aux routes verglacées, j'ai compris ça cet hiver. Regarde le Range Rover, il est beau, non?

— C'est toi qui aimes les voitures.

— Mais c'est surtout toi que j'aime, donc il faut qu'elle te plaise.

Il l'avait dit sans ostentation, comme quelque chose de tout naturel. Karen lui jeta un coup d'œil incrédule et navré.

— Je vais seller Pat, déclara-t-elle de mauvaise grâce. Elle tapait déjà dans la porte de son box quand je suis arrivée.

347

—Bonne promenade, et sois prudente, lui recommanda Alan.

—Quand tu auras fait ton choix, ajouta-t-elle, parles-en à papa, il connaît un très bon garagiste.

Elle traversa le séjour sans saluer Mahé. Son jean moulant et ses bottes soulignaient une silhouette parfaite de sportive.

—Oh! là, là! soupira Mahé, je crois que je vais apprendre à monter à cheval! Elle vient souvent?

—De temps en temps.

—Elle te regarde avec adoration.

—Tu veux rire? Elle a vingt ans, c'est une gamine!

—Mais elle est très attirante.

—Je ne joue pas à ça.

Il semblait sincèrement indigné qu'elle puisse le soupçonner de draguer les jeunes filles.

—Déjà, toi...

—Quoi, moi?

—Tu as dix ans de moins que moi. Je serai gâteux bien avant toi et tu me jetteras comme une vieille chaussette.

Elle éclata de rire en répliquant:

—Je ne vois pas si loin.

—Moi, oui.

Il l'attira à lui, la serra trop fort.

—Après cette nuit, je suis sans défense, sous dépendance.

«Fait comme un rat!» songea-t-elle en se remémorant l'expression de Bertrand au sujet de Jean-Marie. Elle éclata de rire et l'embrassa au coin des lèvres.

—Il y a du café?

—Tu n'auras qu'à appuyer sur le bouton. Il faut que je parte, Christine a décalé mes premiers rendez-vous mais elle doit trouver le temps long.

—Tu ne voulais pas rater la visite de Karen, hein? demanda-t-elle avec un sourire malicieux.

—Non, j'attendais que tu te réveilles pour te dire bonjour.

—Bonjour.

Elle l'embrassa encore, plus tendrement cette fois.

—Arrête, ou je vais rester.

—Dépêche-toi de filer. Que dois-je faire en partant?

—Verrouille la porte, répondit-il en lui glissant une clef dans la main. C'est mon seul double et je te le donne.

Éberluée, elle le regarda sortir. Est-ce qu'il n'allait pas un peu vite? Baissant les yeux sur la clef, elle éprouva néanmoins un sentiment très joyeux. Lui offrir la clef de sa maison était probablement le seul moyen dont il disposait pour lui prouver sa sincérité au-delà des mots.

Elle gagna la cuisine, se prépara une tasse de café qu'elle but debout devant la fenêtre. Le paysage alentour était magnifique, la forêt commençait au bout du jardin, dont elle semblait faire partie. Elle était toujours venue de nuit et, ce matin, elle découvrait enfin tout le charme de l'endroit. Elle dut faire un effort pour s'arracher à sa contemplation, mais il était grand temps de regagner Erquy.

Une fois sortie, elle ferma avec soin, et alors qu'elle gagnait sa voiture elle entendit un bruit de sabots sur les graviers. Karen contournait la maison, montée sur la jument alezane dont les naseaux frémissaient. La jeune fille lui adressa un petit signe avec sa cravache, mais choisit de s'éloigner dans la direction opposée. Mahé la suivit des yeux jusqu'à ce qu'elle ait disparu entre les arbres. Afin de ne pas commettre la même erreur qu'Alan, elle devait ne pas se montrer stupidement jalouse.

—Ça, c'est pas gagné! murmura-t-elle en démarrant.

Inutile de s'en défendre, elle était amoureuse, et Alan lui manquait déjà. Quant à savoir si leurs caractères très affirmés allaient se révéler compatibles dans l'avenir... En tout cas, depuis Yvon, elle n'avait pas ressenti quelque chose d'aussi puissant, d'aussi doux. Sur la route du retour, elle se surprit à chanter à tue-tête, ce qui ne lui était pas arrivé depuis la mort de son père. Elle parcourut rapidement la quinzaine de kilomètres qui la ramenait à Erquy. Longeant le boulevard de la Mer, elle alla jusqu'au port de pêche. Dans l'immédiat, ce n'était plus à Alan qu'elle devait songer, mais au retour de ses bateaux. Les coquilliers ne tarderaient plus à rentrer après leurs trois quarts d'heure réglementaires, le *Tam bara* était au large et le *Jabadao* avait dû appareiller avant l'aube.

Debout à côté de son vieux break, elle respira profondément l'air iodé. Quel que soit le charme légendaire des forêts de Bretagne, rien ne pouvait remplacer pour elle l'océan. Dès demain, Armelle allait transporter à bord du *Faézer* son matériel de navigation et de sécurité. Même si elle initiait Jean-Marie à la voile, ce serait avec Mahé qu'elle entreprendrait quelques folles sorties en mer et, tout en remontant le vent, elles se raconteraient leurs amours. Alan et Jean-Marie parviendraient-ils à s'entendre lorsqu'ils se rencontreraient pour de bon ?

Elle se pencha et récupéra ses jumelles dans la boîte à gants. Oui, c'était bien le *Korrigan* qui venait de passer le cap d'Erquy. Tout à l'heure, dans la halle à marée, elle saurait si la pêche avait été bonne. Erwan n'avait jamais pu se faire aux écrans des ordinateurs, aux ventes à distance, à des réglementations qui changeaient sans cesse. Pour Mahé, tout était simple dans ce métier qu'elle aimait.

Comme souvent lorsqu'elle regardait long-temps la ligne d'horizon, elle eut une pensée pour Yvon. Que serait-elle devenue s'il n'avait pas disparu en mer cette nuit-là ? Quand aurait-elle appris l'existence d'Arthur ? Leur mariage, basé sur le mensonge, aurait sombré un jour ou l'autre. Yvon aurait-il continué à s'occuper de ce petit garçon caché ? Pauvre Arthur, mieux valait qu'il ne sache jamais de quelle façon son père l'avait rejeté. Rozenn ne s'en vanterait sans doute pas, elle fabriquerait une autre histoire. L'océan conte-nait tant de secrets ! Des promesses, aussi, que ce matin de printemps radieux laissait entrevoir.

Baissant ses jumelles, Mahé resta debout sur le quai, prête à accueillir ses bateaux.

Composition:
Soft Office – 5 rue Irène Joliot-Curie – 38320 Eybens

Achevé d'imprimer par GGP Media GmbH, Pößneck
en février 2013
pour le compte de France Loisirs,
Paris

N° d'éditeur: 71446
Dépôt légal : novembre 2012
Imprimé en Allemagne